L313 CB I

The Open
University

EDUCATION AND LANGUAGE STUDIES: LEVEL 3

VARIATIONEN

GERMAN LANGUAGE AND SOCIETY

1

Thema I
Landschaftliche Vielfalt und politische Strukturen

Thema 2
Aspekte deutscher Geschichte

L313 course team

Core course team

Lore Arthur *(course team chair until October 1997)*
Uwe Baumann *(academic co-ordinator, course team chair from October 1997)*
Maggie Dowling *(course manager)*
Annette Duensing *(course team member)*
Mirjam Hauck *(course team member)*
Elaine Haviland *(editor)*
Nicky Johnson *(secretary)*
Christine Pleines *(course team member)*
Frances Reynolds *(editor)*
Bettina Schneider *(secretary)*
Monica Shelley *(course team member)*
Ann Smith *(secretary)*

Consultant authors

Marilyn Farr *(Thema 2)*
Dr Hans Hahn *(Thema 2)*
Alan Jones *(Thema 1)*
Gudrun Lawlor *(Thema 1)*
Joachim Lembach *(Thema 2)*
Dr Beth Linklater *(Thema 2)*

Consultants and advisers

Dr Mark Allinson *(Thema 2)*
Professor Richard Bessel *(Thema 2)*
Vicky Davies *(Thema 1)*

Laurence Harger *(Thema 2)*
Dr Monika Ruthe *(Thema 1)*
Eve Speiser *(Thema 2)*

Course production team

Ann Carter *(print buying controller)*
Alison Cunningham *(project controller)*
Jonathan Davies *(design group co-ordinator)*
Jane Duffield *(project controller)*
Pam Higgins *(designer)*
Mike Levers *(photographer)*
Jo Parker *(research librarian)*
Nazlin Vohra *(designer)*
Andrew Whitehead *(graphic artist)*
Rob Williams *(designer)*

BBC production team

Nadia Bouzidi *(audio and video producer)*
Marion Cowan *(production assistant)*
Ian Lewis *(video and series producer)*
Claire Sandry *(audio producer)*

External assessor

Professor Martin Durrell, University of Manchester

With grateful thanks to Ragnhild Gladwell (Goethe-Institut), Manfred Pesik, Renate Sawallich and to Tony Seldon (cartoons).

The Open University, Walton Hall, Milton Keynes MK7 6AA

First published 1999. Reprinted with amendments 2002.

Copyright © 1999 The Open University.

Edited, designed and typeset by The Open University.

Printed and bound in the United Kingdom by Alden Press Ltd, Oxford and Northampton.

ISBN 0 7492 5315 0

2.1

This text forms part of the Open University course L313 *Variationen: German language and society*. The complete list of texts which make up this course can be found at the back of this book. Details of this and other Open University courses can be obtained from the Course Information and Advice Centre, P.O. Box 724, The Open University, Milton Keynes MK7 6ZS, United Kingdom: tel. +44 (0)1908 653231, email general-enquiries@open.ac.uk

Alternatively, you may visit the Open University website at http://www.open.ac.uk where you can learn more about the wide range of courses and packs offered at all levels by the Open University.

To purchase a selection of Open University course materials visit the webshop at www.ouw.co.uk, or contact Open University Worldwide, Michael Young Building, Walton Hall, Milton Keynes MK7 6AA, United Kingdom for a brochure. tel. +44 (0) 1908 858785; fax +44 (0) 1908 858787; e-mail ouwenq@open.ac.uk

Inhalt

Schlüssel

 Materialienbuch
(mit Quellenummer)

 Grammatik
(mit Absatz- bzw. Tabellenummer)

 Video

 Hörbericht

 Sprechübungen

Landschaftliche Vielfalt und politische Strukturen

Deutsche Landschaften, regionale Unterschiede, Sitten und Gebräuche, die politische Struktur auf Gemeinde-, Landes- und Bundesebene stehen im Mittelpunkt des ersten Themas dieses Kurses. Außerdem erfahren Sie etwas über die politischen Parteien und das Wahlsystem in Deutschland. Sie betrachten die Einstellung der Deutschen zu ihrer Heimat und lernen die Weser-Ems-Region und die Stadt Wilhelmshaven kennen.

Zwei Lerneinheiten sind ausschließlich der Grammatik gewidmet. Hier wiederholen Sie Satzbau und Wortstellung in Haupt- und Nebensätzen.

Teil 1   Landschaften und Regionen – eine Einführung

Dieser Teil dient zur Einführung in den Kurs „Variationen" und bietet Ihnen einen Einblick in verschiedene Landschaften Deutschlands, den Einfluss der Landschaft auf die dort lebenden Menschen, die Rolle der Regionen in der Bundesrepublik sowie einige regionale Sitten und Bräuche.

Lerneinheit 1

In dieser Lerneinheit befassen Sie sich anhand einiger konkreter Beispiele mit den Landschaften Deutschlands und erhalten einen Eindruck von vier Regionen in unterschiedlichen Teilen der Bundesrepublik.

Study chart	Activity	You will be ...
	I	looking at various German landscapes
	2	describing these landscapes orally
	3	identifying definitions of geographical features
	4	describing a photo of a German landscape orally
	5	reading about different types of landscape in Germany
	6	reading about four German regions
	7, 8	reading about the history of the *Bodensee* region and then reproducing the facts
	9	writing a summary of the evolution of the *Bodensee* region

In den ersten beiden Übungen lernen Sie anhand von Fotos fünf unterschiedliche Landschaften der Bundesrepublik Deutschland kennen.

Übung I

Schauen Sie sich die Fotos auf der Seite gegenüber an und lesen Sie die Bildunterschriften. Ordnen Sie dann den Fotos die richtigen Bildunterschriften zu.

(a) Die Stadt Wildemann liegt in zwei Tälern, umgeben von ansteigenden Bergen im Oberharz in Niedersachsen. Der höchste Berg im Harz – dem nördlichsten deutschen Mittelgebirge – ist der Brocken (1 142 m).

(b) Das Leitzachtal liegt in der Nähe von Bayrischzell in Oberbayern, im Süden der Bundesrepublik. Hier findet man neben engen Tälern auch blühende Wiesen und hohe Berge. Der Wendelstein im Hintergrund steigt bis auf 1 800 m an.

(c) Die typischen Elemente der Eifellandschaft im Westen Deutschlands entstanden durch Vulkanausbrüche vor etwa zehntausend Jahren. Die Eifel ist außerdem geprägt von Wäldern und Wiesen, Bergen und Tälern.

(d) In der Sächsischen Schweiz im Südosten des Landes findet man steile Felsformationen, grüne, bewaldete Hügel und tiefe Schluchten. Die Bastei ist eines der bekanntesten Felsmassive im Elbsandsteingebirge.

(e) Im äußersten Nordosten Deutschlands liegt die bizarr geformte Insel Usedom. Die zweitgrößte Insel der Bundesrepublik zeichnet sich durch ihre große landschaftliche Vielfalt aus. Man findet sowohl lange, weiße Sandstrände mit angrenzendem Wald als auch weites hügeliges Land, ausgedehnte Wiesen, Wälder, Buchten und Seen.

1

2

3

4

5

Übung 2 **Hörabschnitt I**

Sie sprechen jetzt mit Ihrem Freund Bernd über die fünf Fotos und was auf ihnen dargestellt ist. Beantworten Sie seine Fragen. Verwenden Sie dazu die Informationen aus den Bildunterschriften in Übung 1.

In der nächsten Übung geht es um Wörter, mit denen man unterschiedliche Landschaften beschreiben kann.

Übung 3

Lesen Sie die folgenden Begriffe und ihre Definitionen. Ordnen Sie die richtigen Definitionen den passenden Begriffen zu.

1 Strand 2 Alpen 3 Wald
5 Wiese
4 Schlucht 6 Hochgebirge
7 Berg 8 Mittelgebirge
10 Hügel
9 Fels 11 Tal

(a) über die Umgebung deutlich herausragende Geländeerhebung, einzeln oder Teil eines Gebirges, gegliedert in Fuß, Hang, Gipfel

(b) Gebirge mit einer relativen Höhe von bis zu 1 000 m

(c) großes Gesteinsgebilde, Gesteinsmasse

(d) kleiner Berg, aufgeschütteter Erdhaufen

(e) tiefes, enges Tal, besonders zwischen Felsen

(f) der im Wirkungsbereich der Wellen liegende Teil einer Küste

(g) lang gestreckter Einschnitt in der Erdoberfläche

(h) größere Fläche mit dichtem Baumwuchs

(i) Grasland, das regelmäßig geschnitten wird

(j) über die Baumgrenze in das Gebiet des ewigen Schnees aufragende Gebirge mit scharfen Gipfeln und Kammformen

(k) das höchste Gebirge Europas, zieht in weitem Bogen vom Golf von Genua bis zur Donau bei Wien, 1 200 km lang, 150–250 km breit

Sie haben am Anfang der Lerneinheit mehrere kurze Landschaftsbeschreibungen gelesen. Jetzt hören und üben Sie mündliche Landschaftsbeschreibungen.

Übung 4 **Hörabschnitt 2**

Schauen Sie sich dieses Foto von Oberstdorf an und hören Sie dann auf der CD, wie es beschrieben wird. Bearbeiten Sie dann die beiden Aufgaben.

1 Notieren Sie sich die Aussagen, die hier benutzt werden um das Foto zu erklären, wie zum Beispiel „im Hintergrund".

2 Beschreiben Sie anschließend mündlich auf der CD das Bild von Lindau auf der Seite gegenüber.

Oberstdorf in den Allgäuer Alpen

Lindau am Bodensee, dem größten See Deutschlands

Sie erhalten jetzt einen Überblick über die so genannten Großlandschaften in Deutschland.

Übung 5

Lesen Sie die Beschreibung der deutschen Großlandschaften und beantworten Sie die nachfolgenden Fragen.

Der Norden

Als Ausläufer des osteuropäischen Flachlands schiebt sich das Norddeutsche Tiefland von Osten nach Westen zwischen die Küsten von Nord- und Ostsee im Norden und den Rand der Mittelgebirge im Süden. […] Durch Sturmfluten hat sich die ursprünglich geschlossene Dünenküste in Inselreihen aufgelöst. Zu den bekanntesten Erholungsgebieten zählen die Ost- und Nordfriesischen Inseln, die durch das Wattenmeer vom Festland getrennt sind. […] Mit rund 926 km^2 ist die Ostseeinsel Rügen die größte deutsche Insel.

Die Mitte

Die Mitte der Bundesrepublik ist gekennzeichnet von Mittelgebirgen, Hochebenen, vulkanischen Formationen, Tälern und Becken. Zahlreiche Flüsse haben tiefe Täler in die Landschaft geschnitten. Das Rheinische Schiefergebirge stellt den westlichen Abschnitt dar. Den zentralen Teil bilden Harz, Thüringer Wald und Frankenwald. Das markanteste Gebirge an der Grenze zum Tiefland ist der Harz, mit dem 1 142 m hohen Brockenmassiv.

Der Süden

Südlich der Donau liegt das Alpenvorland, ein 780 km langer, schmaler Streifen hügeligen Landes nördlich der Alpen. […] Die Landschaft ist gekennzeichnet durch Bergketten mit malerischen Seen (Chiemsee, Starnberger See, Ammersee) und kleinen Dörfern sowie Mooren. Die höchste Erhebung im Allgäu ist die Mädelegabel (2 645 m), in den Berchtesgardener Alpen der Watzmann (2 713 m), in den Bayerischen Alpen die Zugspitze (2 962 m), die zugleich der höchste Berg Deutschlands ist.

(Friedrich Bubner und Helga Seel, „Transparente Landeskunde", Blatt 4, Inter Nationes, 1997, gekürzt)

1   Wo genau befindet sich das Norddeutsche Tiefland?

2   Welche Gebiete im Norden sind vor allem für Touristen attraktiv?

3   Wie heißt die größte deutsche Insel und wo liegt sie?

4   Welche Merkmale hat die Großlandschaft in der Mitte Deutschlands?

5   Was liegt im Westen dieses Gebiets?

6   Welche geografischen Merkmale hat das Alpenvorland?

7   Was sind die Mädelegabel, der Watzmann und die Zugspitze und wo genau befinden sie sich?

Regionen

In diesem Kurs spielen Regionen eine wichtige Rolle. Wie kann man den Begriff „Region" definieren?

Region   bestimmte geographische Zone größerer Ausdehnung.

(„Handwörterbuch der deutschen Gegenwartssprache")

Region   allgemein so viel wie Gegend, Bereich; in der Bundesrepublik Deutschland im Sinne der Raumordnung und Landesplanung Teilraum eines Bundeslandes.

(„Meyers Großes Taschenlexikon", 1983)

Regionalismus   Bezeichnung für das Bewußtsein der besonderen Eigenart der Bewohner einer bestimmten Region und für alle Bestrebungen, diese Eigenart zu wahren.

(„Meyers Großes Taschenlexikon", 1983)

Die Videos, Hörberichte und viele der schriftlichen Materialien in diesem Kurs befassen sich mit vier bestimmten Regionen.

Lesen Sie die kurzen Beschreibungen dieser Gebiete und beantworten Sie die nachfolgenden Fragen mithilfe Ihrer Deutschlandkarte.

Kirche von Engerhafe, Weser-Ems-Gebiet

Weser-Ems

Das Gebiet zwischen den beiden Flüssen Weser und Ems bildet den Regierungsbezirk Weser-Ems im Bundesland Niedersachsen. Die Region ist geprägt von der flachen, weiten Landschaft. Dieser Regierungsbezirk setzt sich aus Ostfriesland, Friesland, dem Emsland und mehreren anderen Gebieten mit durchaus eigener Identität zusammen.

In späteren Lerneinheiten dieses Themas werden Sie einen Teil dieser Gegend genauer betrachten. In Thema 7 kehren Sie dann noch einmal in das Weser-Ems-Gebiet zurück.

Aachen

Die Stadt und die Region um Aachen im äußersten Westen der Bundesrepublik (in Nordrhein-Westfalen) haben eine lange historische Tradition: Schon die Römer siedelten hier. Karl der Große (747–814), der 800 n. Chr. zum deutschen Kaiser gekrönt wurde, legte den Grundstein für die weitere Entwicklung Aachens. Im 18. Jahrhundert wurde Aachen zu einem bekannten Kurort. Die Industrialisierung des gesamten Gebiets begann 1841 mit der Einweihung der ersten Eisenbahnstrecke nach Köln. Heutzutage bildet Aachen zusammen mit den Provinzen Limburg, Süd-Limburg, Liège und der deutschsprachigen Gemeinschaft in Belgien die so genannte Euregio Maas-Rhein.

Das Kurleben auf der Komphausbadstraße, Aachen, Kupferstich 1736

Mit dem Gebiet um Aachen werden Sie sich in den Themen 3, 4 und 8 beschäftigen.

Die Pfahlbauten in Unteruhldingen, Bodensee

Der Bodensee

Dieser 571 km² große See liegt im Südwesten Deutschlands (in den Bundesländern Baden-Württemberg und Bayern), in Österreich und in der Schweiz. Das Gebiet um den Bodensee kann auf eine lange Geschichte zurückblicken, die bis in die Steinzeit zurückreicht. Schon in dieser Zeit wurden Pfahlbaudörfer angelegt. Rekonstruktionen dieser Dörfer kann man heute in einem Museum bei Unteruhldingen besichtigen.

Die Bodenseeregion wird vor allem in den Themen 3, 4 und 6 eine Rolle spielen.

Dresden, Meißen, Annaberg-Buchholz

Sachsens Geschichte ist über viele Jahrhunderte eng verbunden mit den drei Städten Meißen, Dresden und Annaberg-Buchholz. Die mehr als tausendjährige Stadt Meißen war der erste Sitz des Herrschergeschlechts der Wettiner. Dresden, berühmt durch seine Barockarchitektur, wurde 1485 zur neuen Residenz der Wettiner Fürsten. Und in der Stadt Annaberg im Erzgebirge begann um 1500 der Silberbergbau.

Der Dresdner Zwinger

In Thema 2 sowie in Thema 5 werden Sie sich genauer mit diesem Gebiet auseinander setzen.

1 Wo liegen die hier beschriebenen Gebiete?

2 In welcher Gegend kann man historische Zeugnisse aus der Vorzeit finden?

3 In welcher Gegend hat ein berühmter Kaiser eine besonders wichtige Rolle gespielt?

4 Die Entwicklung welcher Region ist mit einem Fürstengeschlecht verknüpft?

5 Zu welcher Großlandschaft gehört jede der vier Regionen?

6 Was haben die vier Regionen gemeinsam?

Die verschiedenen Gegenden und Regionen haben sich im Laufe der Zeit unterschiedlich entwickelt. In den nächsten beiden Übungen erfahren Sie anhand eines Beispiels mehr darüber.

Übung 7

Lesen Sie den Ausschnitt aus einem Reiseführer über die Entwicklung der Bodenseeregion und ordnen Sie die folgenden Überschriften den jeweils passenden Abschnitten zu.

- Zeppeline in Friedrichshafen
- der Beginn der Industrialisierung
- die frühe Neuzeit
- das Mittelalter am Bodensee
- die Nazizeit am Bodensee
- die Zeit nach den Römern
- die Römer am Bodensee

Mit den Völkern nördlich der Alpen hatten die Römer seit jeher Schwierigkeiten. Im Jahre 15 v. Chr. befahl Kaiser Augustus die Unterwerfung der [Völker], die die Alpentäler bis zum Ostufer des Bodensees bewohnten. [...] Der See war für die Römer von erheblicher strategischer Bedeutung. Zur Sicherung ihrer Vorherrschaft legten sie mächtige Kastelle an, wie [zum Beispiel] in Konstanz. [...]

Die Vormachtstellung der Römer war jedoch nicht von Dauer. Bereits um 260 n. Chr. verloren sie den nördlichen Teil des Sees. [...] Schließlich zogen sich die Römer nach Süden hinter die Alpen zurück. [...]

[...]

Aber schon die *Karolinger* erkannten die wichtige strategische Position der Region. Karl der Große (747–814) reiste persönlich zum Bodensee und förderte die wirtschaftlichen Aktivitäten der Klöster. Wichtig für die weitere Entwicklung wurde der berühmte Friede [von Konstanz], den der Stauferkaiser Friedrich I. („Barbarossa" [1152–1190]) mit den oberitalienischen Stadtrepubliken [im Jahre 1183] schloß. Damals wurden Städte wie Konstanz, St. Gallen, Lindau, Ravensburg und Überlingen zu wichtigen Handelsplätzen. [...]

[...]

Konstanz hatte Pech. [...] Durch ihre unglückliche Politik während des Schmalkaldischen Krieges [1546–1547] [...] fiel [die Stadt] an die Habsburger. Wie in anderen Gegenden auch, brachte der *Dreißigjährige Krieg* [1618–1648] viel Elend in die Bodenseeregion. Die Dorfbevölkerung hatte am meisten zu leiden. Vergeblich belagerte das schwedische Heer Konstanz. [...] Am Ende des Krieges war die Wirtschaft der Bodenseeregion völlig ruiniert. Zudem hatten sich die Handelswege von den Alpenpässen aufs Meer verlagert.

[...]

Die Phase der Industrialisierung setzte im Bodenseeraum erst spät ein. Die wichtigste Voraussetzung für einen industriellen Aufschwung waren die *Verkehrswege* zu Land. Zwar hatte Friedrichshafen bereits 1850 einen Eisenbahnanschluß und vier Jahre später Lindau, doch ein umfassendes Schienennetz wurde erst 1875 fertiggestellt. [...]

Ein Sonderfall war Friedrichshafen. Durch die Innovationen von Graf Zeppelin entwickelte sich rasch eine Rüstungsindustrie. Der quirlige Graf hatte Glück im Unglück: Der vierte Zeppelin wurde 1908 durch ein Unwetter zerstört – im Deutschen Reich wurde das als nationale Katastrophe empfunden, und es flossen Spenden in Höhe von 6 Millionen Goldmark in den Zeppelinbau, in dem die Rüstungspolitiker Wilhelms II. damals eine unbesiegbare Geheimwaffe vermuteten. [...] Im Ersten Weltkrieg wurden riesige Umsätze getätigt, der Rüstungskonzern mußte 8 000 Arbeiter einstellen.

[...] Auch der Bodensee blieb von den schrecklichen Auswirkungen des deutschen Faschismus nicht verschont. In Friedrichshafen lief die Kriegsproduktion auf vollen Touren. Daher war die Stadt bevorzugtes Ziel der alliierten Bomber in Südwestdeutschland. In den letzten beiden Kriegsjahren fielen 450 000 Bomben (!) auf die Kleinstadt: 85% der Häuser wurden zerstört, rund 800 Menschen starben, darunter 160 Kriegsgefangene, die in den Fabriken schuften mußten. [...] Der Bodensee wurde erst im Frühjahr 1945 von französischen Truppen befreit. [...] In den zwölf Jahren des Nationalsozialismus war die Region auch Durchgangsstation für viele politisch Verfolgte. Der Schweizer Bahnhof in Konstanz diente Flüchtlingen häufig als Schlupfloch. In mancher Nacht wurden Antifaschisten mit einem kleinen Boot hinüber zum sicheren Schweizer Ufer gebracht. […]

(Hans-Peter Siebenhaar, „Bodensee", 1991, S. 10–17, gekürzt und abgeändert)

Schmalkaldischer Krieg (m.) war waged against Emperor Charles V by a confederation of protestant cities and countries in the so-called *Schmalkaldischer Bund*

Übung 8

Lesen Sie jetzt den Überblick zur geschichtlichen Entwicklung der Bodenseeregion noch einmal und ergänzen Sie die fehlenden Informationen in der Tabelle, wie im Beispiel.

Daten/Zeiträume	Ereignisse
15 v. Chr.	Kaiser Augustus befiehlt die Unterwerfung der Völker, die die Alpentäler bis zum Ostufer des Bodensees bewohnten.
um 260 n. Chr.	
Ende des 8. Jahrhunderts	
1183	Friede von Konstanz zwischen Friedrich I. und den oberitalienischen Städten: Konstanz, St. Gallen, Lindau u.a. werden zu wichtigen Handelsplätzen.
	Konstanz wird habsburgisch.
	Der langjährige Krieg bringt viel Elend in die Region und ruiniert die Wirtschaft.
1850	
1875	
1914–1918	
1944–1945	
Frühjahr 1945	

Lerneinheit 1

Zum Schluss fassen Sie alles zusammen, was Sie jetzt über die Bodenseeregion wissen.

Übung 9

Schreiben Sie eine Zusammenfassung (etwa 150 Wörter) zum Thema „Die Region am Bodensee".

Erwähnen Sie in der Zusammenfassung:

- die Lage des Bodensees;

- die Großlandschaft, in der die Region liegt;

- wichtige Ereignisse in der historischen Entwicklung dieser Region (bis ca. 1918);

- zentrale Faktoren der wirtschaftlichen Entwicklung.

 Q1.10

Lerneinheit 2

Die Entstehung und Funktion der verschiedenen Regionen Deutschlands – politisch wie auch geografisch – sowie die Folgen für die dort lebenden Menschen stehen im Mittelpunkt dieser Lerneinheit.

Study chart

Activity	You will be ...
1	defining selected words
2	identifying points in an article about German regions
3	checking you've understood the article about regions
4	summarizing election results
5	checking you've understood the *Hörbericht*
6	taking notes in English about the *Hörbericht*
7	listing vocabulary to do with the sea
8	noting the key points of a legend about Torum
9	summarizing a legend about the founding of Annaberg
10	recounting and comparing the two legends

In den ersten drei Übungen erfahren Sie mehr über die Hintergründe und Folgen der regionalen Struktur Deutschlands.

Als Vorbereitung machen Sie eine kurze Vokabelübung.

Übung 1

Die folgenden Begriffe helfen Ihnen den Artikel in Übung 2 besser zu verstehen. Lesen Sie sie und kreuzen Sie jeweils die passende englische Definition an.

1 Kleinstaaterei

   (a) group of small-town-dwellers ❐

   (b) group of small towns ❐

   (c) proliferation of small states ❐

2 Flurbereinigung

   (a) cleaning of passageway ❐

   (b) reallocation of farmland ❐

   (c) clearance of woodlands ❐

3 Stammeszugehörigkeit

   (a) belonging to a tribe ❐

   (b) belonging to the root of a word ❐

   (c) belonging to a group of regular customers ❐

4 Untertan

   (a) underclass ❐

   (b) subject of a state ❐

   (c) submission to a state ❐

5 Gemengelage

   (a) mixing of crowds in a location ❐

   (b) mixed crop (in agriculture) ❐

   (c) scattered location (of agricultural land) ❐

Warum ist Deutschland regional orientiert und welche Folgen hat das? Dazu lesen Sie jetzt einen Artikel.

Lesen Sie zuerst die folgenden Aussagen und dann den Artikel unten, und finden Sie dort jeweils die Stellen, in denen diese Ideen ausgedrückt werden. Notieren Sie sich die entsprechenden Zeilen.

1 Deutschland ist weder politisch noch kulturell zentralistisch ausgerichtet.

2 Es gibt eine politische Kultur, die das gesamte Land umfasst, sowie eine Vielzahl politischer Kulturen, die sich auf einen Ort oder eine Gegend begrenzen.

3 Es gibt deutlich sicht- und hörbare Unterschiede zwischen den verschiedenen deutschen Regionen.

4 Auch das Wahlverhalten und die politische Kultur sind regional verschieden.

5 Ihren Ursprung haben die Regionen in der Tatsache, dass bis ins 19. Jahrhundert eine Vielzahl kleiner Länder existierte.

6 Regionen sind nicht klar voneinander abzugrenzen.

7 Einige deutsche Länder haben die von den Alliierten durchgeführten Veränderungen in den Regionen unbeschadet überstanden.

8 In einigen Regionen definieren sich die Bewohner durch ihre Zugehörigkeit zu einer bestimmten Volksgruppe.

9 In anderen Regionen definieren sich die Bewohner und Bewohnerinnen über ihre Sprache.

10 Dieser starke Regionalismus begründet das föderalistische System in Deutschland.

Regionen

1 [In der BRD fehlt] die Ausrichtung eines ganzen Landes auf eine Zentrale genauso wie eine zentralistische, unitarisierende Bürokratie. Durch die staatliche Entwicklung
5 bedingt, weist Deutschland eine Vielzahl politisch-verwaltungsmäßiger, wirtschaftlicher und kultureller Zentren auf, die übers ganze Land gestreut sind. […] Entsprechend vielfältig und reich sieht die
10 politische Kultur in Deutschland aus, so daß man – so unsere Hypothese – neben einer gemeinsamen politischen Kultur der BRD eine Fülle regionaler, wenn nicht gar sehr begrenzt lokaler politischer Kulturen annehmen muß,

15 wobei eine gemeinsame politische Kultur der BRD keineswegs als Summe der regionalen und lokalen politischen Kulturen zu betrachten ist. Eine norddeutsche Hansestadt und eine altbayerische Provinzstadt z.B. sind
20 unverwechselbar: die Menschen sprechen anders, benehmen sich verschieden, kleiden sich unterschiedlich, die Speisekarten sind nicht zu verwechseln, die bebaute Umwelt auch nicht (Baustile!). Daß dazu auch ein
25 unterschiedliches politisches Verhalten gehört, lehrt der Besuch politischer Veranstaltungen, ein Blick auf die Spitzenpolitiker oder auch nur ein Blick auf die Wahlergebnisse […].

30 Regionen verdanken in Deutschland ihre Existenz im wesentlichen der Kleinstaaterei. Das alte Reich bestand aus rund 460 Territorien, die napoleonische „Flurbereinigung" schuf 38 Staaten. […] das
35 Deutsche Reich von 1871 umfaßte immerhin noch 25 Staaten. […]

[…]

Eine genaue Auflistung und Abgrenzung der Regionen in der BRD ist nicht möglich. Sowohl in der Realität als auch im
40 Bewußtsein der Bewohner verfließen die Grenzen und überlagern sich. Auch das ist historisch bedingt: [u.a.] nach dem Wiener Kongreß 1815 wurde das Gros der alten Territorien aufgehoben und den neuen
45 Mittelstaaten einverleibt. […] Ein vergleichbarer Bruch fand erst wieder 1945 statt […]. Nur Hamburg, Bremen und Bayern überlebten die Neuordnung von 1945 durch die Besatzungsmächte intakt (wenn auch
50 nicht wie im Fall Bayern ungeschmälert), so daß gerade hier wegen der über 100jährigen Kontinuität das regionale Bewußtsein am ausgeprägtesten ist. […] Die Schaffung größerer Territorien durch und nach
55 Napoleon hat dazu geführt, daß sich […] regionales Bewußtsein aufgrund vermeintlicher Stammeszugehörigkeiten bildete: Bayern, Alemannen, Schwaben. Teilweise wurden solche Bezeichnungen […]
60 als Sammelbezeichnungen für die ehemaligen Untertanen sehr heterogener Territorien eingeführt, festgemacht vor allem an sprachlichen Gemeinsamkeiten: Rheinländer, Westfalen, Hanseaten, Franken. Resümierend
65 bleibt festzuhalten, daß für Regionen und regionales Bewußtsein in der BRD gerade die Gemengelage charakteristisch ist und somit

jeder Versuch zum Scheitern verurteilt ist, gewissermaßen eine Landkarte der Regionen
70 zu erstellen. Auch die Abgrenzung zum lokalen Bewußtsein und zur lokalen politischen Kultur – die es eben auch gibt – ist so nicht [wirklich] möglich. Ohnehin scheint es sinnvoller [...], von konzentrischen
75 Loyalitäten zu sprechen: Nürnberger, Franke, Bayer, Deutscher.

[...]

Für das Regierungssystem der BRD legt die Fülle regionaler politischer Kulturen einen dezentralisierten Staatsaufbau einfach nahe.
80 Die Gliederung in Länder [...] und die starke Stellung der kommunalen Selbstverwaltung [...] liegt in diesen Entwicklungen begründet.

(Hans-Georg Wehling, Regionen in Greiffenhagen et al. (Hg.), „Handwörterbuch zur politischen Kultur der Bundesrepublik Deutschland", 1981, S. 419–422, gekürzt und leicht abgeändert)

Rathaus in Ostfriesland

Leer

Leer

Bamberg

Michelstadt

Lauterbach

Frankfurt

Lesen Sie die Aussagen, die sich auf den Artikel in Übung 2 beziehen. Entscheiden Sie, ob sie richtig oder falsch sind. Korrigieren Sie auch die falschen Aussagen.

		Richtig	Falsch
1	Deutschland hat keine zentralistische, Einheit erstrebende Verwaltung.	❑	❑
2	Die politische Kultur der Bundesrepublik ist sehr einheitlich.	❑	❑
3	Die Aufsplitterung Deutschlands in eine Vielzahl kleiner Territorien bis ins 19. Jahrhundert ist der Grund für das Vorhandensein der Regionen.	❑	❑
4	Die Regionen Deutschlands sind nicht eindeutig zu definieren.	❑	❑
5	Das regionale Bewusstsein ist in Hessen und Niedersachsen am stärksten.	❑	❑
6	Die Bayern, Alemannen und Schwaben beziehen ihr jeweiliges Regionalbewusstsein aus ihrer fälschlich angenommenen Stammeszugehörigkeit.	❑	❑
7	Für die Bewohner und Bewohnerinnen einiger Gebiete spielt vor allem die gemeinsame Sprache eine Rolle in ihrem Regionalbewusstsein.	❑	❑

In der folgenden Übung sehen Sie ein Beispiel für die regionalen Unterschiede, die in vielen Bereichen existieren.

Übung 4

Schauen Sie sich in der Tabelle die Ergebnisse von drei Landtagswahlen aus den Jahren 1994 und 1995 an.

Schreiben Sie dann eine Zusammenfassung dieser Wahlergebnisse (200 Wörter). Beziehen Sie sich auch auf das, was Sie in dem Artikel in Übung 2 gelesen haben.

Benutzen Sie die folgenden Ausdrücke:

- Wahlen gewinnen
- % der Stimmen erhalten/bekommen/erzielen
- (fast) gleich viele Wähler haben
- eine (große/absolute usw.) Mehrheit haben

Brandenburg (1994)		Bremen (1995)		Bayern (1994)	
CDU	18,7%	CDU	32,6%	CSU	52,8%
SPD	54,1%	SPD	33,4%	SPD	30%
PDS	18,7%	Bündnis 90/Die Grünen	13,1%	Bündnis 90/Die Grünen	6,1%
		Arbeit für Bremen	10,7%		

Von Bremen, dem kleinsten Bundesland, sind es etwa 80 km bis nach Ostfriesland. In den folgenden Übungen hören Sie, wie diese Region im Nordwesten Deutschlands entstanden ist und wie die Einheimischen über Ostfriesland sprechen.

Der Hörbericht beginnt mit einem kurzen Ausschnitt aus einem Lied, das der Liedermacher Jan Cornelius auf Plattdeutsch singt. Dabei geht es um die Landschaft Ostfrieslands und die Freiheit, die sie vermittelt. Sie hören auch einen kurzen Ausschnitt aus dem Roman „Die Toten im Watt" von Klaus Modick, in dem das Watt und das Meer beschrieben werden, sowie ein Gedicht von Erika Köhne, das den Titel „Ferien auf der Insel" hat.

Übung 5 **Teil 1**

Lesen Sie zunächst die folgenden Fragen und hören Sie sich danach den ersten Teil des Hörberichts an. Beantworten Sie dann die Fragen.

1 Welcher Aspekt der ostfriesischen Landschaft wird von mehreren Personen in diesem Teil des Hörberichts erwähnt?

2 Die Flachheit der Landschaft wird durch zwei Witze illustriert. Wie lauten diese beiden Witze?

3 Welchen Nachteil hat diese flache Landschaft für Sehgeschädigte?

4 Einer der Interviewten vergleicht den Einfluss, den einerseits die Berge und andererseits die Landschaft seiner ostfriesischen Heimat auf ihn haben. Was sagt er?

5 Mit welchen Adjektiven wird die Nordsee hier beschrieben?

Landschaft und Meer haben die Ostfriesen geprägt. Wie sie sich vor den Fluten der Nordsee geschützt haben, erfahren Sie jetzt im zweiten Teil des Hörberichts.

Hören Sie sich Teil 2 des Hörberichts an und machen Sie sich auf Englisch zu den folgenden Punkten Notizen:

- dyke-building over the centuries;

- heathen customs;

- the flood of 1962;

- the East Frisian character;

- the interrelationship between the landscape and the East Frisian character.

Übung 7

Schauen Sie sich die folgenden Wörter an, die alle mit dem Thema Wind zu tun haben.

Windstille

leichte Brise

Brise

Wind, windig, wehen

Sturm, stürmisch, stürmen

Orkan

Notieren Sie sich jetzt alle Vokabeln, die Sie zum Bereich See oder Meer kennen beziehungsweise gehört haben.

Die Kraft des Meeres und der Stürme spiegelt sich auch in Sagen und Legenden wider, die in vielen deutschen Regionen über die Jahrhunderte tradiert wurden. Zum Schluss dieser Lerneinheit sehen Sie zwei Beispiele aus dem Weser-Ems-Gebiet und dem Erzgebirge.

Übung 8 **Teil 2**

Hören Sie sich jetzt noch einmal die Legende von Torum im zweiten Teil des Hörberichts an und machen Sie sich Notizen zu den folgenden Punkten:

- Beschreibung des Landes;

- Beschreibung der Torumer;

- Beschreibung des Ortes;

- Beschreibung des Sturms;

- Fazit/Ergebnis.

Nun lesen Sie eine Legende aus der Gegend um Annaberg-Buchholz im Erzgebirge.

Übung 9

Lesen Sie, wie die Stadt Annaberg entstanden sein soll, und machen Sie sich Notizen zu den folgenden Punkten:

- Beschreibung Daniel Knappes und seiner Familie;

- Beschreibung des Traums;

- Beschreibung seiner Reaktion am folgenden Tag;

- Ergebnis/Fazit.

Die Entstehung Annabergs

Als noch dicke Waldung den Pöhlberg und seine Nachbarn deckte, lebte im Dorfe Frohnau ein Bergmann, Daniel Knappe, fromm und brav, aber blutarm. Große Teuerung und Hungersnot war im Lande, und Knappe hatte sieben Kinder und ein krankes Weib in seiner Hütte. Er wußte seiner Not kein Ende und war nahe daran, zu verzweifeln an der göttlichen Hülfe. Da erschien ihm einst im Traum ein Engel Gottes und sprach zu ihm: „Gehe morgen in den Wald am Fuße des Schreckenberges. Dort ragt eine Tanne hoch über alle Bäume des Waldes hervor. In ihren Zweigen wirst du ein Nest mit goldenen Eiern finden; dies ist dein, brauche es wohl!" Als Knappe am Morgen erwachte, erinnerte er sich des Traumes und ging hinaus in den Wald, das Nest mit den goldenen Eiern auszunehmen. Bald hatte er die Tanne […] gefunden und kletterte rasch in ihren Ästen bis in den höchsten Wipfel hinauf, fand aber nichts. Traurig, daß ihn der Traum getäuscht habe, stieg er wieder herab und setzte sich auf die Wurzeln des Baumes nieder, um auszuruhen. Er sann hin und her, und dabei fiel ihm ein, daß unter den Zweigen wohl auch die Wurzeln der Tanne zu verstehen sein könnten. […] Eifrig begann er [zu graben], und kaum hatte er die Erde durchbrochen, als mächtige, nach allen Seiten streichende Silbergänge ihm entgegen blickten. Er sank auf seine Kniee und dankte Gott.

Bald war die Kunde von dem neuentdeckten Bergreichtum in alle Lande verbreitet, und Tausende zogen herzu, um sich in der bisher so wilden Gegend auzusiedeln. Dies veranlaßte den Herzog Georg den Bärtigen, eine neue Bergstadt zu gründen […], die später Annaberg genannt [wurde]. […]

(Johann August Ernst Köhler, „Sagenbuch des Erzgebirges", 1978 [Nachdruck der Ausgabe Schneeberg und Schwarzenberg 1886], S. 315, gekürzt und abgeändert)

Zum Schluss sprechen Sie über die beiden Legenden und fassen sie zusammen.

Übung 10 **Hörabschnitt 3**

Jetzt erzählen Sie Ihrem Freund Helge diese Legenden mithilfe Ihrer Notizen aus den Übungen 8 und 9. Überlegen Sie sich auch, was diese beiden Legenden gemeinsam haben und was sie unterscheidet.

Helge stellt Ihnen Fragen, die Sie in den Pausen beantworten.

 Q1.1, Q1.2

Lerneinheit 3

In dieser Lerneinheit erfahren Sie etwas über einige Dialekte, Sitten und Gebräuche in verschiedenen deutschen Regionen.

Activity		You will be ...
1	💿	guessing where several dialects are spoken
2		matching Low and High German sentences
3		learning features of the Bavarian dialect
4		completing information from a leaflet about traditional costumes
5	💿	discussing traditional costumes
6		checking you've understood articles about local customs
7		practising *weil*, *damit* and *um ... zu*
8		taking notes about a local festival
9	💿	talking about local customs

Sie haben schon einen Eindruck von der
landschaftlichen und politischen Vielfalt Deutschlands
bekommen. Die regionalen Unterschiede zeigen sich
auch in der Sprache.

· ·
Dialekt

Dialekt Mundart oder Mundartfamilie; örtlich bedingte
sprachliche Sonderform; regionale Variante einer
(National-)Sprache/Standardsprache/Hochsprache
· ·

Übung 1   **Hörabschnitt 4**

Hören Sie sich auf der CD drei Beispiele für
verschiedene Dialekte an und raten Sie mithilfe dieser
Karte, wo diese Dialekte gesprochen werden.

Einer der Dialekte, die Sie gerade gehört haben, ist Plattdeutsch. Sie schauen sich diesen Dialekt, der in Norddeutschland gesprochen wird, etwas genauer an.

Übung 2

Lesen Sie die plattdeutschen Sätze und ihre hochdeutschen Entsprechungen. Verbinden Sie dann die plattdeutschen Sätze mit den richtigen hochdeutschen Übersetzungen.

Plattdeutsch	Hochdeutsch
I Dat is een Fleeg.	(a) Fliegen fliegen.
2 Fleegen fleegt.	(b) Meine Kuh gibt keine Milch.
3 Un dat is een Koh.	(c) Die steht trocken.
4 Köh geevt Melk.	(d) Meine Kühe stehen nicht trocken.
5 Mien Koh gifft keene Melk.	(e) Und das ist eine Kuh.
6 De steiht dröög.	(f) Und diese Fliege fliegt nicht.
7 Mien Köh staht nich dröög.	(g) Das ist eine Fliege.
8 Un disse Fleeg flüggt nich.	(h) Sie sitzt fest, an einem Fliegenfänger.
9 Se sitt fast, an'n Fleegenstraps.	(i) Kühe geben Milch.

(Radio Bremen, „Plattdeutsch für Anfänger", http://www.radiobremen.de/rbtext/rb3/rb3-home.htm)

Was kann man machen, wenn man den örtlichen Dialekt nicht spricht, aber gern als Einheimischer gelten würde? In der nächsten Übung erhalten Sie ein paar Tipps, wie man ohne großen Aufwand seiner Sprache eine bairische Färbung geben kann.

Übung 3

Lesen Sie den folgenden, nicht ganz ernst gemeinten Artikel des Sprachwissenschaftlers Professor Johann Höfer und bearbeiten Sie die unten stehenden Aufgaben.

I bin schon fast a echter Bayer

ZUWANDERER ENTDECKEN LANDESSPRACHE

[…]

Die ersten Schritte müssen sinnvoll sein und ein Erfolgsgefühl vermitteln. […] Sagen Sie „i" statt „ich", aber konsequent, auch wenn Sie

sonst kein bairisches Wort verwenden: „I bin aus Hamburg", „I mag die Bayern", „I möcht Bairisch lernen" […].

Eins ergibt das andere. Sobald Sie „i" sagen, muß das „-e" von „möchte", „wohne", „verstehe" weg. Das ist ja auch in der norddeutschen Umgangssprache üblich. Bei uns ist es ein Muß. Also: „I lern Bairisch", „I werd hier bleiben" […].

[…] Dann wagen Sie sich an das „ned", das oft in jedem dritten oder vierten Satz vorkommt. Unterdrücken müssen Sie „nich", falls es zu Ihrem Wortschatz gehört. „Nich" paßt nicht zum Bairischen, während das hochsprachliche „nicht" weniger geniert. Üben Sie: „I versteh ned alles", […] „I hab ned viel Zeit" […].

Schließlich lassen Sie die Wörtchen „ein" und „eine" zu einem bloßen „a" schrumpfen, und schon reden Sie einigermaßen fließend bairisch, wenn auch mit bescheidenem Wortschatz und Anspruch: […] „I bin schon fast a echter Bayer" […].

(Johann Höfer, „Bairisch gredt", 1995, S. 136–137, gekürzt)

I Schreiben Sie die folgenden Sätze ins Hochdeutsche um.

   (a) I versteh ned alles.

   (b) I hab ned viel Zeit.

   (c) I lern Bairisch.

   (d) I bin schon fast a echter Bayer.

2 Welche vier Schritte schlägt Johann Höfer vor um aus gesprochenem Hochdeutsch Bairisch zu machen?

3 Er vergleicht einen Aspekt des Bairischen mit der norddeutschen Umgangssprache. Welchen?

4 Was sagt er über die Verwendung von „nich" im Bairischen?

Aber nicht nur in der Sprache zeigen sich regionale Unterschiede. In den folgenden Übungen beschäftigen Sie sich mit einem weiteren Bereich, in dem sich regional verschiedene Traditionen entwickelt haben: Trachten.

Übung 4

Lesen Sie den Abschnitt aus einem Faltblatt über Trachten und vervollständigen Sie die Sätze (1)–(6).

Trachten in Deutschland

Trachtenforschung, Trachtenpflege, Trachtenerneuerung, Trachtenmode – das sind Schlagworte, die allein schon die Vielfalt des Trachtenwesens zeigen. Was aber ist eine „Tracht"? [...] Tracht ist eine landestypische Bekleidung [...]. Das Tragen der Tracht ist ein äußeres Bekenntnis der inneren Einstellung zur engeren Heimat, so definiert man heute. Dabei kann es sowohl die Heimat sein, in der man lebt, wie auch die, in der man geboren wurde und die man, aus welchen Gründen auch immer, verlassen hat oder verlassen mußte.

Historische Abbildung eines Bauern und einer Bäuerin aus Biestrow bei Rostock in Mecklenburg-Vorpommern

[...] Auch die Trachten waren immer – und sind es heute noch – einer bestimmten Fortentwicklung unterworfen. [...] Als Blütezeit der Trachten kann man wohl die Zeit um den Beginn des 19. Jahrhunderts ansehen. Die französische Revolution, 1789, brachte ein freiheitliches Denken, aber auch eine wirtschaftliche Verbesserung in Stadt und Land. [...] [In dieser Zeit entstanden die

Die Bückeburger Tracht wird auch heute noch im Original getragen

farbenprächtigen und zum Teil aus kostbaren Materialien bestehenden Trachten.]

Aber schon in der Mitte des 19. Jahrhunderts zeichnete sich vielerorts das Verschwinden der typischen Nationaltrachten ab. [...] Einflüsse der Mode [nahmen zu], und so wurden die typischen Merkmale vieler Trachten immer mehr verwischt, bis sie schließlich ganz verschwanden. Das alles vollzog sich natürlich nicht schlagartig, [sondern hing von den jeweiligen Gebieten, in denen Trachten getragen wurden, und deren Traditionsbewußtsein ab].

[Trachten in der heutigen Zeit haben häufig eine folkloristische Funktion und werden nicht mehr tagtäglich getragen. Trotzdem werden in Deutschland die Trachten weiterhin gepflegt.] Warum aber, mag sich mancher

Die traditionelle Tracht der Insel Föhr

Trachten aus dem Spreewald, die zu festlichen Angelegenheiten getragen werden

Trachten spielen im Alltag der meisten Deutschen heutzutage keine Rolle mehr

fragen, trägt man heute überhaupt noch Trachten? Ein Mädchen aus Schleswig-Holstein hat hierauf eine sehr einfache und einleuchtende Antwort gegeben: „Früher trug man Trachten, um einzutauchen in die örtliche Gemeinschaft, und heute trägt man sie, um sich herauszuheben aus der Anonymität, um sich auch nach außen zur Heimat zu bekennen und zu ihren althergebrachten Werten."

(Otto Kragler, „Trachten in Deutschland", Informationsblatt, 1993, gekürzt und abgeändert)

1 Man definiert Trachten als ....

2 Durch das Tragen einer Tracht bekennt man sich sichtbar zu ....

3 „Heimat" wird in diesem Zusammenhang definiert als ....

4 Der Höhepunkt der Trachten lag in der Zeit direkt nach der Französischen Revolution, weil die Revolution ....

5 Typische Trachten verschwanden schon ab etwa 1850, weil ....

6 In der heutigen Zeit werden Trachten vor allem noch aus ...... getragen.

Sie diskutieren nun in der nächsten Übung, warum man heutzutage noch Trachten trägt.

Übung 5   Hörabschnitt 5

Sie sprechen jetzt mit einer Bekannten über die Rolle der Trachten. Ihre Bekannte ist sehr kritisch eingestellt, Sie argumentieren gegen diese Position.

Sie hören auf Englisch, was Sie sagen sollen, und sprechen dann in den Pausen.

Auch viele Bräuche und Sitten, die auf Nichteinheimische durchaus merkwürdig wirken können, sind stark regional geprägt. In der folgenden Übung lesen Sie mehr über einige dieser Bräuche.

Übung 6

Lesen Sie die folgenden Informationen über zwei Bräuche, die in Norddeutschland gepflegt werden, und beantworten Sie die Fragen.

Junggesellen werden mit Treppenfegen bestraft

Sollten Sie noch Junggeselle und bereits dreißig Jahre alt sein, dann freuen Sie sich, daß Sie kein Bremer sind. Bremer Männer werden nämlich am 30. Geburtstag dafür bestraft, daß sie schändlicherweise noch unverheiratet sind. Sie müssen vor den Augen der ganzen Stadt die Treppen des Bremer Doms fegen und diese Arbeit so lange fortsetzen, bis eine „Bremer Jungfrau" sie mit ihrem Kuß erlöst.

Allerdings hat noch keiner dabei bis zum nächsten Morgen fegen müssen. Die Freunde des dreißigjährigen „Opfers" sorgen nämlich per Zeitungsannonce dafür, daß die „Bremer Jungfrauen" unterrichtet werden […].

(Ulla Hamann, „Norddeutscher Kuriositätenführer", 1981, S. 28)

Nu geiht dat los mit de Gröönkohltied

Auf zur großen Kohlpartie

Eine Kohlfahrt – ein seltsames Ritual

Für „Neu-Oldenbürger" und Freunde ist eine Kohlfahrt schon ein seltsames Ritual: Man trifft sich im Kreis der Kolleginnen und Kollegen bzw. Freunde mit leichtem Handgepäck […] und wandert zünftig durch Wald und Flur. Ab und zu stoppt die gesamte [Gruppe], um sich mit klarem Schnaps zu stärken – verabreicht in Eierbechern, befestigt an einem „Balken" und auf Kommando getrunken!

[Schließlich – nach einer mehr oder weniger langen Wanderung – erreicht man das Gasthaus, in dem die Kohlfahrt mit einem Grünkohlessen fortgesetzt wird.]

(„Nordwest-Zeitung", 11.10.97, gekürzt und abgeändert)

Grünkohlessen

Zu dem Kohl – der frisch geerntet sein sollte – werden Pinkel (eine geräucherte Wurst, die aus Speck, Grütze und Gewürzen besteht), Kochwurst (auch eine geräucherte Wurst) und Kasseler (geräuchertes Schweinefleisch) gegessen. Das Ganze spült man mit großen Mengen Korn und Bier hinunter.

1 Was müssen Bremer Junggesellen an ihrem 30. Geburtstag machen, und warum?

2 Was machen die Freunde eines Junggesellen aus Anlass seines 30. Geburtstages?

3 Was beziehungsweise wer kann die Bremer Junggesellen an diesem Tag retten?

4 Was ist eine Kohlfahrt? Beschreiben Sie sie in zwei Sätzen.

5 Was isst und trinkt man auf einer Kohlfahrt?

Wer den meisten Kohl essen kann, wird dann schließlich zum Kohlkönig bzw. zur Kohlkönigin gewählt.

Happy Birthday, Happy Birthday

Heini

ist nun 30 Jahr, das wird
gefeiert – ist doch klar.
Selbst auf jeder Feier mit
dabei, hält ER am Samstag
alle frei!
Um 19 Uhr ist es soweit,
dann steht im Portsloger
Dorfgemeinschaftshaus der
Besen für ihn bereit.
Nach dem erlösenden Jung-
frauenkuß ist mit der Fegerei
erst Schluß.
Es wird das Bier in Strömen
fließen, herzlich

Deine Nachbarn

Dich grüßen

Happy Birthday

*Auch im Bremer Umland
müssen Junggesellen
Treppen fegen, obwohl nicht
immer die Treppenstufen
eines Domes zur Verfügung
stehen.*

30
Thomas

Ein Gärtner, der gern reisen tut
und auch mal hinter Hecken
ruht, der im Jeverland noch
sucht die Bar, in der
er mixen kann
„Caipirnha".

Der, bevor's nach Hause geht,
'ne Runde schon
im Stehen schläft.
Der, weil er noch nicht
ist beringt, am Samstag nun
den Besen schwingt.

So, „Stecklingsmädels"
kommt herbei und küßt uns
unseren Thomas frei!

Doch das will sie gar nicht
haben, will sich ganz alleine an
ihm laben.

Glückwunsch!

Uli, Karola, Anne, Heinz, Udo und Dirk

30

Moin, Berni!

Ach, was muß man oft von bösen Buben hören oder lesen
Wie zum Beispiel hier von diesem, den sie alle Berni riefen.
DREIßIG! Jahre sind vergan-
gen, und wir fragen uns mit
Bangen,
ob es denn was Ernstes ist,
zwischen Berni und … ?
– Ach, Mist! –
Welche von den sechs, acht,
zehn es denn könnte;
– ob im Stehen oder Sitzen ist
egal –
heute nur das eine Mal,
sich zur Jungfrau zu verstellen,
um den Blick uns zu erhellen
auf den trüben Gerstensaft,
den Bernhardt angeschafft.
Fegen ist heut
DEINE PFLICHT, drum erlöst
ihn jungfräulich!!!
(Heute, 19 Uhr, vor dem
Gasthof Baumann, Elsfleth)

**Die Baggerkameradschaft
des ETB**

Sie wiederholen jetzt die Verwendung von „weil",
„damit" und „um … zu".

Übung 7

Formulieren Sie Sätze mithilfe der fett gedruckten
Wörter und verwenden Sie jeweils „weil", „damit"
oder „um … zu".

1 Bremer Junggesellen müssen an ihrem
30. Geburtstag die Domtreppen fegen, **noch –
verheiratet sein – sie – nicht**.

2 Die Freunde des Junggesellen setzen eine Anzeige
in die Zeitung, **informieren – alle – Bekannten**.

3 Es müssen unbedingt „Jungfrauen" anwesend
sein, **vom Fegen – nur – den Junggesellen –
erlösen – sie – können**.

4 Bei einer Kohlfahrt trifft man sich mit den
Kollegen und Kolleginnen, **eine Wanderung –
anschließend – machen**.

5 Die Teilnehmer der Kohlfahrt gehen zu Fuß,
**mehr – Schnaps – bekommen – sie – trinken –
mehr – und – Appetit – können**.

6 Man trinkt viel Schnaps beim Kohlessen, **sehr
fett – schwer verdaulich – sein – und – es**.

Nicht alle Traditionen haben eine lange Geschichte.
Es gibt auch Feste und Bräuche, die relativ neu sind.

Übung 8

Lesen Sie die Beschreibung des Seehasenfests, das
jedes Jahr in Friedrichshafen am Bodensee
stattfindet. Notieren Sie sich Stichwörter und bringen
Sie diese dann in eine logische Reihenfolge.

Seehasenfest

*Termin: Zweites Wochenende im Juli
(Fr.–Mo.)*

Mit einem festlichen Abendprogramm wird
das Seehasenfest am Freitag eröffnet. Der
Samstag beginnt mit einem Schüler-
gottesdienst, anschließend fahren die
Schulabgänger zum Schweizer Ufer. Am
Schiffshafen wird der „Seehase", der aus dem
Bodensee kommt, eingeholt und in einem
Festzug zum Rathaus begleitet, wo der
Bürgermeister eine Ansprache hält. […]
Entlang der Uferstraße sind zahlreiche
Restaurationsbetriebe, Schießbuden,
Marionetten u.a. aufgestellt. Das viertägige
Festprogramm bringt sportliche
Veranstaltungen […]. Am Samstagabend wird
ein Feuerwerk abgebrannt, und die
Bodenseeflotte ist illuminiert. Am Sonntag
werden die Bürger von Musikkapellen
geweckt. Nachmittags ziehen etwa 4 000
Kinder in bunten Kostümen durch die Stadt.
Der Montag beginnt mit einem
Frühschoppenkonzert; weitere sportliche und
unterhaltende Darbietungen folgen. Am
Hafenbahnhof wird der Seehase bis zum
kommenden Jahr verabschiedet.

Das Seehasenfest wurde 1948 ins Leben
gerufen, um – ähnlich wie andere
Bodenseestädte – eine folkloristische
Attraktion für Kurgäste und Einheimische
anzubieten. […] In Ermangelung weiterer
brauchtümlicher und lokaler Bezugspunkte
besteht dieses, mindestens ebenso der
Fremdenverkehrswerbung wie der
Unterhaltung der Einwohnerschaft dienende
Fest hauptsächlich aus zwei
Grundbestandteilen: einem ausgedehnten
Kinderprogramm […] sowie einem
sportlichen Teil […].

*(Leander Petzoldt, „Volkstümliche Feste", 1983,
S. 383–384, gekürzt)*

Übung 9 Hörabschnitt 6

Sie unterhalten sich jetzt mit Ihrem Freund Markus
über die verschiedenen Sitten und Bräuche in einigen
deutschen Regionen, die Sie in dieser Lerneinheit
kennen gelernt haben. Als Vorbereitung lesen Sie
den folgenden Dialog. Sprechen Sie dann in den
Pausen.

MARKUS   Welche Sitten und Bräuche kanntest du denn schon?

SIE   *Well, I knew about Advent, Christmas and the carnival in* Köln.

MARKUS   Na ja, die kennt ja wohl fast jeder.

SIE   *Yes, but I learned about some funny northern German customs. There's something called a* Kohlfahrt.

MARKUS   Was ist das?

SIE   *In autumn, friends or colleagues meet and go for a walk, drinking schnapps on the way. And they end up in a restaurant, where they eat curly kale, smoked sausage and smoked pork loin.*

MARKUS   Was ist denn Pinkel?

SIE   Pinkel *is a very fatty smoked sausage made of bacon, groats and herbs.*

MARKUS   Igitt! Das klingt ja furchtbar!

SIE   *And the person who has eaten the most cabbage is elected Cabbage King or Queen.*

MARKUS   Ist das eine alte Sitte?

SIE   *Yes, I think it is. Curly kale is a very traditional dish in this region.*

MARKUS   Was für eine merkwürdige Sitte.

SIE   *And I read something else which I didn't know before. Some of these customs are not even that old. They were invented for a particular reason.*

MARKUS   Zum Beispiel?

SIE   *In Friedrichshafen the* Seehasenfest *was introduced in 1948. This festival is supposed to attract tourists and entertain the locals.*

MARKUS   Das finde ich aber merkwürdig, einfach so etwas zu erfinden.

Lerneinheit 4

Diese Lerneinheit dient zur Wiederholung dessen, was Sie bisher gelernt haben. Sie beschäftigen sich noch einmal mit den Großlandschaften und den regionalen Unterschieden in Deutschland. Außerdem vergleichen Sie zwei traditionelle Feste miteinander.

Study chart

Activity		You will be ...
1		recapping information about German landscapes
2		describing a new landscape in writing
3		revising information about the importance of regions in Germany
4		reading more about regions
5	💿	listening and writing about East Frisia and its people
6		taking notes about a traditional fair
7		comparing two annual festivals
8	💿	talking about the main topics covered so far

Sie wiederholen zunächst, was Sie über verschiedene Landschaften in Deutschland gehört und gelesen haben.

Übung 1

Beantworten Sie die folgenden Fragen. Lesen Sie gegebenenfalls die entsprechenden Übungen und die Lösungen in Lerneinheit 1 noch einmal.

1 Welche Großlandschaften gibt es in Deutschland, wo liegen sie und welche Kennzeichen haben sie? (Übungen 5 und 6)

2 Wo liegen die folgenden vier Regionen: das Weser-Ems-Gebiet, der Aachener Raum, das Bodensee-Gebiet, das Gebiet zwischen Dresden, Meißen und Annaberg-Buchholz? (Übung 6)

3 Welche Gemeinsamkeiten weisen diese vier Gegenden auf? (Übung 6)

4 In welchen zwei dieser Regionen spielte Karl der Große eine besondere Rolle und warum? (Übungen 6 und 7)

5 In welchen Bundesländern liegen die vier genannten Gegenden? (Übung 6)

6 Wann und wodurch begann die Industrialisierung am Bodensee und in der Gegend um Aachen? (Übungen 6 und 7)

7 Welche Rolle spielte die Bodenseeregion im Dritten Reich für politische Flüchtlinge? (Übung 7)

Sie beschreiben jetzt ein Landschaftsbild.

Übung 2

Schauen Sie sich das Bild an und beschreiben Sie schriftlich, was Sie sehen und wie das Bild auf Sie wirkt (etwa 50 Wörter).

Die alte Stadt Werder

In der nächsten Übung geht es erneut um die Rolle der Regionen in Deutschland.

Übung 3

Lesen Sie den Artikel über die Regionen in Lerneinheit 2, Übung 2 noch einmal und beantworten Sie die folgenden Fragen auf Englisch.

1 How is the regionalism of the Federal Republic described, in contrast with a centrally oriented and unifying bureaucracy?

2 List some of the examples given in the article of differences in cultural and political attitudes within Germany.

3 Why are there so many regions in Germany?

4 Give some of the reasons why it is not possible to define and give precise borders for the regions of Germany.

5 Which *Länder* have retained their identity for over 100 years and what has been the consequence of this? How does the present size of their territory compare with that of the past?

6 Name one of the groupings mentioned by the author as being marked by a strong regional identity.

7 Why is it impossible to draw a map of Germany's regions?

8 What does the author mean by 'concentric loyalties'?

Übung 4

Lesen Sie jetzt einen weiteren Ausschnitt aus dem Eintrag über Regionen sowie die nachfolgenden Sätze. Fügen Sie in jeden Satz das passende Relativpronomen ein. Außerdem ist in jedem Satz ein inhaltlicher Fehler; bitte korrigieren Sie diese Fehler.

> Als *Region* definieren wir ein […] Gebiet mit festen Traditionen, die bis zum heutigen Tage verhaltensprägend sind. Subjektiv schlägt sich die Region als Bewußtsein von der Zugehörigkeit (Wir-Bewußtsein) bei ihren Bewohnern nieder. Grenzen und Spezifika der Region sind historisch bestimmt durch die früheren politischen Herrschafts-verhältnisse, die die Bewohner einem gemeinsamen Schicksal unterwarfen, die ihnen gemeinsame kollektive Schlüssel-erlebnisse vermittelten und die die Grenzen

religiöser, kultureller, wirtschaftlicher
Betätigung bildeten wie überhaupt den
ganzen Lebenszusammenhang prägten.

*(Hans-Georg Wehling, Regionen in Greiffenhagen
et al. (Hg.), „Handwörterbuch zur politischen
Kultur der Bundesrepublik Deutschland", 1981,
S. 420)*

1 Eine Region ist ein Gebiet, ... Traditionen das
Verhalten der jungen Leute prägen.

2 Die Menschen, ... in einer bestimmten Region
leben, identifizieren sich mit ihrer Zugehörigkeit.

3 Die Eigentümlichkeiten, ... die Regionen
voneinander unterscheiden, sind historisch
unbegründet.

4 Die politischen Verhältnisse, ... die Menschen
einer Region früher ausgesetzt waren, hatten
einen geringen Einfluss auf ihr Leben.

5 Die früheren Machtverhältnisse, ... die
Bewohner als gemeinsames Schicksal erfuhren,
verschafften ihnen gemeinsame religiöse
Erlebnisse.

6 Die früheren politischen Herrschaftsverhältnisse
bildeten den Rahmen, in ...... sich die
Bewohner religiös, kulturell und politisch
betätigten.

Übung 5   **Teil 1 und 2**

Hören Sie sich die ersten beiden Teile des Hörberichts
noch einmal an und schreiben Sie eine kurze
Zusammenfassung (etwa 150 Wörter) über die
Ostfriesen, ihr Verhältnis zu der dortigen Landschaft
und den Zusammenhang zwischen Landschaft und
Mentalität der Leute.

Jetzt befassen Sie sich mit einem Volksfest, das auf
eine lange Tradition zurückblicken kann.

Übung 6

Lesen Sie die Beschreibung des Bremer Freimarkts
und machen Sie sich Notizen zu den folgenden
Punkten:

- Geschichte und Entwicklung des Bremer
  Freimarkts;

- Veranstaltungsort;

- heutige Funktion.

Bremer Freimarkt

Termin: 16 Tage in der zweiten Oktoberhälfte

Der Bremer Freimarkt beginnt traditionsgemäß
auf dem Marktplatz in Bremen […]. Am
Vormittag wird […] ein buntes Programm
dargeboten, im Anschluß daran setzt sich der
Zug der Mitwirkenden in Richtung Bürgerweide
in Bewegung. Am Mittag wird dort im großen
Bayernzelt der Freimarkt durch den Senator für
Inneres feierlich eröffnet, drei Böllerschüsse
künden den Beginn an. Für mehr als 14 Tage ist
damit für viele Bremer Bürger, aber auch für
Tausende auswärtiger Besucher der Höhepunkt
des Jahres gekommen […]. Außer auf der
Bürgerweide, dem traditionellen Festplatz,
werden seit einigen Jahren auch an
verschiedenen Punkten der Innenstadt […]
Marktstände und Buden aufgebaut. Seit 1967
wird jeweils am zweiten Sonnabend in der
Freimarktzeit der große Freimarkt-Umzug
abgehalten […].

Der Bremer Freimarkt ist einer der ältesten
Märkte Deutschlands. Am 16. Oktober des
Jahres 1035 verlieh Kaiser Konrad II. dem
bremischen Erzbischof Bezelin das Recht,
zweimal jährlich einen Jahrmarkt abzuhalten.
Die beiden Märkte waren jeweils mit großen
Kirchenfesten (Pfingsten; St. Willehad, 8.11.)
verbunden. Der Herbstmarkt im November
gewann mit der Zeit immer mehr an Bedeutung,
da er in die Zeit nach der Ernte fiel und die
Bauern in die Stadt kamen, um ihre Einkäufe zu
machen. Aber auch viel Fahrendes Volk,
Spielleute, Gaukler, Quacksalber kamen zu
diesem Markt. […]

[…] Vom ursprünglichen Verkaufsmarkt
entwickelte sich der Freimarkt zu Beginn des
19. Jahrhunderts immer mehr zum Volksfest;
das erste Karussell wird 1809 erwähnt. Heute ist
der Freimarkt eine große Vergnügungsmesse,
die jährlich von über zwei Millionen
Schaulustigen besucht wird.

*(Leander Petzold, „Volkstümliche Feste", 1983,
S. 433–434, gekürzt)*

Übung 7

Vergleichen Sie jetzt schriftlich das Seehasenfest in
Friedrichshafen und den Bremer Freimarkt (etwa 130
Wörter). Benutzen Sie Ihre Notizen aus der vorigen
Übung und aus Übung 8 in Lerneinheit 3.

In den Lerneinheiten in diesem Teil haben Sie
verschiedene Aspekte des Lebens in Deutschland
betrachtet, über die Sie sich am Ende dieser
Lerneinheit mit einer Bekannten unterhalten.

Übung 8 **Hörabschnitt 7**

Sie sprechen jetzt mit einer Bekannten über die
Landschaften und Regionen in Deutschland. Sie hören
auf Englisch, was Sie sagen sollen. Sprechen Sie dann
in den Pausen.

C h e c k l i s t e

In *Teil I* you have worked on

- landscapes in Germany;

- the geography of Germany;

- four particular regions of Germany (Weser-Ems, Aachen,
  the *Bodensee* and Dresden and its surroundings);

- the historical development of one of those regions;

- the evolution of regions in Germany;

- political and other differences between regions;

- the defining characteristics of East Frisia;

- tales from the regions;

- German dialects;

- national costume in Germany;

- local customs and festivals.

You have also

- described scenery and landscapes;

- written summaries in English;

- talked about diversity;

- practised *weil*, *damit* and *um ... zu*;

- practised relative pronouns;

- practised note-taking in English and German.

C h e c k l i s t e

Teil 2 Deutsche Kommunen – ihre Aufgaben und Probleme

In diesem Teil befassen Sie sich näher mit zwei deutschen Städten in der Weser-Ems-Region, Wilhelmshaven und Jever. Sie schauen sich auch die politische Struktur und die Probleme der untersten Verwaltungseinheiten in Deutschland an, der so genannten Kommunen.

Lerneinheit 5

Bis jetzt haben Sie einen Überblick über verschiedene deutsche Landschaften und Aspekte der regionalen Vielfalt in Deutschland erhalten. In dieser Lerneinheit konzentrieren Sie sich mithilfe des Videos und schriftlicher Materialien auf Wilhelmshaven und die Kleinstadt Jever.

Study chart

Activity		You will be ...
1		extracting information from two short texts
2		writing a brief description of Jever and Wilhelmshaven
3	🖥	sequencing the topics covered in the video
4	🖥	comparing Jever and Wilhelmshaven
5		identifying facts about Wilhelmshaven
6	🖥	taking notes in German about Wilhelmshaven
7	💿	working with statistical material and drawing conclusions
8	🖥	checking you've understood the video
9		listing Wilhelmshaven's problems and identifying solutions
10		writing a summary of Wilhelmshaven's situation

Bevor Sie sich das Video ansehen, machen Sie zwei vorbereitende Übungen.

Übung 1

Lesen Sie die folgenden Einträge aus einem Lexikon und aus einem Reiseführer. Dann machen Sie auf Englisch eine Liste der Industriezweige, die in den beiden Ausschnitten erwähnt werden.

Jever Stadt in Niedersachsen an der Grenze zwischen Marsch und Geest, hat Amtsgericht, höhere Schule, Heimatmuseum und Stadtarchiv im Schloß (16. Jahrhundert); Brauerei, Molkerei, Käserei und kleinere Industrien.

(dtv-Lexikon)

Die an der Westseite des 5 km breiten Meeresarms der Jade gelegene Stadt Wilhelmshaven war bis 1945 in erster Linie Reichskriegshafen. Heute spielen der Umschlag von Rohöl und petrochemischen Produkten sowie die vielseitige Industrie (Chemie, Metallverarbeitung, Maschinenbau, Textilien) eine beachtliche Rolle. [...] Die ausgedehnten Hafenanlagen befinden sich im Süden der Stadt.

(Baedekers „Reiseführer Deutschland")

Übung 2

Wie würden Sie diese Städte beschreiben? Lesen Sie nochmals die Einträge aus Übung 1 und schreiben Sie jeweils einen Satz auf Englisch.

Übung 3 00:00–27:37

Im Video geht es um die Städte Jever und Wilhelmshaven. Verschiedene Personen sprechen über die Geschichte und derzeitige Situation dieser Städte. Sehen Sie sich das Video einmal ohne Unterbrechung an und notieren Sie, in welcher Reihenfolge die folgenden Themen behandelt werden.

- ○ Vorteile, am Meer zu leben
- ○ ein neues Einkaufszentrum
- ○ die Geschichte Wilhelmshavens
- ○ die Zukunft Wilhelmshavens

- ○ Wilhelmshaven als Fremdenverkehrsort
- ○ gigantische Projekte
- ○ der Mangel an Arbeitsplätzen
- ○ Stadt, Landkreis, Land
- ○ Bürgernähe in der Lokalpolitik

Übung 4 00:06–05:38

Die ersten fünf Minuten des Videos behandeln die Geschichte der beiden Städte. Sehen Sie sich diesen Teil an und machen Sie auf Englisch eine Liste der Unterschiede zwischen Jever und Wilhelmshaven (mindestens vier Punkte).

Wie versucht sich eine Stadt wie Wilhelmshaven zu vermarkten? In der nächsten Übung lesen Sie einen Ausschnitt aus der Wilhelmshavener Homepage im Internet und vergleichen den Inhalt mit dem des Videos.

Übung 5

Lesen Sie die Informationen über Wilhelmshaven auf der nächsten Seite. Bearbeiten Sie dann die zwei Aufgaben.

1 Unterstreichen Sie alle Adjektive und Adverbien. Überlegen Sie dann, welche Adjektive beziehungsweise Adverbien die Stadt besonders positiv darstellen und keine reinen Fakten sind.

2 Was wird im ersten Videoabschnitt erwähnt, aber nicht auf der Internet-Homepage für Wilhelmshaven?

Sie betrachten jetzt die Probleme Wilhelmshavens, die im Video angesprochen werden, näher.

Übung 6 05:39–11:30

Sehen Sie sich nun den nächsten Teil des Videos an. Notieren Sie in Stichwörtern:

- einen Fehler, den man nach Ansicht von Herrn Friese in Wilhelmshaven häufig gemacht hat;

- vier Probleme, für die Wilhelmshaven heutzutage eine Lösung sucht;

- zwei Gründe, warum viele Menschen Wilhelmshaven nicht verlassen wollen.

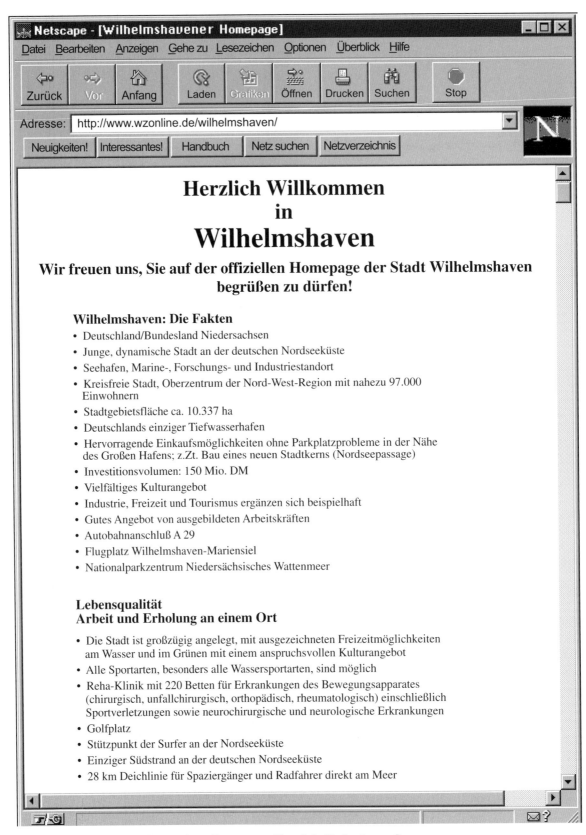

Herzlich Willkommen in Wilhelmshaven

Wir freuen uns, Sie auf der offiziellen Homepage der Stadt Wilhelmshaven begrüßen zu dürfen!

Wilhelmshaven: Die Fakten

- Deutschland/Bundesland Niedersachsen
- Junge, dynamische Stadt an der deutschen Nordseeküste
- Seehafen, Marine-, Forschungs- und Industriestandort
- Kreisfreie Stadt, Oberzentrum der Nord-West-Region mit nahezu 97.000 Einwohnern
- Stadtgebietsfläche ca. 10.337 ha
- Deutschlands einziger Tiefwasserhafen
- Hervorragende Einkaufsmöglichkeiten ohne Parkplatzprobleme in der Nähe des Großen Hafens; z.Zt. Bau eines neuen Stadtkerns (Nordseepassage)
- Investitionsvolumen: 150 Mio. DM
- Vielfältiges Kulturangebot
- Industrie, Freizeit und Tourismus ergänzen sich beispielhaft
- Gutes Angebot von ausgebildeten Arbeitskräften
- Autobahnanschluß A 29
- Flugplatz Wilhelmshaven-Mariensiel
- Nationalparkzentrum Niedersächsisches Wattenmeer

Lebensqualität
Arbeit und Erholung an einem Ort

- Die Stadt ist großzügig angelegt, mit ausgezeichneten Freizeitmöglichkeiten am Wasser und im Grünen mit einem anspruchsvollen Kulturangebot
- Alle Sportarten, besonders alle Wassersportarten, sind möglich
- Reha-Klinik mit 220 Betten für Erkrankungen des Bewegungsapparates (chirurgisch, unfallchirurgisch, orthopädisch, rheumatologisch) einschließlich Sportverletzungen sowie neurochirurgische und neurologische Erkrankungen
- Golfplatz
- Stützpunkt der Surfer an der Nordseeküste
- Einziger Südstrand an der deutschen Nordseeküste
- 28 km Deichlinie für Spaziergänger und Radfahrer direkt am Meer

(Homepage für Wilhelmshaven, http://www.wzonline.de/wilhelmshaven/)

Arbeitslosigkeit ist in Wilhelmshaven ein Problem, aber auch in anderen deutschen Regionen sind die Arbeitslosenzahlen hoch.

Übung 7 **Hörabschnitt 8**

Sehen Sie sich die Karte mit den Arbeitslosenquoten an. Lesen Sie die Fragen und sprechen Sie dann auf der CD über die Karte. Benutzen Sie dazu Ihre Pausetaste.

1 Worum geht es in dieser Karte?

2 In welchen Bundesländern ist die Arbeitslosigkeit besonders hoch?

3 Wie viele Menschen sind im Durchschnitt im Osten und im Westen ohne Arbeit?

4 In welchem Arbeitsamtsbezirk gibt es die höchste Arbeitslosenquote in Deutschland?

5 Wo gibt es am wenigsten Arbeitslosigkeit?

6 Gibt es ein Nord-Süd-Gefälle und ein Ost-West-Gefälle bei der Arbeitslosigkeit?

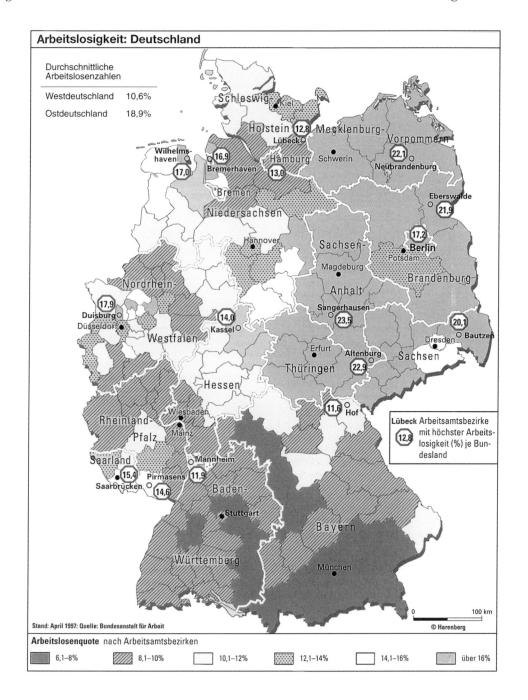

Arbeitslosigkeit: Deutschland

Durchschnittliche Arbeitslosenzahlen

| Westdeutschland | 10,6% |
| Ostdeutschland | 18,9% |

Lübeck Arbeitsamtsbezirke mit höchster Arbeitslosigkeit (%) je Bundesland

Stand: April 1997: Quelle: Bundesanstalt für Arbeit

© Harenberg

0   100 km

Arbeitslosenquote nach Arbeitsamtsbezirken

6,1–8%   8,1–10%   10,1–12%   12,1–14%   14,1–16%   über 16%

Schauen Sie sich jetzt den Rest des Videos an. Beantworten Sie die folgenden Fragen auf Englisch.

1   What is the difference in political status between Jever and Wilhelmshaven?

2   How are the political structures reflected in the administration of the port?

3   What must Wilhelmshaven do to improve its financial position?

4   What is said about the role the port could play in the future development of Wilhelmshaven?

5   What is being developed on the site of the old railway station? What arguments are made in favour of this development, and what misgivings or doubts are expressed?

6   What type of tourism is suggested as being appropriate for Wilhelmshaven?

Übung 9

Welche Probleme hat Wilhelmshaven heute und welche Lösungen gibt es? Machen Sie eine Liste der erwähnten Probleme, die es in Wilhelmshaven gibt. Notieren Sie dann die Lösungen, die im Video erwähnt werden beziehungsweise schlagen Sie eigene Lösungen vor.

Nennen Sie insgesamt acht Probleme.

Beispiel

Problem	Lösung
eine sehr einseitige Ausrichtung auf die Marine	mehr zivile Industrie ansiedeln, um Abhängigkeit von der Marine zu verringern

Zum Schluss fassen Sie die wichtigsten Informationen über Wilhelmshaven aus dieser Lerneinheit zusammen.

Übung 10

Schreiben Sie jetzt eine Zusammenfassung (ca. 150 Wörter) auf Englisch über Wilhelmshaven. Versuchen Sie dabei, ein möglichst objektives Bild zu geben: Erwähnen Sie also die Vor- und Nachteile der Stadt.

Sie können für diese Aufgabe noch einmal die Texte über Wilhelmshaven in Übung 1 und Übung 5 lesen. Verwenden Sie auch Ihre Antworten aus Übung 9 und die Informationen aus dem Video.

Lerneinheit 6

In dieser Lerneinheit lernen Sie das System der „kommunalen Selbstverwaltung" am Beispiel von Jever und Wilhelmshaven und das System der Selbstverwaltung in Deutschland kennen. Außerdem befassen Sie sich damit, wie Bürgermeister gewählt werden.

Study chart

Activity		You will be ...
1		looking up words in the dictionary
2		checking you've understood the video
3		learning about local government structures in Germany
4		explaining orally how local government works in Germany
5, 6		studying some local election results
7		comparing the advantages and disadvantages of direct and indirect elections
8		discussing the outcome of a local election

In den ersten vier Übungen geht es darum, wie in Jever und Wilhelmshaven politische Entscheidungen getroffen werden.

Sie machen zuerst eine Vokabelübung.

Übung 1

Suchen Sie die fett gedruckten Wörter im Wörterbuch und entscheiden Sie gegebenenfalls, welche der dort angegebenen englischen Benennungen dieselbe Bedeutung haben.

1   Jede Stadt und jede Gemeinde ist in die politischen Strukturen Deutschlands **eingebettet**.

2   Unterhalb dieser Länder haben wir **Regierungsbezirke**.

3   … wobei man in den Jahren ab 1972 eine **Gebietsreform** hatte …

4   … sie **unterstehen** direkt der Bezirksregierung.

5   Wir sind eine **kreisfreie** Stadt …

6   Wir brauchen da nicht die Genehmigung einer höheren **Instanz** dazu.

7   Und wir haben noch das so genannte angelsächsische **Kommunalverfassungssystem**.

8   Das heißt, wir haben eine **Doppelspitze**: den Oberbürgermeister, den Vorsitzenden des Rates, … und eben den Oberstadtdirektor.

Jetzt arbeiten Sie mit dem Video.

Übung 2   11:30–13:56

Lesen Sie zuerst die folgenden Fragen. Sehen Sie sich dann den Videoabschnitt an und beantworten Sie anschließend die Fragen. Achten Sie dabei besonders darauf, wie Herr Hashagen die politischen Strukturen in der Bundesrepublik und ihre Hintergründe beschreibt.

1   Was ist nach Aussage von Herrn Hashagen der Grund für die föderative Struktur Deutschlands?

2   Wie viele politische Ebenen werden in diesem Videoabschnitt genannt? Notieren Sie sie.

3   Welche Maßnahme wurde in den siebziger Jahren getroffen und welche Folgen hatte sie?

4   Worin besteht der Unterschied in der Verwaltungsstruktur von Jever und Wilhelmshaven?

5   Herr Schreiber spricht vom „höchsten Grad an Selbstständigkeit, [den] eine Stadt haben kann". Was bedeutet das?

6   Außerdem spricht Herr Schreiber von einer so genannten Doppelspitze. Was meint er damit?

7   Wie wird der Oberbürgermeister in Wilhelmshaven gewählt? Wird er für seine Arbeit bezahlt?

8   Wie wird der Oberstadtdirektor in Wilhelmshaven gewählt? Was ist seine Funktion?

In der nächsten Übung erhalten Sie weitere Informationen über den Verantwortungsbereich der Gemeinden am Beispiel des Verwaltungssystems in Niedersachsen und Nordrhein-Westfalen.

Übung 3

Lesen Sie die Beschreibung auf der nächsten Seite. Schauen Sie sich dann die Fragen an und beantworten Sie sie auf Englisch.

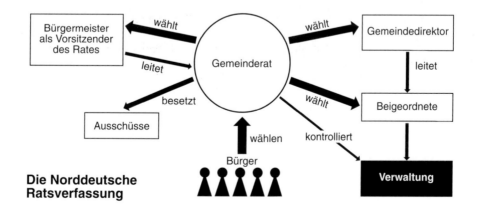

Die Norddeutsche Ratsverfassung gilt in Nordrhein-Westfalen und Niedersachsen. Sie wurde durch die britische Besatzungsmacht nach dem Zweiten Weltkrieg eingeführt. In den Gemeinden und Städten wird die Volksvertretung „Gemeinderat" bzw. „Stadtrat" genannt. Der Rat wählt den Bürgermeister (oder in größeren, kreisfreien Städten den Oberbürgermeister). Der vom Rat gewählte Chef der Verwaltung heißt Stadt- bzw. Gemeindedirektor (oder in größeren, kreisfreien Städten Oberstadtdirektor).

Kompetenzen der Gemeinde:

- Sozialhilfe
- Nahverkehr innerhalb der Gemeinde
- Straßenbau
- Versorgung mit Strom, Wasser und Gas
- Städtebauliche Planung (Schulen, Theater, Krankenhäuser, Sportanlagen)
- Erwachsenenbildung

Die Gemeinden können eigene Steuern erheben, z.B. Grundsteuer und Gewerbesteuer, außerdem auch Steuern wie Hundesteuer oder Getränkesteuer. Andere Gelder kommen aus der finanziellen Tätigkeit der Gemeinde selbst, z.B. Eintrittsgelder für Museen, Kursgebühren von der Volkshochschule usw. Aber diese Gelder reichen nicht aus. Jede Gemeinde braucht außerdem finanzielle Unterstützung von Bund und Ländern: eine so genannte Zuweisung. Die Höhe dieser Zuweisungen wird jedes Jahr neu diskutiert und bestimmt.

I Which term in German corresponds to the English words 'local authority'?

2 Why does Lower Saxony have a British-style system of local government?

3 What would be the equivalent job title(s) for *Gemeindedirektor* in a German town or a city?

4 Describe the taxes that local authorities can raise.

5 What other sources of income are there for the *Gemeinden*?

In Übung 4 geben Sie nun diese Informationen über die politischen Strukturen in Niedersachsen an einen Bekannten weiter.

Übung 4 Hörabschnitt 9

Ein deutschsprachiger Bekannter aus Niedersachsen weiß, dass Sie sich in Ihrem Deutschkurs an der Open University gerade mit dem Verwaltungssystem in Deutschland befassen. Er ist froh, dass er Ihnen ein paar Fragen stellen kann. Verwenden Sie die folgenden Stichwörter für Ihre Antworten auf der CD. Sprechen Sie bitte in den Pausen.

I Das System – wirklich – nicht – so kompliziert sein – wie aussehen

2 Politisch gesehen – Dorf, Stadt, Großstadt – alles dasselbe sein – alles als Gemeinde – bezeichnet werden

3 Wenn – Gemeinde – Stadt sein – dann Gemeindedirektor – eben – Stadtdirektor heißen

4 Bei größeren, kreisfreien Städten – in Niedersachsen – diese Personen – als Oberstadtdirektor – bezeichnet werden

5 Ja, die Gemeinden – eigene Steuern erheben – und auch – Kursgebühren für Volkshochschule – festlegen können

6 Nein – diese Einnahmen – nie ausreichen – Gemeinden – außerdem – immer – finanzielle Unterstützung – vom Bund und dem Land – brauchen

Die Wahl eines Bürgermeisters oder einer Bürgermeisterin verläuft allerdings nicht in allen Bundesländern gleich. In den nächsten beiden Übungen sehen Sie ein Beispiel aus Hessen.

Übung 5

Betrachten Sie die beiden Stimmzettel aus Niedershausen, einem Ortsteil der Großgemeinde Löhnberg im Bundesland Hessen, und beantworten Sie die Fragen.

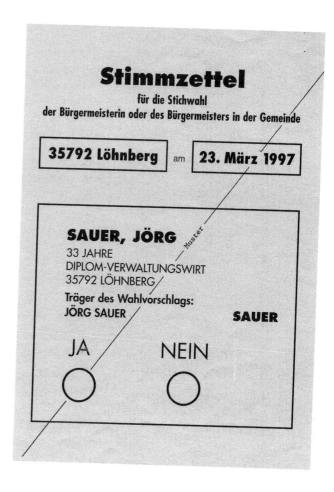

1 Wie wählt man in Löhnberg – im Gegensatz zu Wilhelmshaven – den Bürgermeister?

2 Wie oft musste man im März 1997 dort wählen?

3 Welchen Parteien gehören die Kandidaten an?

4 Wer hat aller Wahrscheinlichkeit nach die Wahl gewonnen und ist Bürgermeister von Löhnberg geworden?

5 Wie alt sind die Kandidaten und welche Berufe üben Sie aus?

6 Was denken Sie: Sollten die Wahlzettel Informationen über das Alter und die Berufe der Kandidaten enthalten? Begründen Sie Ihre Meinung.

Übung 6

Lesen Sie nun einen Zeitungsartikel über diese Bürgermeisterwahl und vervollständigen Sie die nachstehenden Sätze.

84,6 Prozent stimmten für den einzigen Kandidaten der Stichwahl

Jörg Sauer zum neuen Bürgermeister gewählt

Löhnberg (kbi). Der neue Chef im Löhnberger Rathaus heißt Jörg Sauer. Mit dem deutlichen Ergebnis von 84,6 Prozent Ja-Stimmen haben die Wähler der Großgemeinde den parteilosen Verwaltungsfachmann zum Nachfolger von Bürgermeister Kurt Leuninger (SPD) gewählt. Die Wahlbeteiligung lag mit 54,1 Prozent erwartungsgemäß weit unter der des ersten Durchgangs, als über 73 Prozent der Löhnberger ihre Stimme abgegeben hatten. Die erste Direktwahl des Rathauschefs […] war zugleich auch ein landesweites Novum: Sauer mußte als einziger Kandidat in die Stichwahl, nachdem Wolfgang Grün im ersten Wahlgang ausgeschieden war und sein Konkurrent Frank Schmidt auf eine weitere Kandidatur verzichtet hatte. Der 33jährige Sauer tritt am 1. Mai sein neues Amt im Löhnberger Rathaus […] an.

[…]

Obwohl Sauer als einziger Bürgermeister-Bewerber übrig blieb, mußten die Löhnberger gestern noch einmal zur Urne schreiten: Schließlich, so will es die Hessische Gemeindeordnung, muß ein direkt gewählter Bürgermeister über 50 Prozent der abgegebenen gültigen Stimmen auf sich vereinigen. […]

(„Weilburger Tageblatt", 24.3.97, gekürzt)

1 Jörg Sauer ist der neue ....

2 In der Stichwahl erhielt er ....

3 Im zweiten Wahlgang lag die Wahlbeteiligung ....

4 Sauer musste in die Stichwahl, obwohl er ....

5 Am 1. Mai wird er sein ....

6 Die Gemeindeordnung in Hessen besagt, dass ein direkt gewählter Bürgermeister mehr als ....

Welche Vor- und Nachteile hat die Direktwahl eines Bürgermeisters? Darüber denken Sie in der nächsten Übung nach und sprechen anschließend mit einer Bürgerin aus Niedershausen.

Übung 7

Die Direktwahl eines Bürgermeisters beziehungsweise einer Bürgermeisterin hat sowohl Vor- als auch Nachteile. Die folgende Tabelle nennt einige wichtige Aspekte der Direktwahl. Ergänzen Sie jeweils, wie im Beispiel, den entsprechenden Aspekt für die indirekte Wahl des Bürgermeisters. Verwenden Sie dazu die Informationen aus dieser Lerneinheit.

direkte Wahl	indirekte Wahl
Die Bürger und Bürgerinnen wählen eine Person direkt; eine einzige Person und ihre Popularität stehen im Vordergrund (Persönlichkeitskult).	Der Stadt- oder Gemeinderat wählt eine Person aus seiner Mitte; ihre Popularität steht nicht im Vordergrund.
Die Partei bzw. das politische Programm der Partei verliert an Bedeutung.	
Die Beziehung des Kandidaten bzw. der Kandidatin zur Presse spielt eine wichtige Rolle.	
Bürgerinnen und Bürger können die Entscheidung direkt beeinflussen.	
Parteiunabhängige Kandidaten und Kandidatinnen haben größere Chancen.	
Die finanzielle Situation des Kandidaten oder der Kandidatin kann im Wahlkampf eine Rolle spielen.	

Übung 8   Hörabschnitt 10

Unterhalten Sie sich jetzt mit Frau Ellert aus Niedershausen in der Gemeinde Löhnberg über die Wahl von Jörg Sauer zum Bürgermeister sowie über die Vor- und Nachteile dieses Wahlverfahrens.

Frau Ellert hat in beiden Wahlgängen für Jörg Sauer gestimmt. Sie beginnt das Gespräch. Sie hören auf Englisch, was Sie sagen sollen. Sprechen Sie in den Pausen.

  Q1.20, Q1.21, Q1.22, Q1.23, Q1.24

Lerneinheit 7

In dieser Lerneinheit geht es um die Regeln des Satzbaus im Deutschen.
Dabei vertiefen Sie Ihre vorhandenen Kenntnisse der deutschen Grammatik.

Study chart

Activity	You will be ...
I	identifying the verb and subject of sentences
2	picking out the *Vorfeld*
3	matching questions and answers in sentences with *Vorfelder*
4	practising sentences with verbal brackets
5	identifying core elements in sentences
6	constructing sentences
7	analysing sentences

 G **21 (intro), 21.1** The first activity is about recognizing verbs and subjects in German sentences. This is particularly important in long sentences.

Übung I

Read these sentences taken from Baedeker's guide book about Wilhelmshaven. Underline the verbs and the subjects in each one, then count the number of words in front of the verbs.

I   Die ausgedehnten Hafenanlagen befinden sich im Süden der Stadt.

2   In Wilhelmshaven befinden sich die Meereskundliche Forschungsanstalt der Senckenberg-Gesellschaft und ein Institut für Vogelforschung.

3   Die an der Westseite des 5 km breiten Meeresarms der Jade gelegene Stadt Wilhelmshaven war bis 1945 in erster Linie Reichskriegshafen.

4   Heute spielen der Umschlag von Rohöl und petrochemischen Produkten sowie die vielseitige Industrie eine beachtliche Rolle.

Position of the verb and subject

 G **21.1.1(a)** You will have seen that in only two of the four sentences in *Übung 1* did the subject precede the verb. In German it is quite normal for the subject to follow the verb, unlike in English where in normal statements the subject must precede the verb. The basic rule in German is that in a main clause only one element can precede the verb; this element is known in German as the *Vorfeld*. But this can consist of more than just one word, and doesn't have to be the subject. Although quite a few words came before the verb in most of the sentences above (the words you counted), in each case there was only one element or concept involved.

If you examine German main clauses, you will find that where the subject does not precede the verb, it usually comes immediately or very soon after it. Take a look at the sentences below and check the relative positions of the subject and the verb. In each case the subject is shown in bold and the verb is underlined.

> **Die ausgedehnten Hafenanlagen** <u>befinden sich</u> im Süden der Stadt.

> Im Jahre 1869 <u>weihte</u> **König Wilhelm I. von Preußen** den Hafen und den Ort ein.

> Aus diesem Gemeinderat <u>wird</u> **eine Person** zum Bürgermeister beziehungsweise zur Bürgermeisterin <u>gewählt</u>.

Übung 2

Read these sentences taken from the video and underline the *Vorfeld* in each one.

I   In dieser Gegend liegt auch die Kleinstadt Jever.

2   Daher trägt die Stadt seinen Namen.

3 Jedes Jahr zieht die Nordseeküste hundert-tausende Touristen an.

4 Das ist aber in der Wilhelmshavener Geschichte verwurzelt.

5 Trotz der hohen Arbeitslosigkeit und der Probleme der Stadt ziehen die Menschen nicht gern weg von hier.

6 Hier werden zur Zeit 550 Mitarbeiter beschäftigt.

Uses of the 'Vorfeld'

21.2.1(b), 21.2.2 The main points to remember about the element in initial position within a clause (the *Vorfeld*), which functions as the 'topic' of the clause, are:

- it is put first in order to say something further about it;

- it is often known by or is familiar to both speaker and listener;

- it often refers back to something just mentioned;

- it is seldom the main piece of new information in the clause.

Note that, as explained in your grammar book, the *Vorfeld* can consist of many different types of element, including whole clauses as in this example:

> **Wenn man die Geschichte Wilhelmshavens betrachtet**, lassen sich viele der heutigen Schwierigkeiten der Stadt erklären.

Exceptions

21.2.1 (c)(i) Having said above that only one element can precede the verb in a main clause, there are some introductory words which can precede the *Vorfeld*. They are usually marked off by a comma, as here:

> **Ja**, Wilhelmshaven ist eine preußische Gründung.

Übung 3

Read questions (1)–(7) in the following table and match them up with the most appropriate answer, (a)–(g). The part of the answer that relates directly to the question should form the *Vorfeld*.

1	Zu welchem Landkreis gehört Jever?	(a)	Wilhelmshaven hat zur Zeit etwa 93 000 Einwohner.
2	Ist Friesland in der Nähe von Jever?	(b)	Wilhelmshaven ist eine kreisfreie Stadt, das heißt, die Stadt gehört zu keinem Landkreis.
3	Was bedeutet der Begriff „kreisfreie Stadt"?	(c)	93 000 ist die Zahl der Einwohner Wilhelmshavens.
4	Zu welchem Landkreis gehört Wilhelmshaven?	(d)	Jever gehört zum Landkreis Friesland.
5	Worauf bezieht sich die Zahl 93 000 – sind das alle Einwohner der Stadt oder nur die wahlberechtigten Bürger?	(e)	Friesland ist der Landkreis, zu dem auch Jever gehört.
6	Wie viele Einwohner hat Wilhelmshaven?	(f)	Die Gebietsreform war in den siebziger Jahren.
7	Der Stadtdirektor hat von einer Gebietsreform gesprochen. Wann war diese Gebietsreform?	(g)	„Kreisfreie Stadt" heißt, dass die Stadt zu keinem Landkreis gehört.

Questions, commands and requests

Questions can have the same sentence structure as simple statements, that is, only one element precedes the verb. The *Vorfeld* then consists of an interrogative word or phrase:

> **Was** geschah ab 1972?

> **Wie viele** Einwohner hat Wilhelmshaven zur Zeit?

But what about other questions that have no interrogative word or phrase? As shown by the two examples below, the first element in these questions is the verb; there is no *Vorfeld*:

> Liegt Jever in Niedersachsen?

> Wählt man in Niedersachsen den Bürgermeister direkt?

The same sentence structure applies to imperatives, frequently used for commands and requests:

> Sagen Sie mir Ihren Namen!

> Fangen Sie sofort an!

The verbal bracket ('Satzklammer')

Consider the following sentences:

> Jedes Jahr **zieht** die Nordseeküste hunderttausende Touristen **an**.
>
> … und man **hat** vor dem Zweiten Weltkrieg zu wenig Industrie **angesiedelt**.
>
> Viele Wilhelmshavener **wollen** trotz der Schwierigkeiten nicht aus der Stadt **wegziehen**.

21.1.2 The verb forms used in these sentences are *zieht an*, *hat angesiedelt* and *wollen wegziehen*. But you will see that only the first (the finite) part of the verb, which changes according to the subject, takes up the second, core position in the clause or sentence. Any other part of the verb (here: separable prefix, past participle and infinitive dependent on the modal verb) goes to the end. You can speak of the verb forming a 'bracket' around the rest of the information in the clause.

You will now practise the construction of verbal brackets.

Übung 4 **Hörabschnitt 11**

You will hear a number of sentences on the CD. After each one you will hear some additional words. Repeat the sentences, adding in the new words in each case. Don't forget to use the correct form of the modal verb.

Example

You'll hear Ich besuche Ostfriesland. (im nächsten Jahr – wollen)

You'll say Ich will im nächsten Jahr Ostfriesland besuchen.

Word order within the rest of the sentence ('Mittelfeld')

If the element of the main clause that precedes the verb is the *Vorfeld*, the rest of the clause (those words that are enclosed by the verbal bracket) is called the *Mittelfeld*.

Look at this sentence:

> Man hat in Wilhelmshaven ein neues Einkaufszentrum gebaut.

In this example, you would naturally tend to put more stress on *Einkaufszentrum*. One principle of German sentence construction is that the most important information tends to be placed late in the *Mittelfeld*, that is, just before the second part of the verbal bracket. This does not happen in English, where the sentence 'They have built in Wilhelmshaven a new shopping centre' would sound somewhat odd. In either language, *Einkaufszentrum* or 'shopping centre' is the object of the sentence, and is the key item of new information. In English this means that it must come soon after the verb, but in German it is delayed until later in the *Mittelfeld*.

Frequently, as is the case here, the new information will be the object or other complement (*Ergänzung*) of the verb, that is, information without which the verb would be incomplete:

> Bei einer Feierstunde hat der Oberbürgermeister **dem Verein BKA** *[indirect object]* **für seine Arbeit** gedankt.

T.21.1

Übung 5

Read these sentences and think about what you could omit without making them grammatically incorrect. Write down the core sentences.

1   Im Jahre 1853 kauften die Preußen 313 Hektar Land vom Großherzogtum Oldenburg.

2   1970 waren die Olympia-Werke mit etwa 13 000 Beschäftigten einer der größten zivilen Arbeitgeber in der Stadt.

3   Aber wir leben heute vornehmlich vom Fremdenverkehr.

4   In der Bundesrepublik Deutschland sind Hafenangelegenheiten Ländersache.

5   Die an der Westseite des 5 km breiten Meeresarmes der Jade gelegene Stadt Wilhelmshaven war bis 1945 in erster Linie Reichskriegshafen.

6   Die an der Küste Ostfrieslands wohnenden Menschen bauten zum Schutz vor Sturmfluten Deiche und Wurten.

7   Der Verein BKA (Beratung, Kommunikation und Arbeit) bietet Langzeitarbeitslosen Arbeitsplätze in den verschiedenen Projekten.

8   In Wilhelmshaven fehlen vor allem im mittelständischen Gewerbe sichere Arbeitsplätze.

More about the 'Mittelfeld'

G 21.3–21.8   You've already learned that important or new information is generally put at the end of the *Mittelfeld*.

There are other conventions about the *Mittelfeld* that you should bear in mind:

- if there is more than one noun in the *Mittelfeld*, the nouns normally appear in the order 'nominative – dative – accusative';

- pronouns normally come straight after the finite verb (or the conjunction in subordinate clauses);

- if there are both pronouns and nouns in the *Mittelfeld*, the pronouns tend to appear before the nouns;

- if there is more than one personal pronoun, they normally appear in the order 'nominative – accusative – dative';

- if there are several adverbial phrases, they often appear in the order 'attitude – time – reason – viewpoint – place – manner'.

G 21.6.2(c)   Please note in particular what your grammar book says about the traditional rule of 'time – manner – place'.

Übung 6

Now make the following sentences more complex by adding the extra information shown in brackets. Write down all the possibilities you can think of.

> *Example*
>
> Er wohnt in Wilhelmshaven. (seit zwölf Jahren)
>
> Er wohnt seit zwölf Jahren in Wilhelmshaven.
>
> Seit zwölf Jahren wohnt er in Wilhelmshaven.

1   Er kauft einen neuen Anzug. (in der Marktstraße – heute)

2   Man will Ausbildungsplätze schaffen. (besonders für junge Leute – in Wilhelmshaven – bei einer Arbeitslosigkeit von fast 20%)

3   Ich gehe spazieren. (gern – am Meer – mit meinem Hund – abends)

4   Die Höhe der Zuweisungen wird diskutiert. (jedes Jahr – neu – für die Gemeinden)

5   Der Bürgermeister wird gewählt. (direkt – in Hessen – seit 1993 – von den Bürgerinnen und Bürgern)

6   Er hat die Höhe des Haushaltsdefizits offen gelegt. (ihnen – in der Ratssitzung – gestern)

The final activity will help you bring together what you have practised so far.

Übung 7

Analyse each of the sentences given below, as in the example.

> *Example*
>
> Nach Gründung des Deutschen Reiches 1871 gewann Wilhelmshaven als Stützpunkt der kaiserlichen Handelsflotte an Bedeutung.
>
> 'Nach Gründung … 1871' is the 'Vorfeld' of this sentence. There is only one part to the verb, and it takes the standard second position in the sentence. The subject is 'Wilhelmshaven', which immediately follows the verb. 'An Bedeutung' is part of a phrasal verb; it is essential for the message being conveyed here and is therefore delayed until the end of the sentence.

1   Durch die Ansiedlung neuer Betriebe ergreift die Stadt Wilhelmshaven Initiativen zur Schaffung von Arbeitsplätzen.

2   Das durch die Bundesregierung, das Land Niedersachsen und die Stadt Wilhelmshaven finanzierte Projekt in der Restaurierungswerkstatt für historische Fahrzeuge gibt Langzeitarbeitslosen für maximal zwei Jahre einen Job.

3   Wir haben uns in den letzten 14 Jahren von einer Umschlagzahl von 19 Millionen Tonnen auf in diesem Jahr mit Sicherheit 35 Millionen Tonnen hochgearbeitet, überwiegend natürlich Massengüter: Öl, Kohle.

Lerneinheit 8

In dieser Lerneinheit wiederholen Sie das, was Sie in den Lerneinheiten dieses Teils gelernt haben. Sie denken über die wirtschaftlichen Probleme Wilhelmshavens nach und beschäftigen sich noch einmal mit der kommunalen Selbstverwaltung in Deutschland.

Study chart

Activity		You will be ...
1		revising key points from this *Teil*
2	▢	checking you've understood the video
3		recalling the economic problems of Wilhelmshaven
4		checking you've understood plans to attract medium-sized firms
5		writing a summary of a brochure about firms in Baden-Württemberg
6		comparing the economic situation in Wilhelmshaven with that of Baden-Württemberg
7		defining key words
8		practising sentence structure
9		writing a summary of a text about local government reforms in Germany and relating it to the video
10	◉	discussing the advantages and disadvantages of living and working in Wilhelmshaven

Zuerst beantworten Sie Fragen zu einigen der Inhalte der letzten Lerneinheiten.

Übung 1

Bearbeiten Sie die folgenden Aufgaben. In den Klammern finden Sie Hinweise darauf, wo Sie die Antworten finden können.

1 Nennen Sie in Stichwörtern einige wichtige Unterschiede zwischen Jever und Wilhelmshaven. (Lerneinheit 5, Übungen 1 und 4; Lerneinheit 6, Übung 2)

2 Warum hat die Bundesrepublik eine föderative Struktur? (Lerneinheit 6, Übung 2)

3 Beschreiben Sie den Unterschied zwischen dem Bürgermeister und Stadtdirektor in Niedersachsen und erklären Sie, was ein Oberbürgermeister ist. (Lerneinheit 6, Übungen 2–4)

4 Wie wird der Bürgermeister beziehungsweise Oberbürgermeister in Deutschland gewählt? Nennen Sie mindestens je einen Vor- und Nachteil der Direktwahl von Bürgermeistern. (Lerneinheit 6, Übungen 7 und 8)

5 Notieren Sie in Stichwörtern, wofür die Gemeinden verantwortlich sind und woher sie ihre finanziellen Mittel bekommen. (Lerneinheit 6, Übungen 3 und 4)

Sie arbeiten jetzt noch einmal mit dem Video über Wilhelmshaven.

Übung 2 🖳 **00:00–27:37**

Sehen Sie sich das Video an und entscheiden Sie dann, ob die folgenden Aussagen richtig oder falsch sind. Korrigieren Sie die falschen Aussagen.

		Richtig	Falsch
I	Im Jahre 1833 verkauften die Preußen 313 Hektar Land an das Großherzogtum Oldenburg.	❐	❐
2	König Wilhelm I. weihte den Hafen und den Ort im Jahr 1869 ein.	❐	❐
3	Nach dem Ersten Weltkrieg hat man versucht neue Industriebetriebe nach Wilhelmshaven zu holen.	❐	❐
4	Heute belasten die hohen Sozialausgaben den Haushalt der Stadt.	❐	❐
5	Ein Viertel des Verwaltungshaushalts wird für Sozialhilfe ausgegeben.	❐	❐
6	In erster Linie sind Männer von der Arbeitslosigkeit in Wilhelmshaven betroffen.	❐	❐
7	Niedersachsen hat fünf Regierungsbezirke.	❐	❐
8	Wilhelmshaven zieht immer mehr junge Menschen an.	❐	❐
9	Der Wilhelmshavener Hafen ist für große Schiffe geeignet.	❐	❐
10	Viele Wilhelmshavener nutzen die Einkaufsmöglichkeiten in ihrer Stadt.	❐	❐

In den nächsten beiden Übungen geht es wiederum um die wirtschaftlichen Probleme Wilhelmshavens und ihre mögliche Lösung. Dann vergleichen Sie die Lage in Wilhelmshaven mit der Situation in einem anderen Teil Deutschlands.

Übung 3

Notieren Sie sich jetzt in Stichwörtern die wirtschaftlichen Probleme der Stadt Wilhelmshaven und ihre Ursachen. Lesen Sie gegebenenfalls noch einmal in Lerneinheit 5 nach.

Welche Lösung schlägt der Pressesprecher der Stadt Wilhelmshaven Michael Konken vor? Dieser Frage gehen Sie in der nächsten Übung nach.

Übung 4

Lesen Sie den folgenden Ausschnitt aus der Videoabschrift und beantworten Sie dann die Fragen.

> **Herr Konken [18:44]** Wir versuchen auf allen möglichen Bereichen Arbeitsplätze zu schaffen. Aber wir müssen vor allem im mittelständischen Gewerbe, da müssen wir Arbeitsplätze schaffen, denn da haben Sie auch eine gewisse Sicherheit. Mir sind immer, sagen wir mal, hundert Firmen mit zehn Arbeitsplätzen wichtiger als eine mit tausend Arbeitsplätzen. Wenn dann eine kleine Firma kaputt geht oder zwei kaputt gehen, kann man die wieder neu aufbauen. Also insofern muss man versuchen das ganze System ein wenig zu verändern, eine Umstrukturierung vorzunehmen.

I Was sind, nach Aussage von Herrn Konken, die Pläne der Stadt zur Ansiedlung von Industrie?

2 Wie begründet Herr Konken diese Pläne?

3 Warum ist es für eine Stadt wie Wilhelmshaven so wichtig, neue Firmen anzusiedeln? Denken Sie dabei an das, was Sie über die Einnahmen der Gemeinden gelernt haben.

4 Überlegen Sie, welchen Einfluss es auf die Sozialhilfeausgaben der Stadt haben könnte, wenn mehr Arbeitsplätze entstehen.

In Deutschland gibt es große Unterschiede in der Finanzkraft der verschiedenen Regionen. Sie befassen sich jetzt mit einem der reichsten Bundesländer, Baden-Württemberg, und vergleichen anschließend seine Lage mit der in Wilhelmshaven.

Übung 5

Lesen Sie den folgenden Artikel aus einer Broschüre des Landes Baden-Württemberg und fassen Sie den Inhalt in Stichpunkten zusammen.

Die Rolle mittelständischer Betriebe

Weltunternehmen von Rang, aber nicht minder innovationsfreudige mittelständische Betriebe mit Produktionen, die in der ganzen Welt gefragt sind, prägen das Gesicht der baden-württembergischen Industrie. 95 Prozent aller gewerblichen Betriebe sind mittelständischer Natur, 50 Prozent des Sozialproduktes werden von ihnen erwirtschaftet. „Qualität" war immer das Schlüsselwort in Baden-Württemberg. Qualitätsprodukte und innovative Gesamtsysteme auf technologischem Spitzenniveau zu produzieren zählten stets zu den Maximen unternehmerischer Philosophie. Wer im scharfen Klima weltweiten Wettbewerbs bestehen will, muß überzeugende Leistungen präsentieren.

Aus bescheidenen Werkstätten entstanden in Baden-Württemberg viele mittelständische Betriebe, wie zum Beispiel die INDEX-Werke in Esslingen/Neckar. 1914 eröffnete Hermann Hahn mit 24 Mitarbeitern die Werkzeugmaschinenfabrik INDEX Hahn & Kolb.

Heute beschäftigen die INDEX-Werke Hahn & Tessky mit Tochterfirmen in der Bundesrepublik Deutschland, in Frankreich, den USA und in Brasilien 2 150 Mitarbeiter (Stand 1997).

(Beitrag der Zeitschrift „Régions d'Europe/Regions of Europe", 1990, aktualisiert 1998)

Übung 6

Vergleichen Sie jetzt schriftlich (etwa 100 Wörter) die wirtschaftliche Lage in Baden-Württemberg mit der in Wilhelmshaven.

Übung 7 ist eine Übung zum Wortschatz.

Übung 7

Was bedeuten die folgenden Begriffe? Erklären Sie sie kurz auf Deutsch.

> kreisfreie Stadt • Kreisstadt • Hauptstadt • Landeshauptstadt • Großstadt • Stadtstaat

Jetzt haben Sie die Möglichkeit einen Aspekt der in diesem Teil behandelten Grammatik zu üben.

Übung 8

Bilden Sie aus den folgenden Elementen Sätze.

> **Beispiel**
>
> verlangt – von den Gemeinden – wachsende Aufwendungen – die moderne Industriegesellschaft
>
> **Die moderne Industriegesellschaft verlangt von den Gemeinden wachsende Aufwendungen.**

1 die finanzielle Situation der Gemeinden – geregelt worden – etwas befriedigender – ist – erst durch die Finanzreform von 1969

2 dem Kampf gegen bürgerfremde Planungen – wesentliche Impulse – auch – verdanken – die Bürgerinitiativen

3 das Interesse der Bürger – mobilisierbar – nur in bestimmten Fällen – an kommunalpolitischen Entscheidungen – ist – auf breiter Basis – noch

4 ist – besonders groß – in den neuen Bundesländern – die sich auch in den alten Bundesländern verbreiternde Kluft zwischen den Erwartungen der Bürger an die kommunalen Dienstleistungen und den Möglichkeiten der Kommunen

Die obigen Sätze in ihrer Originalform stammen von den Politologen Kurt Sontheimer und Wilhelm Bleek. Sie lesen jetzt, was die beiden über das System der Kommunalverwaltung schreiben.

Übung 9

1 Lesen Sie den Ausschnitt unten und schreiben Sie auf Englisch eine Zusammenfassung.

2 Beziehen Sie die Aussagen im Text auf Beispiele aus dem Video.

> Nach dem Wiederaufbau […] zeigten sich mit der wachsenden Industrialisierung des gesamten Landes immer stärker gewisse Mängel der traditionellen Gemeindestruktur und -verwaltung. Notwendig wurde vor allem eine Neugliederung und Umstrukturierung vieler Gemeinden und Landkreise […]. Dies war das Ziel der kommunalen Gebietsreform,

die [...] in den siebziger Jahren durchgeführt wurde. Sie hat die Zahl der selbständigen Gemeinden in der Bundesrepublik von rund 25 000 auf unter 10 000 verringert (1995: 8 513). Die Gebietsreform war politisch hart umkämpft, und nicht immer haben die Planer genügend Rücksicht auf Bürgerinteressen und gewachsene historische Strukturen genommen, so daß das erreichte Ergebnis [...] nicht einhellig als positiv gewertet wird. [...]

Die Gemeinden besitzen zwar theoretisch und kraft der Verfassung eine Eigenständigkeit, das Sozialstaatsprinzip und der ihm innewohnende Gedanke der Schaffung relativ gleicher Lebensverhältnisse für alle Bürger in der Bundesrepublik engt den originären Entscheidungsbereich der kommunalen Instanzen jedoch in wachsendem Maße ein. Die kommunalen Verwaltungen [...] geraten [...] in die Nähe der übergeordneten staatlichen Verwaltung – mit der Folge, daß die kommunale Selbstverwaltung an Eigenwert und Bedeutung verliert.

(Kurt Sontheimer und Wilhelm Bleek, „Grundzüge des politischen Systems der Bundesrepublik Deutschland", 1997, S. 358–359, gekürzt)

In der letzten Übung sprechen Sie über die Vor- und Nachteile des Lebens in Wilhelmshaven.

Übung 10 Hörabschnitt 12

Sie sind Angestellte beziehungsweise Angestellter einer deutschen Direktbank in Baden-Württemberg. Ihre Bank hat gerade eine große Filiale in Wilhelmshaven eröffnet. Ihr Chef hat Ihnen dort eine Stelle angeboten. Sie sprechen mit einem Kollegen darüber. Sie hören auf Englisch, was Sie sagen sollen. Sprechen Sie dann in den Pausen.

C h e c k l i s t e

In *Teil 2* you have worked on

- two towns in the Weser-Ems region (Wilhelmshaven, Jever);

- local government structures in Germany and how they operate;

- the mechanics of local elections;

- the role of medium-sized firms in the industrial infrastructure of a region.

You have also

- considered the language used in different types of text;

- written summaries in English;

- practised note-taking in German;

- considered problems, their causes and solutions;

- described advantages and disadvantages;

- analysed sentences and explored German word order.

C h e c k l i s t e

Teil 3   Regionen – Länder – Heimat

In diesem Teil erfahren Sie mehr über das Verhältnis der Ostfriesen zu ihrer Region und den Begriff „Heimat". Sie betrachten außerdem die Aufgaben der Bundesländer und ihre Funktion im Rahmen der föderativen Struktur der Bundesrepublik.

Lerneinheit 9

In dieser Lerneinheit gibt es zwei thematische Schwerpunkte. Der erste ist Ostfriesland, und Sie erfahren mehr über diese Gegend und die dort lebenden Menschen. Der zweite Schwerpunkt ist die Auseinandersetzung mit dem Begriff „Heimat" und seiner Bedeutung.

Study chart

Activity		You will be ...
1	💿	sequencing the topics covered in *Teil 1* and *Teil 2* of the *Hörbericht*
2	💿	checking you've understood *Teil 3* of the *Hörbericht*
3		writing about tea-drinking in East Frisia
4	💿	checking you've understood *Teil 4* of the *Hörbericht*
5		considering different definitions of *Heimat*
6	💿	talking about further definitions of *Heimat*
7	💿	taking notes about *Heimat*
8		reading an article about Germans and *Heimat*
9		writing a summary about Germans and *Heimat*

Im Mittelpunkt der nächsten Übungen steht noch einmal der Hörbericht.

Marschlandschaft bei Dornum

Übung 1   Teil 1 und 2

Hören Sie sich die ersten beiden Teile des Hörberichts noch einmal an und bringen Sie die genannten Themen in die richtige Reihenfolge.

○ die trügerische Nordsee

○ die Legende über die Stadt Torum

○ die Ostfriesen: ein bodenständiges und auf den ersten Blick kühles Volk

○ heidnische Bräuche beim Deichbau

○ das Land: weit und flach

○ die Sturmflut von 1962

○ das Land am Rand – dem Meer abgerungen

Im dritten Teil des Hörberichts lernen Sie nun mehr über die Sprache und die Bräuche in dieser Region.

Übung 2 **Teil 3**

Hören Sie nun Teil 3 des Hörberichts und beantworten Sie die Fragen.

1   Fassen Sie in einem Satz zusammen, wann und warum der Ostfriesenverein in Wilhelmshaven gegründet wurde.

2   Was wird hier über das Regionalgefühl der Ostfriesen gesagt?

3   Notieren Sie in einem Satz, was über die Sprache der Ostfriesen gesagt wird.

4   Warum singt Herr Cornelius auf Plattdeutsch?

5   Er begründet, warum er viele neue plattdeutsche Kinderlieder geschrieben hat. Was sagt er?

6   Es werden zwei typisch ostfriesische Sportarten genannt, Boßeln und Klootschießen. Wann und wo betreibt man in Ostfriesland das Boßeln?

7   In Ostfriesland wird viel Tee getrunken. Nennen Sie in Stichwörtern die Gelegenheiten, zu denen im Elternhaus einer der Interviewten Tee getrunken wurde.

8   Es wird gesagt, dass bei der ostfriesischen Teezeremonie die Sinne angeregt werden sollen. Welche Sinne werden hier genannt?

Wie Sie gehört haben, wird ostfriesischer Tee nach genauen Regeln zubereitet. Mit diesen Regeln befassen Sie sich in Übung 3 und üben zugleich passivische Konstruktionen.

Übung 3

Nun beschreiben Sie, wie man in Ostfriesland Tee zubereitet (etwa 100 Wörter). Hören Sie diesen Ausschnitt aus Teil 3 des Hörberichts noch einmal oder benutzen Sie die Abschrift. Verwenden Sie in Ihrer Beschreibung das Passiv und die unpersönliche Konstruktion mit „man". Fangen Sie bitte so an:

> In Ostfriesland trinkt man viel Tee.
> Der Tee wird in dieser Gegend folgendermaßen aufgebrüht.
> Zuerst …

Sie arbeiten jetzt mit dem letzten Teil des Hörberichts.

Übung 4 **Teil 4**

Lesen Sie die folgenden Aussagen und hören Sie sich dann den vierten Teil des Hörberichts an. Entscheiden Sie, welche der Aussagen richtig oder falsch sind. Korrigieren Sie die falschen Aussagen.

		Richtig	Falsch
1	Viele Menschen in der Gegend stehen vor der Frage, ob sie weggehen sollen oder weiterhin arbeitslos bleiben.	❐	❐
2	In der Gegend gibt es vor allem Schiffbauindustrie und Tourismus.	❐	❐
3	Volker Husmann kommt aus Jever, wohnt direkt in Wilhelmshaven und macht eine Ausbildung zum Tierpfleger.	❐	❐
4	Claudia Gutzeit macht eine Ausbildung als Raumausstatterin.	❐	❐
5	Maria Hagen-Álvarez findet die Gegend sehr ländlich.	❐	❐
6	Das Freizeitangebot für junge Leute ist sehr gut.	❐	❐
7	Viele jüngere Arbeitssuchende verlassen die Gegend und kehren nie wieder zurück.	❐	❐

Im Hörbericht wird betont, dass die Menschen in dieser Region eine eigene Identität haben und dass sich die Leute ihrer Region verbunden fühlen. Sie betrachten sie also als ihre Heimat.

In den nächsten Übungen werden Sie sich mit dem Begriff „Heimat", seiner Bedeutung und Geschichte beschäftigen.

Übung 5

Lesen Sie jetzt mehrere Aussagen und Definitionen zum Begriff „Heimat" und bearbeiten Sie die Aufgaben.

Schiller [über Heimweh] (1780):

[…] Man bringe einen, den das fürchterliche Heimweh bis zum Skelett verdorren gemacht hat, in sein Vaterland zurück, er wird sich in blühender Gesundheit verjüngen.

Bilder-Conversations-Lexikon, Brockhaus (1838):

Heimat nennt man das Land, wo man geboren ist. Jeder Mensch fühlt in seiner Brust ein mächtiges Gefühl, welches ihn zu dem Lande hinzieht, in welchem er seine Kindheit und Jugendzeit verlebte. […]

Brockhaus' Konversations-Lexikon (1894):

Heimat, ursprünglich der Ort, an welchem man sein Haus (Heim) hat […].

Der Grosse Brockhaus (1931):

In der Gegenwart wird die Bezeichnung Heimat auch gleichbedeutend mit Vaterland, Staat, gebraucht […].

(zitiert in Karl Konrad Polheim (Hg.), „Wesen und Wandel der Heimatliteratur", 1984, gekürzt)

1   Notieren Sie sich, wie der Begriff „Heimat" jeweils umschrieben wird.

2   Was unterscheidet die Aussagen von Schiller und dem Bilder-Conversations-Lexikon von den beiden anderen Definitionen?

3   Welchen Schluss ziehen Sie anhand der verschiedenen Aussagen hier über die Entwicklung der Bedeutung von „Heimat"?

Übung 6   **Hörabschnitt 13**

In dieser Übung unterhalten Sie sich mit Dr. Frischler, einem Experten zum Thema Heimat. In Ihren Fragen verwenden Sie die Informationen aus Übung 5. Sie hören auf Englisch, was Sie sagen sollen. Sprechen Sie in den Pausen.

Übung 7   **Hörabschnitt 13**

Hören Sie sich jetzt Hörabschnitt 13 noch einmal an und fassen Sie die Hauptaussagen in Stichwörtern auf Englisch zusammen.

Wie hat die historische Entwicklung das Heimatbewusstsein in Deutschland beeinflusst?

Übung 8

Lesen Sie die folgenden Auszüge aus einem Kapitel, das in dem Buch „Die Deutschen in ihrer Welt" erschienen ist, und beantworten Sie die Fragen auf Englisch.

Die eng begrenzten Lebenshorizonte wurden in Deutschland bis zur Industriellen Revolution von außen her kaum durchbrochen. Es gab viele Phasen massierter Auswanderung; es gab auch eine Reihe von Einwanderungswellen (Hugenotten, Polen im Ruhrgebiet, Flüchtlinge und Arbeitsmigranten) und eine oft unterschätzte Binnenwanderung. Die als Reflex der Kleinstaaterei entstandene Mentalität der Seßhaftigkeit wurde durch diese historische Entwicklung kaum umgeformt. „Ortsfestigkeit" bleibt die Norm, wer wegzieht, gehorcht mehr der Not als einem Bedürfnis nach Veränderung. In Deutschland, so läßt sich pointiert formulieren, hat man nicht von auswärts zu sein; man ist „von hier".

[…]

Ganz unbefangen von „Heimat" zu sprechen, fällt auch heute nicht leicht. Zu schwer wiegt der Ballast der Tradition. Heimat, das war für das Bürgertum des 19. Jahrhunderts eher eine „ausgeglichene schöne Spazierwelt", das scheinbar sichere Refugium, das die sozialen Spannungen und Umwälzungen des Jahrhunderts vergessen machen sollte […]. Heimat, das reicht in seiner massivsten Ideologisierung weit über die nationale Beschwörung des gemeinsamen Vaterlandes hinaus bis zum militanten Blut- und Boden-Mythos.

Erst nachdem die Modernisierungseuphorie zu Beginn der 70er Jahre sich merklich abkühlte und die Grenzen des Wachstums ins Bewußtsein rückten, war der Weg frei für eine Renaissance des Heimatverständnisses, das sich deutlich von der Erbschaft der Romantisierung und des Nationalismus absetzt.

[…] Wenn sich bislang der nationale Überschwang im Zuge der Vereinigung in Grenzen hält, so deshalb, weil in vielen Ländern Deutschlands ein regionales und heimatbezogenes Bewußtsein mindestens ebenso ausgeprägt ist wie die nationale Identität.

(Paul Mog und Hans-Joachim Althaus (Hg.), „Die Deutschen in ihrer Welt: Tübinger Modell einer integrativen Landeskunde", 1992, S. 56–62, gekürzt)

I What impact did the changes associated with the industrial revolution have on the sense of belonging to a particular place?

2 What is meant by the term *Sesshaftigkeit* and its synonym *Ortsfestigkeit*?

3 What is said to be the root cause of this *Sesshaftigkeit*?

4 What are the two older definitions of *Heimat* described in the article? What effect do they have on Germans today?

5 What paved the way for a renaissance and a redefinition of the concept of *Heimat* in the seventies?

6 What advantage is claimed for regional identity today in Germany?

Am Ende dieser Lerneinheit schreiben Sie über die Deutschen und ihr Verhältnis zu ihrer Heimat.

Übung 9

Fassen Sie jetzt zusammen, was Sie über „Heimat", die Bedeutung des Begriffs und die Probleme mit diesem Begriff erfahren haben. Sagen Sie auch, was für Sie persönlich „Heimat" bedeutet (etwa 150 Wörter).

Lerneinheit 10

In dieser Lerneinheit beschäftigen Sie sich mit den Bundesländern – ihren Aufgaben, ihrer Finanzierung und den Vor- und Nachteilen des föderativen Systems.

Study chart

Activity	You will be ...
I	identifying the responsibilities of the *Bund*, the *Länder* and the *Gemeinden*
2	considering responsibilities at these different levels
3	checking compound nouns that include the word *Land*
4	checking you've understood how finances are arranged between the *Bund* and the *Länder*
5	asking questions about the *Länder* and their role
6	summarizing information about the *Länder* and their role
7	taking notes and commenting on the *Bundesrat*
8	considering the pros and cons of the federal system
9	talking about the function of the *Länder*

In dem Video über Wilhelmshaven wird gesagt, dass Hafenangelegenheiten Ländersache sind und dass der Verein BKA (Beratung, Kommunikation und Arbeit) auch Geld vom Land Niedersachsen erhält.

Wie sind die Kompetenzen von Bund, Ländern und Gemeinden verteilt?

Übung 1

In der folgenden Tabelle sind die wichtigsten Zuständigkeitsbereiche von Bund, Ländern und Gemeinden aufgelistet. Sie enthält jedoch einige Fehler. Korrigieren Sie sie und schreiben Sie die jeweiligen Kompetenzen in die richtige Spalte.

Gemeinde	Land	Bund
Versorgung mit Strom, Wasser und Gas	Kultur	Luftverkehr
	Kommunal-verfassung	Städtebauliche Planung
Schulwesen	Außenpolitik	Geld und Währung
Verteidigung	Nahverkehr	
Sozialhilfe		Zollwesen
Polizei		Abwasserbeseitigung

Übung 2

Beantworten Sie jetzt die folgenden Fragen zu den Aufgaben der Gemeinden, der Länder und des Bundes.

1 Welche Vor- und Nachteile hat es, dass die Gemeinden die in Übung 1 genannten Aufgaben erfüllen müssen? Denken Sie dabei an das, was Sie über Wilhelmshaven erfahren haben.

2 Welche Probleme können entstehen, wenn die 16 Länder ihre Aufgaben unterschiedlich lösen?

3 Welche Gründe sprechen dafür, dass der Bund die in Übung 1 genannten Befugnisse hat?

In der folgenden Übung arbeiten Sie mit zusammengesetzten Wörtern, die alle das Wort „Land" enthalten.

Übung 3

Schauen Sie die folgenden Wörter im Wörterbuch nach und entscheiden Sie, welche sich auf die politische Bedeutung von „Land" beziehen.

Landleben • Landeszentralbank • Landeshauptstadt • Landesverrat • Landebahn • Landestracht • Landesgrenze • Landgewinnung • Landsleute • Landesregierung

In der Bundesrepublik Deutschland gibt es sowohl reiche als auch arme Länder und Gemeinden. Artikel 107 des Grundgesetzes (der deutschen Verfassung) legt fest, dass die Finanzkraft der Länder nicht zu unausgeglichen sein darf. Wie wird dieser Ausgleich der Finanzkraft erreicht?

Artikel 107 des Grundgesetzes

Durch das Gesetz ist sicherzustellen, daß die unterschiedliche Finanzkraft der Länder angemessen ausgeglichen wird; hierbei sind die Finanzkraft und der Finanzbedarf der Gemeinden (Gemeindeverbände) zu berücksichtigen. […]

(Art. 107, Abs. 2, Grundgesetz für die Bundesrepublik Deutschland, Bundeszentrale für politische Bildung)

Übung 4

Lesen Sie den folgenden Text über den Ausgleich der unterschiedlichen Finanzkraft der Länder. Beantworten Sie dann die Fragen.

Der *horizontale Finanzausgleich* zwischen den Bundesländern, der bis zu einem gewissen Grade einen Ausgleich der regional unterschiedlichen Steuerkraft herbeiführen soll, wird nach Schätzungen des Bundesfinanzministeriums 1995 einen Umfang von etwa 11,6 Mrd. DM erreichen. Zahlende („reiche") Bundesländer sind Hessen, Bayern, Baden-Württemberg, Nordrhein-Westfalen, Schleswig-Holstein und Hamburg, Empfänger die übrigen Länder. […]

Darüber hinaus existiert nach Art. 107 Abs. 2 GG ein *vertikaler Finanzausgleich*. In seinem Rahmen zahlt der Bund [zusätzliche Mittel an finanzschwache Bundesländer].

(Wolfgang Rudzio, „Das politische System der Bundesrepublik Deutschland: Kurseinheit 1–3", Fernuniversität Hagen, 1997, S. 201–202, gekürzt und abgeändert)

1 Was sind der horizontale und der vertikale Finanzausgleich?

2 Welche Länder zahlen für wen beim horizontalen Finanzausgleich?

3 Was denken Sie über dieses System des Finanzausgleichs? Halten Sie es für eher positiv oder eher negativ?

In den folgenden Übungen erfahren Sie mehr über die Aufgaben der Länder.

Übung 5 **Hörabschnitt 14**

Sie sprechen jetzt mit einer Landesbeamtin, Frau Dr. Konrads, über die Aufgabe der Bundesländer. Sie hören auf Englisch, was Sie sagen sollen. Sprechen Sie dann in den Pausen.

Übung 6

Fassen Sie jetzt auf Englisch (ca. 180 Wörter) zusammen, was Frau Dr. Konrads in diesem Interview gesagt hat.

Wie setzt sich der Bundesrat zusammen? Das ist auch im Grundgesetz festgelegt.

Der Bundesrat bei einer Sitzung

Übung 7

Lesen Sie die folgenden Artikel aus dem Grundgesetz sowie die Aussagen der Politologen Sontheimer und Bleek über die Rolle des Bundesrates. Notieren Sie sich:

- welche Funktion der Bundesrat hat;

- die Zusammensetzung des Bundesrats;

- Probleme, die Sie in der Rolle des Bundesrats sehen.

IV. Der Bundesrat

Artikel 50

[Aufgaben]

Durch den Bundesrat wirken die Länder bei der Gesetzgebung und Verwaltung des Bundes [...] mit.

Artikel 51

[Zusammensetzung]

(1) Der Bundesrat besteht aus Mitgliedern der Regierungen der Länder, die sie bestellen und abberufen. Sie können durch andere Mitglieder ihrer Regierungen vertreten werden.

(2) Jedes Land hat mindestens drei Stimmen, Länder mit mehr als zwei Millionen Einwohnern haben vier, Länder mit mehr als sechs Millionen Einwohnern fünf, Länder mit mehr als sieben Millionen Einwohnern sechs Stimmen.

[...]

(Grundgesetz für die Bundesrepublik Deutschland)

Der Hauptgrund für die bedeutsame Stellung des Bundesrates im Gesetzgebungsprozeß liegt darin, daß der Bundesrat es verstanden hat, fast alle wichtigen Gesetze von seiner Zustimmung abhängig zu machen, weil diese in der Regel von den Länderverwaltungen durchgeführt werden müssen. [...]

Die vom Bundesrat ausgehende *Kontrolle* ist weitgehend eine Kontrolle der Bundesexekutive und -legislative durch die Exekutiven der Länder [...].

(Kurt Sontheimer und Wilhelm Bleek, „Grundzüge des politischen Systems der Bundesrepublik Deutschland", 1997, S. 343, gekürzt)

· ·

Die Zusammensetzung des Bundesrats

Baden-Württemberg   6 Sitze
Bayern   6 Sitze
Berlin   4 Sitze
Brandenburg   4 Sitze
Bremen   3 Sitze
Hamburg   3 Sitze
Hessen   5 Sitze
Mecklenburg-Vorpommern   3 Sitze
Niedersachsen   6 Sitze
Nordrhein-Westfalen   6 Sitze
Rheinland-Pfalz   4 Sitze
Saarland   3 Sitze
Sachsen   4 Sitze
Sachsen-Anhalt   4 Sitze
Schleswig-Holstein   4 Sitze
Thüringen   4 Sitze

· ·

Welche Vor- und Nachteile hat ein föderatives Regierungssystem? Darüber erfahren Sie jetzt mehr.

Übung 8

Lesen Sie die folgenden Ausschnitte aus dem Buch von Sontheimer und Bleek sowie aus zwei Artikeln der Wochenzeitung „Die Zeit". Machen Sie anschließend eine Liste mit den Vorteilen und den Problemen des föderativen Systems.

Die eigentliche Rechtfertigung des (west)deutschen Föderalismus ist heute weniger, daß er die Interessen der Länder und ihrer Bewohner sichert und fördert, denn diese Interessen sind kaum mehr länderspezifisch. Seine Aufgaben sind vielmehr, das Prinzip der Teilung und Beschränkung politischer Gewalt zur Wirkung zu bringen, und zwar sowohl durch regionale Machtverteilung als auch durch innerexekutive Kontrolle. In diesem Sinne hat der deutsche Föderalismus eine berechtigte politische Funktion in der Gegenwart wie auch in der Zukunft.

(Sontheimer und Bleek, 1997, S. 346)

[...] [Der Föderalismus] hat unersetzliche Verdienste bei der Mäßigung politischer Macht, der Bewahrung regionaler Vielfalt und der Bindung der Einwohner an ihr engeres Gemeinwesen. Angesichts der europäischen Integration und der fortschreitenden Globalisierung ist das Bedürfnis nach kleinräumigeren Einheiten mit Selbstgestaltungsrechten sogar im Wachsen begriffen. [...]

*(Dieter Grimm, Blockade kann nötig sein, „Die Zeit",
10.10.97, S. 14–15, gekürzt)*

[...] Dort, wo die Länder originär zuständig sein könnten, nämlich bei sich zu Hause, haben sie kaum noch etwas zu sagen. Sie verfügen über keine eigenständigen Steuern und entsprechend über wenig Gestaltungsmöglichkeiten. Wer vernünftig wirtschaftet, muß nur noch mehr in den horizontalen Finanzausgleich einbringen. [...] Für diesen gravierenden Verlust an Eigenstaatlichkeit haben sich die Länder entschädigt, indem sie sich immer mehr zum zweiten Arm der Bundespolitik machten. Wann immer das Grundgesetz geändert wurde, endete die Aktion mit einem Zuwachs an bundespolitischer Einrede aus den Ländern – zuletzt im Zuge der deutschen wie der europäischen Einigung.
[...]

*(Robert Leicht, Die Gedanken sind frei, „Die Zeit", 18.7.97,
S. 4, gekürzt)*

Sie unterhalten sich nun mit einem Bekannten über die Bundesländer und das föderative System in Deutschland.

Übung 9 **Hörabschnitt 15**

Sie reden jetzt mit einem Bekannten über die politische Funktion der Bundesländer. Sie hören in Stichwörtern, was Sie sagen sollen. Sprechen Sie dann bitte in den Pausen.

 Q1.14, Q1.15, Q1.16

Lerneinheit 11

In dieser Lerneinheit geht es um komplexere Sätze und Nebensatz-konstruktionen.

In this study session you are going to work on more complex sentences. Start by looking at sentences with two main clauses.

Übung 1

Read these sentences and underline the subjects and the verbs.

1 Ostfriesen sind ein bodenständiges Volk und den Ostfriesen verpflanzt man nicht so gern.

2 Viele junge Leute finden das Leben in Ostfriesland langweilig, aber sie hängen an ihren Freunden und der Landschaft.

3 Jüngere und gut ausgebildete Menschen verlassen die Region, denn sie sehen für sich dort keine Zukunft.

4 Sie können die Gegend verlassen oder arbeitslos bleiben.

5 Die Ostfriesen betrachteten sich traditionell nicht als Deutsche, sondern sahen sich primär als Ostfriesen.

Linking two clauses

 19.1

The main points about linking clauses of the same kind are as follows:

- clauses can be linked by a coordinating conjunction. The most common ones are *und*, *oder*, *aber*, *denn* and *sondern*;

- word order in each of the clauses follows the normal rule, that is, in main clauses the finite verb must be in second position;

 21.1.4(a)

- if the subjects of two clauses linked by *und* or *sondern* are identical, and the subject would occupy initial position (the *Vorfeld*) in the second clause, it is not necessary to repeat it there. If, however, another element occupies initial position, then the subject must be repeated.

This final point is illustrated by the following examples:

> She rinses the teapot with hot water and then puts one teaspoon of tea per cup into the teapot.

> *Sie spült die Teekanne mit heißem Wasser aus und dann gibt **sie** einen Teelöffel Tee pro Tasse in die Kanne.* [*dann* occupies initial position]

> *Sie spült die Teekanne mit heißem Wasser aus und gibt dann einen Teelöffel Tee pro Tasse in die Kanne.* [*dann* is not in initial position]

Link these pairs of sentences with an appropriate coordinating conjunction, as in the example above, without changing any word order. Check whether you need to repeat the subject in the second clause.

1   Viele Besucher kommen nach Ostfriesland. Sie unterstützen die Wirtschaft in der Gegend.

2   Die Stadt Wilhelmshaven zieht immer mehr Tagestouristen an. Sie kann dadurch ihre wirtschaftlichen Probleme nicht lösen.

3   Viele Besucher kommen nach Ostfriesland. Dadurch unterstützen sie die Wirtschaft in der Gegend.

4   Beim Ostfriesentee wird die Sahne zuletzt aufgelegt. Sie soll oben auf dem Tee liegen bleiben.

5   Ältere Menschen gehen nicht aus Ostfriesland weg. Sie bleiben in der Gegend.

Word order in subordinate clauses is different.

Übung 3

Read these sentences and identify the main and the subordinate clauses. Note the position of the verb in each one.

1   Eigentlich wird das Meer doch ziemlich als Bedrohung empfunden, weil man sich über Generationen gegen das Meer hat wehren müssen.

2   Wenn sie keinen Tee bekommen, werden die Ostfriesen alle zwei Stunden etwas bleich um die Nase.

3   Das Grundgesetz stellt sicher, dass die Länder bei der Gesetzgebung und Verwaltung des Bundes mitwirken.

Linking main clauses with subordinate clauses

21.1.1(a), 21.1.3(b), 19 (intro), 19.2, 19.3

Here you need to remember that:

*   most subordinate clauses are introduced by subordinating conjunctions, such as *dass*, *weil* or *wenn*, or by relative pronouns;

*   in a subordinate clause, all parts of the verb go to the end of the clause. Infinitives and past participles normally come immediately before the finite verb. The position of pronouns, nouns and adverbials follow normal word order rules;

*   subordinate clauses can start a sentence. The following main clause then starts with its finite verb, followed by its subject.

Note that subordinate clauses are always marked off by commas.

Übung 4

Link the following sentences using *weil, obwohl* or *damit*. Consider also the possible order of clauses in each new sentence.

1   Es gibt den so genannten horizontalen Finanzausgleich zwischen den Ländern. Nicht alle Länder sind gleich finanzstark.

2   Der Bund zahlt zusätzliche Mittel an finanzschwache Länder. Die Länder können ihre Aufgaben wahrnehmen.

3   Das föderative System bietet viele Vorteile. Die Länder können die Macht des Bundes bis zu einem gewissen Grad ausgleichen.

4   Die Bürger und Bürgerinnen von Brandenburg und Berlin haben sich gegen eine Fusion der beiden Länder ausgesprochen. Man hätte viel Geld sparen können.

5   Der Bundesrat hat fast alle wichtigen Gesetzeswerke von seiner Zustimmung abhängig gemacht. In der Regel müssen sie von den Länderverwaltungen durchgeführt werden.

Übung 5

Complete sentences (1)–(5) on the next page, using *dass* and filling in the gaps with verbs from the box.

> ### Example
>
> Ich habe gelernt – nicht alle Länder in Deutschland gleich finanzstark (sein)
>
> Ich habe gelernt, dass nicht alle Länder in Deutschland gleich finanzstark sind.

1 Ich habe gelernt – es einen Finanzausgleich zwischen den Ländern ....

2 Ich habe gelesen – der Bund den finanzschwachen Ländern zusätzliche Mittel ....

3 Ich habe gehört – die Brandenburger und Berliner gegen eine Fusion ihrer Länder gestimmt ....

4 Es wird gesagt – der Bundesrat fast allen wichtigen Gesetzen zustimmen ....

5 Es heißt – das föderative System viele Vorteile ....

> haben • geben • haben • ~~sein~~ •
> zur Verfügung stellen • müssen

The following exercise helps you practise starting sentences with a subordinate clause.

 Übung 6   **Hörabschnitt 16**

Listen to the sentences on the CD and repeat each one, this time starting with the subordinate clause as in the example below. Use your pause button if you need more time.

Example

You'll hear   Herr Husmann muss aus Wilhelmshaven weggehen, wenn er keine Arbeit findet.

You'll say   Wenn er keine Arbeit findet, muss Herr Husmann aus Wilhelmshaven weggehen.

You look now at other forms of subordinate clause, before completing an activity that brings together what you have learned about the position of the verb.

Other kinds of subordinate clause

There are two other types of subordinate clause, both of which could be classified as indirect questions in the widest sense.

Look at this example:

> Die Jugendlichen wissen nicht, was sie in ihrer Freizeit machen sollen.

 19.2.4   Here the subordinate clause is introduced by a question word, *was*. All interrogative 'w-' words can be used to introduce subordinate clauses.

Here is an example of another type of subordinate clause that contains an indirect question:

> Viele Menschen stehen vor der Frage, ob sie weggehen sollten oder weiterhin arbeitslos bleiben.

 19.2.2   This subordinate clause starts with *ob* ('whether' or 'if' in English). This indicates a question or a doubt. If you were to ask a direct question it would be *Sollten sie weggehen oder weiterhin arbeitslos bleiben?*

Übung 7

Now read these questions and, using the phrases in the box, convert each of them into a sentence with a subordinate clause containing an indirect question, as in the two examples given below. Use each of the phrases in the box twice.

> • es stellt sich die Frage,
> • es geht darum,
> • es fragt sich,
> • es ist fraglich,

Examples

Wer profitiert am meisten vom Föderalismus?

Es stellt sich die Frage, wer am meisten vom Föderalismus profitiert.

Sollte man den Länderfinanzausgleich abschaffen?

Es geht darum, ob man den Länderfinanzausgleich abschaffen sollte.

1 Ist der Länderfinanzausgleich wirklich sinnvoll?

2 Wie viel Macht haben die Länder wirklich?

3 Hat der Bund nicht zu viel Einfluss auf die Länder?

4 Wie werden die Steuern zwischen dem Bund und den Ländern verteilt?

5 Hat der Föderalismus in Deutschland eine Zukunft?

6 Wer ist für die Polizei zuständig?

7 Welche Aufgaben sollte der Bund haben?

8 Ist das System reformierbar?

Yet another form of subordinate clause is the relative clause.

Relative clauses

5.4.1

Look at this example:

Dann gebe ich pro Tasse, **die auf dem Tisch steht**, einen Teelöffel Tee in die Kanne.

The relative clause in this sentence (shown in bold) is introduced by the relative pronoun *die*, which refers back to *Tasse*. A relative pronoun always refers back to a noun (or pronoun) and agrees with it in gender and number. It takes its case from its function within the clause that it introduces. As you can see, the relative clause is marked off by commas and in this case embedded within the main clause.

The 'Nachfeld'

In *Lerneinheit 7* you worked on the *Vorfeld* and the *Mittelfeld* in main clauses. Sometimes it is possible – and increasingly common – to place elements outside the verbal bracket, after the final 'bit' of the verb. This is called *Ausklammerung* and forms the *Nachfeld* of a sentence.

21.9

Elements that most commonly follow the verbal bracket are:

- subordinate clauses;

- infinitive clauses, for example *Ich könnte mir nicht vorstellen* **in eine ganz fremde Stadt zu kommen**;

- comparisons with *als* or *wie*, for example *Das regionale Bewusstsein ist ebenso ausgeprägt* **wie die nationale Identität**.

The final activity brings together the points covered in this *Lerneinheit* and in *Lerneinheit 7*.

Übung 8

1　Read this extract from a newspaper article about federalism in Germany and fill in the gaps using the words given in the box.

2　Once you have done this analyse each sentence, identifying the main clause, any verbal bracket, any *Nachfeld* and any subordinate clause.

soweit • weil • die • das • indem • daß • die

[…] Einerseits darf der Bund den Ländern, (a) soweit es um die Ausführung seiner Gesetze geht, Vorschriften machen. Andererseits wirken die Länder [durch den Bundesrat] an der Bundesgesetzgebung mit. […] Normalerweise erschöpft sich diese [Mitwirkung] in einem Einspruchsrecht, (b) ...... der Bundestag durch neuerlichen Beschluß überwinden kann. […]

Die Verschränkung hat sich im Lauf der Zeit immer weiter verstärkt. Den Anstoß gaben in der Regel Probleme, (c) ...... im engen Rahmen der Länder nicht effektiv gelöst werden konnten, (d) ...... sie sich nicht an Landesgrenzen hielten wie beispielsweise die Umweltbelastung. Der Bund reagierte darauf, (e) ...... er zunächst die konkurrierenden Gesetzgebungskompetenzen, (f) ...... für Länderregelungen nur so lange offenstehen, wie der Bund nicht zugegriffen hat, voll ausschöpfte. […] Für die Gestalt des deutschen Föderalismus ist es aber prägend geworden, (g) ...... [die Länder] sich ihr Entgegenkommen honorieren ließen […].

(Dieter Grimm, Blockade kann nötig sein, „Die Zeit", 10.10.97, S. 14–15, gekürzt und abgeändert)

Lerneinheit 12

Diese Lerneinheit dient der Wiederholung. Dabei beschäftigen Sie sich noch einmal mit dem Hörbericht, dem Begriff „Heimat" und dem Föderalismus in Deutschland.

Study chart

Activity	You will be ...
1	correcting and completing sentences about the content of the *Hörbericht*
2	collating definitions of *Heimat*
3	comparing definitions of *Heimat*
4	revising key points about the system of government in Germany
5	checking you've understood a newspaper interview about the future of the *Finanzausgleich*
6	analysing sentence structures
7	debating federalism vs. centralism

Sie wiederholen zunächst einige Aspekte des Hörberichts.

Übung 1 **Teil 3 und 4**

Hören Sie sich Teil 3 und Teil 4 des Hörberichts noch einmal an. Lesen Sie dann die folgenden Sätze, die jeweils zwei inhaltliche Fehler enthalten. Korrigieren Sie die Fehler und ergänzen Sie die richtigen Konjunktionen und Relativpronomen.

1   Der Ostfriesenverein Eala Frya Fresena wurde 1901 in Wilhelmshaven gegründet, ... damals kamen viele Ostdeutsche auf der Suche nach Arbeit nach Wilhelmshaven.

2   Die Ostdeutschen, ... im Straßenbau arbeiteten, trafen sich regelmäßig in einer Kneipe.

3   Das Regionalgefühl der Friesen drückte sich darin aus, ... sie sich zunächst als Jeveraner und dann als Ostfriesen betrachteten.

4   Jan Cornelius ist ein Rocksänger, ... auf Hochdeutsch singt, ... er so seine Gefühle besser ausdrücken kann.

5   Seine auf Hochdeutsch geschriebenen Kinderlieder sollen einen Beitrag dazu leisten, ... sich auch Kinder wieder mit dem Hochdeutschen beschäftigen.

6   Boßeln und Skilaufen sind zwei traditionelle Sportarten, ... vor allem im Sommer, ... die Weiden gefroren sind, betrieben werden.

7   Eine weitere Legende, ... seit mehr als zweihundert Jahren gepflegt wird, ist der ostfriesische Kaffee, ... man auf bestimmte Art und Weise zubereitet.

8   Der Mangel an Freizeitmöglichkeiten in der Region führt dazu, ... vor allem ältere und gut ausgebildete Menschen abwandern.

In den folgenden beiden Übungen geht es wieder um den Begriff „Heimat".

Übung 2

Notieren Sie sich alles, was Sie über die Bedeutung des Begriffs „Heimat" in den Übungen 5–8 von Lerneinheit 9 gehört beziehungsweise gelesen haben.

Übung 3

Lesen Sie nun eine weitere Definition des Begriffs „Heimat" aus einem Lexikon und vergleichen Sie diese mit denjenigen, die Sie in Übung 2 gesammelt haben. Welche Aspekte sind in dieser Definition enthalten? Welche nicht? Vergleichen Sie sie schriftlich auf Englisch (etwa 100 Wörter).

> *Friedrich Bülow (1969):*
>
> H[eimat] ist derjenige örtlich-geographisch einheitlich erlebte Raumbereich, mit dem sich ein Mensch durch Geburt, Tradition und Lebensumstände, gegebenenfalls auch durch Wahl (Wahl-Heimat) seelisch verbunden fühlt und zu dem er jenseits nüchtern-sachlicher Beurteilung eine gemütsmäßig bestimmte, durch liebevolle Bande bewährte innere Beziehung hat. [...] Heimat umfaßt das Landschaftliche, vor allem aber die Menschen in ihr, deren Sitten, Gebräuche und Sprechart.
>
> *(zitiert in Karl Konrad Polheim (Hg.), „Wesen und Wandel der Heimatliteratur", 1984, S. 230)*

Die Rolle der Bundesländer und ihre Aufgaben stehen im Mittelpunkt der folgenden Übungen.

Übung 4

Lesen Sie zuerst die Fragen, die Ihnen Hinweise darauf geben, wo genau Sie die Antworten in Lerneinheit 10 finden können, und beantworten Sie dann die Fragen.

1 Welche Aufgaben haben unter anderem die Länder? (Übung 1)

2 Was sind die wichtigsten Aufgaben des Bundes? (Übung 1)

3 Definieren Sie in jeweils einem Satz, was der horizontale und der vertikale Finanzausgleich sind. (Übung 4)

4 Welche Vor- und Nachteile haben diese beiden Formen des Finanzausgleichs? (Übung 4)

5 Welchen Prinzipien sind die Verfassungen der Länder verpflichtet? (Übung 5)

6 Was versteht man unter „konkurrierender Gesetzgebung"? (Übung 5)

7 Wie setzt sich der Bundesrat zusammen? (Übung 7)

8 Welche Probleme bringt die Verteilung der Macht zwischen Bund und Ländern mit sich? (Übungen 7 und 8)

Sie haben schon einiges über die Vor- und Nachteile der föderativen Struktur gehört und gelesen. Jetzt lesen Sie einige kritische Äußerungen eines Politikers zu diesem System.

Übung 5

Lesen Sie bitte das folgende Interview, in dem es um die Rolle der Länder und den Finanzausgleich geht, und beantworten Sie die Fragen auf der nächsten Seite.

Weniger Geld, dafür mehr Freiheit

ZEIT-Gespräch mit Sachsens Ministerpräsident Kurt Biedenkopf über die Zukunft der Länder und den Finanzausgleich

ZEIT: Bayern und Baden-Württemberg haben einen heftigen Streit um den Finanzausgleich losgetreten, weil sie weniger Geld an die schwachen Länder abgeben wollen. Dem haben Sie beigepflichtet, obwohl Sachsen noch auf lange Zeit auf solche Zuwendungen angewiesen bleibt.

BIEDENKOPF: Mir geht es nicht primär um Geld, sondern um eine grundsätzliche Entwicklung: die zunehmende Bevormundung der Bundesländer durch den Bund. [...] Der Bund versucht nun, die [an Europa] verlorenen Kompetenzen bei den Ländern wieder hereinzuholen.

ZEIT: Wie geht das?

BIEDENKOPF: Zum Beispiel über die Finanzverfassung. Die jetzige Verflechtung der Finanzen wie der Aufgaben führt zu einer fast unentwirrbaren Gemengelage. [...] Aber wie gesagt: Mir geht es um mehr als um Transferleistungen. Die wichtigere Frage heißt: Welche Rolle bleibt den Bundesländern in einem geeinten Europa?

ZEIT: Was ist Ihre Antwort?

BIEDENKOPF: Zum einen wird die Neugliederung der Bundesländer immer dringender, weil die Diskrepanzen zu groß sind zwischen Ländern mit siebzehn Millionen Einwohnern wie Nordrhein-Westfalen und knapp 680 000 Einwohnern wie Bremen. Dazu muß eine Neuordnung der Finanzverfassung im Sinne einer Regionalisierung kommen. [...]

ZEIT: Sind Sie bereit, die Solidarität der Starken mit den Schwachen zu opfern?

BIEDENKOPF: Solidarität ist keine Einbahnstraße. Natürlich können die Transfers nicht ganz entfallen. Aber wir können es uns durchaus leisten, eine etwas größere Ungleichheit zwischen den Ländern zu akzeptieren. Es wird auf Dauer auch gar nicht anders gehen.

ZEIT: Sachsen profitiert eine Menge vom Finanzausgleich – und doch argumentieren Sie immer, als ob Sie eine Position der Stärke vertreten könnten.

BIEDENKOPF: Es geht hier nicht um stark oder schwach, sondern um die zukünftigen Bedingungen der gesamtdeutschen Solidarität. Im Freistaat Sachsen steckt eine Menge innovativer Energie. Wenn ich mehr Ungleichheit in Kauf nehme, dann nur unter einer unverzichtbaren Bedingung: Wir müssen unsere Verhältnisse in größerem Umfang selbst regeln können. [...]

(„Die Zeit", 15.1.98, S. 6, gekürzt und leicht abgeändert)

1 Aus welchem Anlass wird hier über den Finanzausgleich diskutiert?

2 Was betrachtet Ministerpräsident Biedenkopf als das grundsätzliche Problem?

3 Wie sieht er die zukünftige Rolle der Bundesländer? Wie soll dieses Ziel erreicht werden?

4 Was sagt Kurt Biedenkopf über ein mögliches System des Finanzausgleichs?

5 Welche Lösung wird hier für Sachsen skizziert?

Übung 6

Lesen Sie den ersten Abschnitt des Interviews (von „Bayern und Baden-Württemberg ..." bis „... angewiesen bleibt", zwei Sätze) noch einmal und analysieren Sie auf Englisch die Satzstruktur.

Übung 7 Hörabschnitt 17

In der letzten Übung diskutieren Sie mit einem Freund, der ein Gegner des Föderalismus ist. Sie versuchen eine vernünftige Diskussion mit ihm zu führen, er ist aber nicht offen für ihre Argumente. Daher wird die Diskussion etwas hitzig.

Sie hören auf Englisch, was Sie sagen sollen. Sprechen Sie dann in den Pausen. Benutzen Sie in Ihren Antworten Aussagen wie „Das ist Quatsch/Unsinn/Schwachsinn!" oder „Du hast keine Ahnung!".

C h e c k l i s t e

In *Teil 3* you have worked on

- the history, customs and language of East Frisia;

- the peculiarly German concept of *Heimat*;

- political structures and responsibilities at *Gemeinde*, *Land* and *Bund* level;

- the way in which finances are organized between the *Bund* and *Länder*;

- the advantages and disadvantages of the federal system.

You have also

- written a summary in German in an objective style;

- practised more complex sentences;

- revised word order in different kinds of subordinate clause.

C h e c k l i s t e

Teil 4   Die bundespolitische Ebene

Im letzten Teil dieses Themas steht die bundespolitische Ebene im Mittelpunkt. Sie erfahren mehr über den Bundestag und die Bundesregierung, die Rolle des Bundeskanzlers und des Bundespräsidenten. Weiterhin befassen Sie sich mit den wichtigsten Parteien in Deutschland und mit dem Wahlsystem.

Lerneinheit 13

In dieser Lerneinheit geht es um die Rolle des Bundes, des deutschen Bundestags und des Bundeskanzlers. Sie beschäftigen sich auch mit dem Staatsoberhaupt in Deutschland und seiner Funktion. Außerdem lernen Sie die politische Struktur der Schweiz kennen.

Study chart

Activity	You will be ...
I	matching items of vocabulary and their definitions
2, 3	looking at the Swiss federal system
4	checking you've understood the role of the *Bundestag*
5	identifying German chancellors
6	noting key points about the leadership styles of the German chancellors
7	reconstructing a text about the role of the *Vermittlungsausschuss*
8	answering questions about the role and power of the *Bundeskanzler*
9	summarizing information about the role of the *Bundespräsident*

Als Einstieg lesen Sie zunächst einige Schlüsselwörter zum Thema Bund und ihre unterschiedlichen Bedeutungen.

Übung 1

Ordnen Sie den folgenden Wörtern die richtigen Definitionen zu. In einigen Fällen gibt es mehr als eine richtige Antwort.

1. Bund

2. Bundestag

3. Bundesrat

4. Bundeskanzler

5. Bundesverfassungsgericht

6. Bundespräsident

7. Bundesversammlung

8. Bundesregierung

(b) kurz für „Bundeswehr"

(a) Volksvertretung der Deutschen

(c) Regierung der Schweiz

(d) die oberste staatliche Instanz in der Bundesrepublik

(e) schweizer Parlament, aus zwei Kammern bestehend

(f) oberstes Gericht in der BRD

(g) Regierung eines Bundesstaates

(h) in der BRD und Österreich: Leiter der Regierung

(i) Gremium zur Wahl des Bundespräsidenten, bestehend aus Bundestagsabgeordneten und Vertretern der Landesparlamente

(j) aus den Vertretern der Länder bestehendes Staatsorgan in der Bundesrepublik

(k) Staatsoberhaupt eines Bundesstaates

(l) in der Schweiz: Leiter der Geschäftsstelle des Bundesrats

Nicht nur Deutschland, sondern auch Österreich und
die Schweiz haben ein föderatives System. In der
nächsten Übung erfahren Sie mehr über die
Strukturen in der Schweiz.

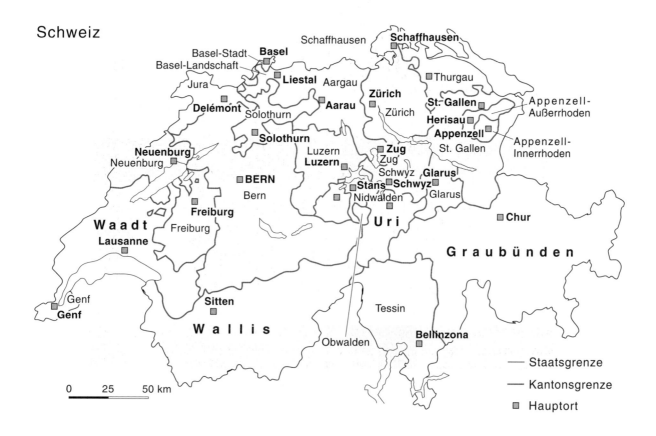

Übung 2

Lesen Sie bitte diesen Lexikoneintrag und ergänzen Sie die Lücken mit dem jeweils passenden Wort aus dem Kasten.

Die Schweizerische Eidgenossenschaft ist eine (1) ...... und demokratische (2) ...... aus 20 Kantonen und 6 Halbkantonen. Die seit der Revision im Jahre 1874 bestehende (3) ...... [...] gesteht der (4) ...... ausdrücklich nur die ihr von den (5) ...... übertragenen Rechte zu; die verfassungsrechtliche Entwicklung der Schweiz ist daher vom Ringen zwischen kantonaler (6) ...... und Ausbau der Zentralgewalt des (7) ...... geprägt, wobei die zentralisierenden (8) ...... sich stetig verstärken.

(„Meyers Großes Taschenlexikon", 1983)

```
Kantonen • föderative • Bundes •
Tendenzen • Bundesverwaltung •
Selbständigkeit • Bundesverfassung
• Republik
```

Übung 3

Lesen Sie den Eintrag noch einmal und beantworten Sie die folgenden Fragen.

1 Was entspricht einem Kanton im deutschen föderativen System?

2 Seit wann besteht die jetzige Verfassung der Schweiz?

3 Wie lässt sich die Machtverteilung zwischen Kantonen und Bund beschreiben?

4 Vergleichen Sie die Aussagen über die Schweiz mit dem, was Sie über das Verhältnis von Bund und Ländern in Deutschland gelernt haben.

In der nächsten Übung geht es um das deutsche Parlament, den Bundestag.

Übung 4

Schauen Sie sich das Schaubild (unten) an und lesen Sie die folgenden Informationen zu den Aufgaben des Bundestages. Lesen Sie dann die Aussagen (1)–(6) und kreuzen Sie an, ob sie richtig oder falsch sind. Korrigieren Sie die falschen Aussagen.

[...] Im Zentrum [der politischen] Institutionen steht in der Bundesrepublik Deutschland das Parlament, der Bundestag (in den Bundesländern die Landtage). Er wird [...] direkt vom Volke gewählt [...] und hat zentrale Funktionen zu erfüllen:

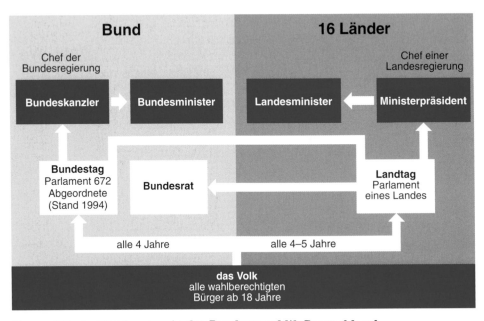

Das politische Wahlsystem in der Bundesrepublik Deutschland

– Durch ihn sollen die im Volke vorhandenen politischen Auffassungen Ausdruck finden (*Artikulationsfunktion*);

– Er ist es, der die personelle Besetzung aller anderen zentralstaatlichen Organe direkt oder indirekt vornimmt, teilweise allerdings gemeinsam mit dem Bundesrat (*Wahlfunktion*) [das heißt, er wählt zum Beispiel den Bundeskanzler, die Hälfte der Richter des Bundesverfassungsgerichts und, gemeinsam mit den Ländern, den Bundespräsidenten];

– Seiner politischen Kontrolle unterliegt das Regierungshandeln (*Kontrollfunktion*);

– Er ist, bei Mitwirkung des Bundesrats, für die Gesetzgebung zuständig (*Legislative Funktion*).

(Wolfgang Rudzio, „Das politische System der Bundesrepublik Deutschland: Kurseinheit 1–3", Fernuniversität Hagen, 1997, S. 126, gekürzt und leicht abgeändert)

		Richtig	Falsch
I	Der Bundestag wird alle fünf Jahre gewählt.	❐	❐
2	Alle wahlberechtigten Bürger können den Bundestag wählen.	❐	❐
3	Nur der Bundestag wählt den Bundeskanzler und den Bundespräsidenten.	❐	❐
4	Er soll die politischen Meinungen des Volkes widerspiegeln.	❐	❐
5	Er kontrolliert die Regierung.	❐	❐
6	Der Bundestag ist allein verantwortlich für die Gesetzgebung.	❐	❐

In den folgenden Übungen geht es um den Einfluss des Bundeskanzlers.

Übung 5

Schauen Sie sich die Fotos und die Informationen an. Ordnen Sie dann jedem Foto die richtige Person und die richtigen Informationen zu.

Die deutschen Bundeskanzler

I

2

3

4

5

6

7

Kurt-Georg Kiesinger (CDU), 1966–1969

Ludwig Erhard (CDU), 1963–1966

Gerhard Schröder (SPD) 1998–

Helmut Schmidt (SPD), 1974–1982

Willy Brandt (SPD), 1969–1974

Helmut Kohl (CDU), 1982–1998

Konrad Adenauer (CDU), 1949–1963

In Artikel 65 des Grundgesetzes steht, dass der Bundeskanzler die Richtlinien der Politik bestimmt und dafür die Verantwortung trägt.

Übung 6

Lesen Sie nun einen Ausschnitt, der sich mit der Macht der verschiedenen deutschen Bundeskanzler seit 1949 befasst, und notieren Sie sich in Stichwörtern,

1 wie die einzelnen Bundeskanzler jeweils charakterisiert werden und

2 was über die Richtlinienkompetenz des Bundeskanzlers gesagt wird.

Das Ausmaß der Dominanz der Institution des Bundeskanzlers im bundesdeutschen Regierungssystem hängt von der jeweiligen Persönlichkeit des Amtsinhabers ab. Konrad Adenauer war [...] der unangefochtene Führer seiner Regierung, mit Ausnahme der letzten Amtsjahre. [...] Ludwig Erhard als sein Nachfolger [...] erwies sich bald als führungsschwacher Kanzler, der nicht in der Lage war, sich mit den ihm zur Verfügung stehenden Mitteln der Regierungstechnik durchzusetzen [...]. Kurt-Georg Kiesinger, der Bundeskanzler der Großen Koalition, war durch den sozialdemokratischen Koalitionspartner in seiner Führungsrolle stark eingeschränkt. [...] Willy Brandt setzte als Kanzler der sozial-liberalen Koalition [...] auf die Überzeugungskraft des Wortes. Doch [...] war er in den Niederungen der politisch-administrativen Alltagsarbeit eher überfordert. Sein sozialdemokratischer Nachfolger Helmut Schmidt war [...] der geborene ökonomische und politische Krisenmanager, dem dabei allerdings die Unterstützung durch die Mehrheit seiner eigenen Partei und des um sein Überleben besorgten freidemokratischen Koalitionspartners abhanden kam. Im Gegensatz zu Schmidt konnte Helmut Kohl auf seiner [...] Kontrolle über die eigene Partei aufbauen und dabei wie sein Vorbild Adenauer alle parteiinternen Kritiker [...] in die Schranken weisen [...]. Staatsmännische Statur als deutscher Bundeskanzler hat Helmut Kohl erst durch

und nach der Herstellung der deutschen Einheit gewonnen [...].

Das Grundgesetz gibt also dem Bundeskanzler die Möglichkeit, seine Regierung straff zu führen, aber es hängt jeweils von der Persönlichkeit des Kanzlers und den besonderen Bedingungen der Regierungszusammensetzung und Parteienkonstellation ab, ob er seine Richtlinienkompetenz voll ausüben kann. Die Verfassung erlaubt den starken Bundeskanzler, aber sie bringt ihn nicht automatisch hervor.

(Kurt Sontheimer und Wilhelm Bleek, „Grundzüge des politischen Systems der Bundesrepublik Deutschland", 1997, S. 313–314, gekürzt)

Auf Grund der föderativen Struktur Deutschlands kann auch der Bundeskanzler mit seiner Regierung nicht alle Gesetze durchsetzen. Was geschieht, wenn ein Gesetz vom Bundesrat abgelehnt wird?

Übung 7

Lesen Sie den folgenden Abschnitt und verwenden Sie die fett gedruckten Satzteile um Sätze zu schreiben.

Zu den Ausschüssen, (1) **können – den Inhalt – beeinflussen – der Gesetzgebung – am nachhaltigsten – die**, gehört zweifellos der *Vermittlungsausschuß*. Er ist ein gemeinsamer Ausschuß von Bundestag und Bundesrat und tritt immer dann in Aktion, (2) **kein Konsens – erreicht – wenn – zwischen den beiden gesetzgebenden Kammern – wurde**. Es ist die Aufgabe dieses je zur Hälfte aus Vertretern des Bundestages und des Bundesrates zusammengesetzten Gremiums, (3) **einen – finden – für beide Seiten – tragfähigen – zu – Kompromiß**. Der Vermittlungsausschuß hatte vor allem in den Jahren der sozial-liberalen Koalition, durch den 1969 innerhalb des Bundestages und der Bundesregierung vollzogenen Machtwechsel, enorme Bedeutung, (4) **verfügte – im Bundesrat – die parlamentarische Opposition – denn –**

der CDU/CSU – über eine Mehrheit – von 1969 bis 1983. In umgekehrter Besetzung ist seit 1991 das gleiche Phänomen wieder aufgetreten, (5) **die SPD-geführten Länder – errangen – als – im Bundesrat – die Mehrheit**, (6) **sie – dort – können – die – verteidigen – haben – bisher**. […] Diese Eigenart […] hat erhebliche Rückwirkungen auf den Stil der Gesetzgebungsarbeit im Bundestag, (7) **doch – weil – sich – zumeist – ist – die Regierungsmehrheit – bewußt**, daß die ihr im Parlament unterlegene Oppositionsminderheit ihre mächtigen Verbündeten im Bundesrat aktivieren kann, (8) **ist – deren – erforderlich – Zustimmung – bei vielen Bundesgesetzen**.

(Sontheimer und Bleek, 1997, S. 283, gekürzt und abgeändert)

Übung 8 **Hörabschnitt 18**

Lesen Sie bitte Übungen 6 und 7 noch einmal als Vorbereitung auf ein Gespräch, das Sie dann führen werden. Sie hören auf Englisch, was Sie sagen sollen. Sprechen Sie in den Pausen.

Das Staatsoberhaupt der Bundesrepublik Deutschland, von der Bundesversammlung gewählt, ist der Bundespräsident.

Übung 9

Lesen Sie nun die Informationen auf den nächsten Seiten über die Aufgaben des Bundespräsidenten und schreiben Sie eine Zusammenfassung (etwa 120 Wörter). Gehen Sie auch auf das hier genannte Beispiel eines sehr beliebten und erfolgreichen Bundespräsidenten ein.

Theodor Heuß (FDP), 1949–1959   **Heinrich Lübke (CDU), 1959–1969**   **Gustav Heinemann (SPD), 1969–1974**   **Walter Scheel (FDP), 1974–1979**

Karl Carstens (CDU), 1979–1984   **Richard von Weizsäcker (CDU), 1984–1994**   **Roman Herzog (CDU), 1994–1999**   **Johannes Rau (SPD), 1999–**

Die bisherigen Präsidentenwahlen zeigen, daß das Amt von der jeweiligen politischen Mehrheit durchaus *unter parteipolitischen Gesichtspunkten* besetzt worden ist. Sämtliche Kandidaten waren aktive Politiker [...].

(Rudzio, 1997, S. 186)

Zwar kann er kaum selbst politisch handeln, er vermag aber durch Ratschläge und Warnungen auf die anderen Staatsorgane einzuwirken.

(Sontheimer und Bleek, 1997, S. 329)

[...] vertritt er die Bundesrepublik Deutschland nach innen wie nach außen [...].

(Sontheimer und Bleek, 1997, S. 328)

Das hohe Ansehen, das sich Bundespräsident von Weizsäcker innerhalb kürzester Zeit sowohl im Inland wie im Ausland erwarb, beruhte [...] insbesondere auf der Selbständigkeit und Unabhängigkeit seines politischen Urteils in allen Fragen, die für die Deutschen von Belang waren, auf seinem sicheren Gespür für die Probleme der Zeit und auf seiner Fähigkeit, Grundsatzfragen der politischen Ordnung auch dann zu artikulieren, wenn das für seine früheren Parteifreunde an der Spitze der Bundesregierung unangenehm war.

(Sontheimer und Bleek, 1997, S. 331–332)

Bundespräsidenten müssen ihre Parteimitgliedschaft ruhen lassen.

Die Erfahrungen [der Weimarer Republik] haben in kaum einem Teil der Institutionen des Grundgesetzes so stark zur Wandlung eines Amtes beigetragen wie bei dem des Bundespräsidenten. [...]

Die Kompetenzen des Bundespräsidenten weisen kaum die Funktion aktiver Gestaltung des politischen Lebens auf, sondern nur repräsentative Aufgaben. [...] Der Einfluß [des Bundespräsidenten] auf Regierung und Parlament wurde bewußt klein gehalten. [...]

(Klaus von Beyme, „Das politische System der Bundesrepublik Deutschland nach der Vereinigung", 1993, S. 296)

Der Bundespräsident: Mehr als nur Repräsentant?

Das gestutzte Präsidentenamt

(Rudzio, 1997, S. 185)

Der Bundespräsident – „Repräsentant oder Politiker?"

(Rudzio, 1997, S. 186)

Repräsentative Funktion und Integrationsfigur

(Rudzio, 1997, S. 187)

M Q1.14, Q1.17, Q1.18

Lerneinheit 14

In dieser Lerneinheit betrachten Sie die politischen Parteien in Deutschland und das Wahlsystem zum Bundestag.

Study chart

Activity	You will be ...
1	identifying political parties
2	checking your understanding of Germany's political parties
3	studying a German ballot paper
4	completing information about the German voting system
5	listing arguments for and against different voting systems
6	discussing the German voting system with first-time voters
7	completing sentences about the voting system
8	writing about the German voting system

In der ersten Übung lernen Sie einige deutsche Parteien kennen.

Übung 1

Lesen Sie die folgenden kurzen Beschreibungen der Parteien und schauen Sie sich auch die Namen und Logos der Parteien an. Ordnen Sie dann der jeweiligen Beschreibung die richtige Partei zu.

1   Nachfolgeorganisation der SED (Sozialistische Einheitspartei Deutschlands). Diese Partei kritisiert entschieden die Politik der westdeutschen „Vereinnahmung" der ehemaligen

DDR. Ihr Ziel ist es, möglichst viele Aspekte des Konzepts des Sozialismus in einem pluralistischen, demokratischen System zu wahren. Ihr Schwerpunkt liegt in den neuen Bundesländern: Hier konnte sie in zahlreiche Kommunalparlamente einziehen und auch Erfolge bei Landtagswahlen feiern. Sie festigten ihre Position durch den erneuten Einzug in den Bundestag 1998.

2 Nach dem Zweiten Weltkrieg gegründete Volkspartei, die überkonfessionell orientiert ist und sich schon früh zur parlamentarischen Demokratie, einem föderalistischen Staatsaufbau und einer öffentlichen Rolle der christlichen Kirche bekannte. Eine der mitgliederstärksten Parteien in Deutschland.

3 Diese Partei der äußersten Rechten wurde 1983 als Abspaltung der CSU gegründet. Sie konnte einige überraschende Wahlerfolge auf Länderebene erzielen, hat jedoch den Einzug in den Bundestag bisher nicht geschafft. Sie gilt als Protestpartei, die auf bestimmte Themen begrenzt ist.

4 Diese Partei hat die längste Tradition in Deutschland. Bismarck sah diese Partei und ihr Programm als große Gefahr und unterdrückte sie mithilfe von Gesetzen. Im „Godesberger Programm" (1959) distanzierte sich die Partei vom Sozialismus als Ideologie und wandelte sich in eine sozial-reformerische Volkspartei. Sie hat 13 Jahre lang (zusammen mit dem liberalen Koalitionspartner) die Regierung in der Bundesrepublik gebildet und befand sich 1982–1998 in der Opposition.

5 Diese Gruppierung besteht aus dem Zusammenschluss von zwei Parteien: einer 1990 aus fünf Bürgerrechtsbewegungen der DDR hervorgegangene Partei und der ökologisch orientierten Partei Westdeutschlands, die ihre Wurzeln in der Bürgerinitiativbewegung hat. Sie haben sich 1993 zu dieser Gruppierung zusammengeschlossen.

6 Liberale Partei, die 1948 gegründet wurde und seit 1949 als Koalitionspartner häufig für die Regierungsbildung ausschlaggebend war. Sie sorgte durch ihre Koalitionsentscheidung 1969 für einen Wechsel der Regierungsverantwortung von der CDU zur SPD und 1982 für die Rückkehr der CDU an die Regierung. Obwohl sie seit 1949 immer im Bundestag vertreten war, scheiterte sie in verschiedenen Landtagswahlen und Wahlen zum Europaparlament an der Fünfprozentklausel und konnte nicht in die entsprechenden Parlamente einziehen.

7 Auf Bayern beschränkte christlich-konservative Volkspartei. Die 1945 gegründete Partei stellt seit 1957 kontinuierlich den Ministerpräsidenten der Landesregierung und verfügt seit 1962 im bayrischen Landtag über die absolute Mehrheit. Im Bundestag bildet sie eine Fraktion mit der anderen christlich orientierten Partei.

(a) CDU (Christlich-Demokratische Union)

(b) CSU (Christlich-Soziale Union)

(c) SPD (Sozialdemokratische Partei Deutschlands)

(d) FDP (Freie Demokratische Partei)

(e) Grüne (Bündnis 90/Die Grünen)

(f) PDS (Partei des Demokratischen Sozialismus)

(g) REP (Die Republikaner)

Lerneinheit 14

Beantworten Sie bitte die folgenden Fragen zu den Beschreibungen in Übung 1 auf Englisch.

1 How has the FDP managed to play an important role in German politics since 1949, despite being a small party?

2 Which two parties form a joint parliamentary group?

3 What are the main political aims of the PDS?

4 Why do you think the PDS is particularly successful in one part of Germany?

5 Which is the oldest and which is (or are) the youngest of these parties?

6 What are the main political principles of the CDU?

Alle vier Jahre stellen sich die Parteien zur Wahl für den Bundestag. Wie aber funktioniert das deutsche Wahlsystem?

Lesen Sie die folgenden Aussagen und schauen Sie sich den Wahlzettel (unten) an. Entscheiden Sie dann, welche Aussagen richtig und welche falsch sind. Korrigieren Sie die falschen Aussagen.

	Richtig	Falsch
1 Bei den Bundestagswahlen haben die Wählerinnen und Wähler zwei Stimmen.	☐	☐
2 Mit der Erststimme wählt man eine Partei.	☐	☐
3 Die Erststimme ist für die Verteilung der Bundestagsmandate entscheidend.	☐	☐
4 Der Wahlzettel stammt aus einem Wahlkreis in Bayern.	☐	☐
5 In diesem Wahlkreis kandidieren 17 Politikerinnen und Politiker für ein Direktmandat.	☐	☐
6 Die SPD führt die Liste für diesen Wahlkreis an.	☐	☐

Einige Slogans aus der Bundestagswahl 1998

„Das 21. Jahrhundert menschlich gestalten." (CDU)

„Aufschwung statt Stillstand." (CSU)

„Wir sind bereit." (SPD)

„Grün ist der Wechsel." (Bündnis 90/Die Grünen)

„Die Roten kommen!" und „Kohl geht. Wir kommen." (PDS)

„Reform Partei" (FDP)

Übung 4

Lesen Sie die folgenden Beschreibungen des deutschen Wahlsystems und dann die Aussagen (1)–(5) unten. Kreuzen Sie die richtigen Aussagen an. In einem Fall gibt es zwei richtige Antworten.

Mehrheitswahlrecht Wahlrecht, bei dem der Kandidat mit den meisten Stimmen als gewählt erklärt wird.

Verhältniswahlrecht Wahlrecht, bei dem die Sitze auf die Listen der Parteien im Verhältnis der abgegebenen Stimmen verteilt werden, Proportionalwahlrecht.

(„Wahrig deutsches Wörterbuch")

Das Wahlrecht zum Bundestag [...] läßt sich als *personalisiertes Verhältniswahlrecht* bezeichnen.

Nach ihm wird die eine Hälfte der Abgeordneten in [den] Einzelwahlkreisen mit einfacher Mehrheit gewählt, die andere Hälfte über Landeslisten der Parteien.

(Wolfgang Rudzio, „Das politische System der Bundesrepublik Deutschland: Kurseinheit 1–3", Fernuniversität Hagen, 1997, S. 111, gekürzt)

Entscheidend für das Gesamtergebnis der jeweils zur Wahl angetretenen Parteien sind jedoch die Zweitstimmen, also die für die Listen abgegebenen Wählerstimmen. Die Verteilung der Parlamentssitze erfolgt auf der Basis des Anteils an Zweitstimmen, den eine Partei erzielt; die Direktmandate werden auf diesen Anteil verrechnet.

(Kurt Sontheimer und Wilhelm Bleek, „Grundzüge des politischen Systems der Bundesrepublik Deutschland", 1997, S. 268)

Dabei kann der Fall eintreten, daß eine Partei bereits in den Wahlkreisen mehr Mandate gewinnt als ihr insgesamt zuständen. Bei der Bundestagswahl 1994 fielen so der CDU zwölf und der SPD vier derartige „Überhangmandate" zu [...].

Eine wichtige Randkorrektur des Verhältnisprinzips stellt die *Fünf-Prozent-Sperrklausel* dar, wonach Landeslisten nur solcher Parteien [...] bei der Mandatszuteilung berücksichtigt werden, die mindestens fünf Prozent der gültigen Zweitstimmen im Bundesgebiet erhalten [...] oder mindestens drei Wahlkreismandate direkt gewonnen haben.

(Rudzio, 1997, S. 111, gekürzt)

1 Das deutsche Wahlrecht

(a) enthält Elemente des Mehrheits- und des Verhältniswahlrechts; ❏

(b) basiert auf dem Mehrheitswahlrecht; ❏

(c) basiert auf dem Verhältniswahlrecht. ❏

2 Im personalisierten Verhältniswahlrecht wählen die Bürger und Bürgerinnen

(a) eine Hälfte der Abgeordneten direkt in den Wahlkreisen; ❏

(b) alle Abgeordneten über Parteilisten; ❏

(c) alle Abgeordneten direkt in den Wahlkreisen; ❏

(d) eine Hälfte der Abgeordneten über Landeslisten der Parteien. ❏

3 Entscheidend für die Verteilung der Bundestagsmandate sind

(a) die Erststimmen; ❏

(b) die Zweitstimmen; ❏

(c) sowohl die Erst- als auch die Zweitstimmen. ❏

4 Überhangmandate entstehen dann,

(a) wenn ein Kandidat einen Wahlkreis direkt gewinnt; ❏

(b) wenn eine Partei mehr als die Hälfte der Stimmen erhält; ❏

(c) wenn eine Partei in den Wahlkreisen bereits mehr Stimmen gewinnt als ihr auf Grund der Zweitstimmen zustehen. ❏

5 Um in den Bundestag einzuziehen, müssen die Parteien

(a) mindestens 5% der gültigen Erststimmen im ganzen Land erhalten und drei Wahlkreise direkt gewinnen; ❏

(b) mindestens 5% der gültigen Zweitstimmen im ganzen Land erhalten oder mindestens drei Wahlkreise direkt gewinnen; ❏

(c) mindestens 5% der gültigen Zweitstimmen im ganzen Land erhalten und mindestens drei Wahlkreise direkt gewinnen. ❏

Übung 5

Lesen Sie die beiden Aussagen unten über das Mehrheits- und das Verhältniswahlrecht. Überlegen Sie sich insgesamt fünf weitere Argumente im Hinblick auf die beiden Wahlrechtssysteme und schreiben Sie sie auf.

> Das Mehrheitswahlrecht macht eine Regierungsbildung einfacher.

> Kleinere Parteien erhalten durch das Verhältniswahlrecht überhaupt erst eine Chance in den Bundestag einzuziehen.

Übung 6 **Hörabschnitt 19**

Als Experte beziehungsweise Expertin zum Thema Bundestagswahlrecht nehmen Sie an einer Fragestunde mit jungen Wählern und Wählerinnen teil. Sie beantworten die Fragen dieser Erstwähler und -wählerinnen. Sie hören Stichwörter und sprechen dann in den Pausen.

Übung 7

Bilden Sie aus den folgenden Elementen vollständige Sätze. Schreiben Sie auch die jeweils richtige Konjunktion in die Lücken.

1 Bei der Aufstellung der Kandidaten und Kandidatinnen für den Bundestag fällt auf, ... – örtliche Parteigremien – eine wichtige Rolle – spielen.

2 Man kann davon ausgehen, ... – die meisten Kandidatinnen und Kandidaten – in der Parteiarbeit – schon – sich – um ein Bundestagsmandat – bewährt haben.

3 ...... – viele Direktmandate – erhalten – eine Partei, bedeutet das, ... – in den Bundestag – nur wenige Bewerber – über die Landeslisten – einziehen.

4 Die Landeslisten sind aber trotzdem für alle Parteien wichtig, ... – auf ihnen – prominente Politiker und Politikerinnen – in der Regel – aufgestellt – werden.

5 Die ersten Plätze der Liste werden in der Regel mit bekannten Politikerinnen und Politikern besetzt, ... – es – nur einige Namen – auf den Stimmzetteln – erscheinen.

Übung 8

Beschreiben Sie jetzt das bundesdeutsche Wahlsystem mit seinen Vor- und Nachteilen und erklären Sie auch, warum dieses System vor allem kleineren Parteien helfen kann. Schreiben Sie etwa 250 Wörter.

C h e c k l i s t e

In *Teil 4* you have worked on

- the respective roles of the *Bundestag*, the *Bundesregierung*, the *Bundeskanzler* and the *Bundespräsident*;

- the federal system in Switzerland;

- the leadership styles of the German chancellors;

- political parties in Germany;

- different voting systems.

You have also

- written summaries in German;

- revised note-taking;

- practised word order in subordinate clauses.

C h e c k l i s t e

Aspekte deutscher Geschichte

Da es nicht möglich ist, die gesamte deutsche Geschichte im Rahmen dieses Kurses darzustellen, beschäftigen Sie sich in Thema 2 mit einigen ausgewählten Aspekten der deutschen Geschichte vom Mittelalter bis zur Neuzeit.

Dabei liegt der Schwerpunkt auf der Geschichte nach 1945.

Das Video und der Hörbericht befassen sich mit Sachsen – das Video beleuchtet einige Bereiche der sächsischen Geschichte von ihren Anfängen bis zur Neuzeit, während der Hörbericht sich mit dem Bundesland Sachsen nach der Wiedervereinigung befasst.

Teil 1   Schlaglichter deutscher Geschichte bis 1945

In Teil 1 geht es um ausgewählte Themen der deutschen und sächsischen Geschichte vom Mittelalter bis zum Ende des Zweiten Weltkrieges.

Lerneinheit 1

In dieser Lerneinheit betrachten Sie einige Ereignisse der Geschichte Sachsens von den Anfängen bis ins 18. Jahrhundert und befassen sich dabei mit einem Herrschergeschlecht, das eine zentrale Rolle in Sachsen gespielt hat.

Study chart

Activity		You will be ...
1	🖵	identifying key dates and events from the video
2	🖵	checking you've understood the video
3		verifying key events in the history of Saxony
4		working on definitions of *Stamm*
5	🖵	checking you've understood the video
6		completing sentences about absolutist rulers
7		making notes about August der Starke
8		writing a summary about August der Starke
9	💿	talking about August der Starke's influence on the Dresden of today

Als Einführung in das Thema arbeiten Sie zunächst mit dem Video.

Übung 1 00:00–28:09

Lesen Sie die folgenden historischen Daten und Ereignisse und schauen Sie sich dann das Video an. Notieren Sie sich, welche Daten oder Ereignisse im Video genannt werden.

1 531 – Vernichtung des Thüringerreichs durch die Franken

2 800 – Kaiserkrönung Karl des Großen

3 1125 – Konrad der Große, der erste Fürst aus dem Geschlecht der Wettiner, zieht auf dem Meißner Burgberg ein

4 1485 – Wettiner Teilung – Herzog Albrecht zieht nach Dresden

5 1496 – Gründung der Stadt Annaberg

6 1618–1648 – Dreißigjähriger Krieg – Zerstörung und Verarmung Sachsens

7 1694–1733 – Regierungszeit des Kurfürsten Friedrich August I.

8 1710 – Errichtung der ersten Porzellanmanufaktur

9 1848 – Revolution in Deutschland

10 1871 – Proklamation des Deutschen Reiches

11 1914–1918 – Erster Weltkrieg

12 1918 – Ende der Monarchie

13 1919–1933 – Weimarer Republik

14 1933–1945 – Drittes Reich

15 1949–1990 – Deutsche Demokratische Republik (DDR)

16 1989 – Fall der Mauer

17 1990 – Deutschland wird wieder vereinigt

Sie beschäftigen sich jetzt mit dem ersten Abschnitt des Videos, in dem es um das Herrschergeschlecht der Wettiner geht.

Übung 2 **00:24–06:03**

Sehen Sie sich den ersten Abschnitt des Videos an und bearbeiten Sie die folgenden Aufgaben.

1 Nennen Sie die drei im Video genannten Städte und notieren Sie, wie sie beschrieben werden.

2 Viele Herrscher bekamen früher einen Beinamen, zum Beispiel wurde Herzog Georg, der einen Bart trug, Georg der Bärtige genannt. Welche Beinamen hatten die drei Wettiner Herrscher Konrad, Friedrich und August?

In der nächsten Übung erfahren Sie mehr über die Entwicklung Sachsens und die Geschichte der Wettiner.

Übung 3

Lesen Sie zuerst den Lexikoneintrag und dann die nachfolgenden Aussagen. Entscheiden Sie, welche Aussagen richtig beziehungsweise falsch sind. Korrigieren Sie die falschen Aussagen.

> Die Sachsen, ein deutscher Volksstamm, siedelten ursprünglich nördlich der Elbe. Von dort drangen sie im 3. und 4. Jahrh. n. Chr. in den Westen und Südwesten vor. […] Ein Teil der Sachsen siedelte im 5. Jahrh. nach Britannien über. Ein Teil der zurück-bleibenden (Alt-)Sachsen wanderte bis zum Rhein. […]
>
> Nach jahrhundertelanger Feindschaft mit den Franken wurden sie während der Sachsenkriege (772–804) durch Karl den Großen unterworfen und unter Zwang christianisiert. Ende des 9. Jahrh. bildete sich das sächsische Stammesherzogtum der Liudolfinger. […]
>
> Eigentliches Kerngebiet Sachsens ist die Mark Meißen, die unter Konrad I. – gestorben 1157

und Begründer des Hauses Wettin – ausgebaut wurde. 1485 erfolgte die sogenannte Wettiner Teilung in die Ernestinische und Albertinische Linie. Daraufhin verlegte Herzog Albrecht seine Residenz nach Dresden. 1547 ging die Kurwürde auf die Albertiner über und 1806 bekamen sie die Königswürde in Sachsen.

Über das Haus Sachsen-Coburg kamen die Ernestinischen Wettiner im 19. Jahrh. auf die Throne von England, Belgien, Portugal und Bulgarien.

("Der Große Brockhaus", 1977–1984, S. 189–190 und 482, gekürzt und abgeändert)

die Kurwürde (-) right to become an Elector

	Richtig	Falsch
1 Die Sachsen siedelten ursprünglich östlich der Elbe.	☐	☐
2 Ein Teil der Sachsen siedelte im 5. Jahrhundert nach Britannien über.	☐	☐
3 Im 8. und 9. Jahrhundert unterwarf Karl der Große die Sachsen.	☐	☐
4 Kerngebiet Sachsens war die Mark Brandenburg.	☐	☐
5 1485 wurde die Mark Meißen die neue Residenz der Albertinischen Wettiner.	☐	☐
6 1806 wurden die Albertinischen Wettiner Könige von Preußen.	☐	☐

In der nächsten Übung betrachten Sie den Begriff „Stamm" aus dem kurzen geschichtlichen Einblick in Übung 3 genauer.

Übung 4

Beantworten Sie die Fragen mithilfe Ihres Wörterbuchs.

1 Von welchem Verb ist das Substantiv „Stamm" abgeleitet? Notieren Sie auch die englischen Bedeutungen des Verbs.

2 Notieren Sie die vier verschiedenen Bedeutungen, die das Substantiv „Stamm" auf Englisch haben kann.

3 Wie übersetzt man diese Begriffe ins Englische: Stammvokal, Stammgast, Stammbaum? Welche der vier verschiedenen Bedeutungen aus Frage 2 passen hier?

Sie arbeiten jetzt wieder mit dem Video.

Übung 5 02:40–06:03

Sehen Sie sich diesen Abschnitt des Videos an und beantworten Sie die folgenden Fragen.

1 Wo lebten die Wettiner Herrscher, bevor sie nach Dresden zogen?

2 Welche Personen werden auf dem Dresdner Wandbild aus Meißener Porzellan dargestellt?

3 Was geschah nach dem Tod von Friedrich dem Sanftmütigen?

4 Wofür war August der Starke, nach Aussage von Frau Paesch, bekannt?

5 Welche Folgen hatte das für die Stadt Dresden?

6 Wie finanzierte August der Starke seine Pläne?

Herrscher wie August der Starke verkörperten ein neues Herrscherbild, das sich über längere Zeit entwickelt hatte. In Übung 6 geht es um die Grundlagen dieses Herrscherbildes.

Porträt August des Starken

Übung 6

Lesen Sie den Abschnitt und die nachfolgenden Sätze und schreiben Sie die passenden Informationen in die Lücken.

[Mitte des 14. Jahrhunderts fand in Italien eine Rückbesinnung auf die Antike statt, die heutzutage oft unter den Begriffen Renaissance und Humanismus eingeordnet wird. Diese Bewegungen strahlten im 15. und 16. Jahrhundert auch auf Deutschland aus.]

Nach dem Dreißigjährigen Krieg (1618–1648) gab es ein allgemeines Verlangen nach Wiederherstellung der staatlichen Ordnungsfunktion, die in der Person des Monarchen am ehesten verbürgt schien. So kam es zur Herausbildung der absolutistischen Regierungsform, in der der Monarch als alleiniger Inhaber der Herrschaftsgewalt nicht an die bestehenden Gesetze gebunden („legibus solutus"), wohl aber dem göttlichen Recht unterworfen war. „L'état c'est moi" (der Staat bin ich) – dieser dem französischen König Ludwig XIV. zugeschriebene Ausspruch bringt die Gleichsetzung von Staat und Herrscher auf eine knappe Formel. […]

Bedeutsam waren vor allem die Definition der Souveränität als unteilbare, absolute Gewalt nach innen und außen und der Grundsatz der Staatsräson. […] Die absoluten Herrscher beriefen sich weiterhin auf ihre göttliche Legitimität.

(Helmut Müller, „Schlaglichter der deutschen Geschichte", 1990, S. 109, gekürzt und abgeändert)

1 Die Renaissance und der Humanismus nahmen ihren Ausgang im . . . . . . in Italien.

2 Im 15. und 16. Jahrhundert wirkten sich diese . . . . . . auch auf Deutschland aus.

3 Nach dem Dreißigjährigen Krieg war die Wiederherstellung der . . . . . . zentral.

4 Die . . . . . . garantierten die Wiederherstellung der staatlichen Ordnung.

5 Im Absolutismus war der Monarch der . . . .

6 Die absolutistischen Herrscher mussten sich nicht an die . . . . . . halten.

7 Staat und . . . . . . wurden gleichgesetzt.

Wie wurde August der Starke als Person und Herrscher eingeschätzt? Damit beschäftigen Sie sich in der folgenden Übung.

Übung 7

Lesen Sie bitte die Ausschnitte über August den Starken und machen Sie sich Notizen zu den folgenden Punkten:

- sein Regierungsantritt als junger Mann
- seine Außenpolitik
- seine Innenpolitik
- sein Privatleben

August der Starke

„Das Land jubelte, mich an die Stelle meines Bruders treten zu sehen, da man mein sanftes Gemüt kannte. Ich hatte seit dem 18. Jahre nur militärische Studien getrieben und nicht die geringste Kenntnis von den Geschäften. Mein einziger Wunsch war kriegerischer Ruhm", schrieb Kurfürst Friedrich August I. elf Jahre nach seinem Regierungsantritt […] (1694).

(Karl Czok, „August der Starke und Kursachsen", 1988, S. 16, gekürzt)

Als Friedrich August I. […] unerwartet seinem […] verstorbenen Bruder Johann Georg IV. (1691–1694) folgte, übernahm er wenig vorbereitet die Regierung eines Landes, das […] zwischen den benachbarten Ländern der Habsburger und Hohenzollern politisch völlig ins Hintertreffen geraten war.

(Walter Schlesinger (Hg.), „Handbuch der historischen Stätten Deutschlands", 1965, S. XLVIII, gekürzt)

Um seine fürstliche Position auszubauen, bewarb er sich um die polnische Königskrone, verschaffte sich die Unterstützung des habsburgischen Kaiserhauses durch seinen Übertritt zum Katholizismus und erreichte – auch unter Einsatz beträchtlicher Bestechungsgelder – 1697 seine Wahl zum König von Polen. […]

August nahm an der Seite Rußlands und Dänemarks am zweiten Nordischen Krieg (1700–1721) gegen Schweden teil. Doch der schwedische König Karl XII. besiegte Zar Peter den Großen 1700 […] und zwang August im Frieden von Altranstädt (1706), auf die polnische Krone zu verzichten. Erst mit Hilfe des Zaren, der Karl XII. 1709 […] schlug, konnte er sie zurückgewinnen. Aber August der Starke ging aus dem Krieg ohne Gewinn hervor. […]

August der Starke förderte sowohl in Sachsen als auch in Polen […] Handel und Gewerbe, modernisierte die Armee und betrieb mit großem Eifer den künstlerischen Ausbau seiner Residenzen. […] Mit seinem aufwendigen Hofleben ruinierte er jedoch die sächsischen Finanzen.

(Helmut Müller, „Schlaglichter der deutschen Geschichte", 1990, S. 116 f., gekürzt und abgeändert)

„Ich habe schon erwähnt", fährt die Markgräfin von Bayreuth in ihrem Bericht fort, „daß der König von Polen die Weiber sehr liebte. Er hielt sich ein wahres Serail. Seine Ausschweifungen sowohl in dieser Hinsicht als auch im Trinken überstiegen alle Begriffe, und man sagt, daß er von seinen Mätressen 354 Kinder gehabt haben soll."

(Hermann Schreiber, „August der Starke, Kurfürst von Sachsen – König von Polen", 1997, S. 243)

die Habsburger (pl.)   European dynasty

die Hohenzollern (pl.)   German dynasty; they became Dukes and later Kings of Prussia

Übung 8

Schreiben Sie eine Kurzbiografie über August den Starken und seine Zeit (circa 150 Wörter). Verwenden Sie dazu die Informationen aus dem Video und den verschiedenen Quellen. Schreiben Sie auch, wie Sie persönlich den Kurfürsten und seine Politik einschätzen.

Übung 9   Hörabschnitt I

Sie unterhalten sich mit einer Bekannten, die gerade in Dresden war. Nach diesem Besuch ist sie nun sehr an sächsischer Geschichte interessiert und redet mit Ihnen darüber. Sie hören auf Englisch, was Sie sagen sollen. Sprechen Sie dann in den Pausen.

Lerneinheit 2

In dieser Lerneinheit beschäftigen Sie sich mithilfe des Videos noch einmal mit Sachsen und betrachten dann einige Ereignisse der deutschen Geschichte bis zum Ende des 19. Jahrhunderts.

Study chart

Activity		You will be ...
1	🖥	checking you've understood the video
2		answering questions about a fictional account of mining in the eighteenth century
3		comparing two descriptions of mining
4	💿	talking about Annaberg and its silver mines
5		writing a summary of events from the 1848 Revolution
6		checking you've understood an analysis of the Revolution
7		matching sentence halves about the German Reich
8	💿	talking about Bismarck

In den folgenden Übungen erfahren Sie etwas über den Silberbergbau im Erzgebirge. Dazu verwenden Sie das Video und einen Romanausschnitt.

Übung 1 12:55–19:25

Schauen Sie sich diesen Teil des Videos an und entscheiden Sie, welche der Aussagen richtig beziehungsweise falsch sind. Korrigieren Sie die falschen Aussagen.

Richtig Falsch

1 1472 wurde in Schneeberg im Erzgebirge das erste Silber gefunden. ☐ ☐

2 Die Wiederentdeckung Amerikas und die Stadtgründung Annabergs fanden im Jahre 1492 statt. ☐ ☐

3 „Berggeschrei" nennt man den Gruß der sächsischen Bergleute. ☐ ☐

4 Viele Adelige, speziell aus Meißen und Dresden, kamen ins Erzgebirge um nach Silber zu schürfen. ☐ ☐

5 Die Stadtgründung Annabergs geschah auf Anweisung von Herzog Georg dem Bärtigen. ☐ ☐

6 Die Arbeitsbedingungen in den Bergwerken waren schwierig. ☐ ☐

7 Das Schnitzhandwerk entstand schon vor dem Bergbau im Erzgebirge. ☐ ☐

8 Es wurden hölzerne Modelle von Bergwerken geschnitzt um technische Probleme zu testen. ☐ ☐

In der nächsten Übung gewinnen Sie einen Einblick in den Bergbau der damaligen Zeit.

Übung 2

Der Ausschnitt rechts stammt aus einem Roman des Romantikers Novalis (1772–1801), eigentlich Georg Philipp Friedrich Freiherr von Hardenberg. Er studierte an der sächsischen Bergakademie in Freiberg Bergwissenschaften. Lesen Sie den Romanausschnitt und beantworten Sie die nachfolgenden Fragen. Dabei müssen Sie nicht jedes Wort dieses Ausschnitts verstehen. Der Erzähler berichtet hier von seiner ersten Einfahrt in den Stollen.

Der romantische Schriftsteller Novalis

Ich eilte nach dem Tale und begegnete bald einigen schwarzgekleideten Männern mit Lampen, die ich nicht mit Unrecht für Bergleute hielt. [...]

Der Steiger gab mir nach geendigtem Gottesdienst eine Lampe und ein kleines hölzernes Kruzifix und ging mit mir nach dem Schachte, wie wir die schroffen Eingänge in die unterirdischen Gebäude zu nennen pflegen. Er lehrte mich die Art des Hinabsteigens, machte mich mit den notwendigen Vorsichtigkeitsregeln, sowie mit den Namen der mannigfaltigen Gegenstände und Teile bekannt. Er fuhr voraus, und schurrte auf dem runden Balken hinunter, indem er sich mit der einen Hand an einem Seil anhielt, das in einem Knoten an einer Seitenstange fortglitschte, und mit der andern die brennende Lampe trug; ich folgte seinem Beispiel, und wir gelangten so mit ziemlicher Schnelle bald in eine beträchtliche Tiefe. Mir war seltsam feierlich zumute, und das vordere Licht funkelte wie ein glücklicher Stern, der mir den Weg zu den verborgenen Schatzkammern der Natur zeigte. Wir kamen unten in einen Irrgarten von Gängen, und mein freundlicher Meister ward nicht müde meine neugierigen Fragen zu beantworten, und mich über seine Kunst zu unterrichten.

(Novalis, „Heinrich von Ofterdingen" (1802), 1982, S. 64–66, gekürzt)

schurren   to slide

fortglitschen   to glide, to slip

1   Welche Vorkehrungen traf der Steiger um den Erzähler auf den Abstieg in den Schacht vorzubereiten?

2   Beschreiben Sie das Gefühl, das der Erzähler während des Einfahrens in den Schacht hat.

3   Wie wird der Schachtgrund beschrieben?

Übung 3

Vergleichen Sie jetzt den Romanausschnitt mit der historischen Darstellung, die Herr Dostmann im Video gibt. Tragen Sie die einzelnen Punkte in die Tabelle ein.

	Romanausschnitt	Video
Beschreibung des Einfahrens		
Beschreibung der Bergleute		
Beschreibung der Grube		
Beschreibung der Arbeitsbedingungen der Bergarbeiter		
Stil der beiden Beschreibungen		

Übung 4 Hörabschnitt 2

Sie haben auf Ihrer Studienreise ein Silberbergwerk in Annaberg besichtigt und treffen am Abend in Ihrem Hotel einen Freund, Christian aus Aachen, der gerade geschäftlich in Sachsen ist. Berichten Sie ihm von Ihrem Besuch. Sprechen Sie bitte in den Pausen.

Sachsens politischer Niedergang setzte schon zu Zeiten August des Starken ein. Während Preußen und Österreich im 18. Jahrhundert erstarkten, verlor Sachsen seine politische Bedeutung.

Anfang des 19. Jahrhunderts herrschte Napoleon in weiten Teilen Deutschlands, auch Sachsen war Teil des napoleonischen Herrschaftsgebiets.

Als Napoleon 1813 besiegt worden war und Deutschland räumen musste, gehörte Sachsen zu den Verlierern. Die europäischen Siegermächte England, Russland, Österreich und Preußen trafen sich in Wien um gemeinsam mit Frankreich die territoriale Neuordnung Europas zu regeln.

Auf dem so genannten Wiener Kongress (1814–1815) stellte Preußen die Forderung Sachsen zu annektieren, weil Sachsen auf Seiten Napoleons gekämpft hatte. Schließlich wurde ein Kompromiss gefunden, in dem Preußen die Nordhälfte Sachsens zugesprochen bekam, das restliche Sachsen jedoch als Königreich erhalten blieb. Damit hatte Sachsen die Hälfte seines Staatsgebiets verloren.

Preußen wurde zur dominierenden Macht innerhalb der zahlreichen Staaten und Kleinstaaten des Deutschen Bundes, von denen viele autokratisch regiert wurden.

Als 1848 – von Frankreich ausgehend – die Revolution auf viele europäische Staaten übergriff und auch in den Staaten des Deutschen Bundes ausbrach, zeigte sich erneut die politische Macht Preußens.

Lesen Sie die Chronologie der Ereignisse und
schreiben Sie eine Zusammenfassung über die Rolle,
die Preußen und König Friedrich Wilhelm IV. in der
Revolution von 1848 spielten (etwa 150 Wörter).

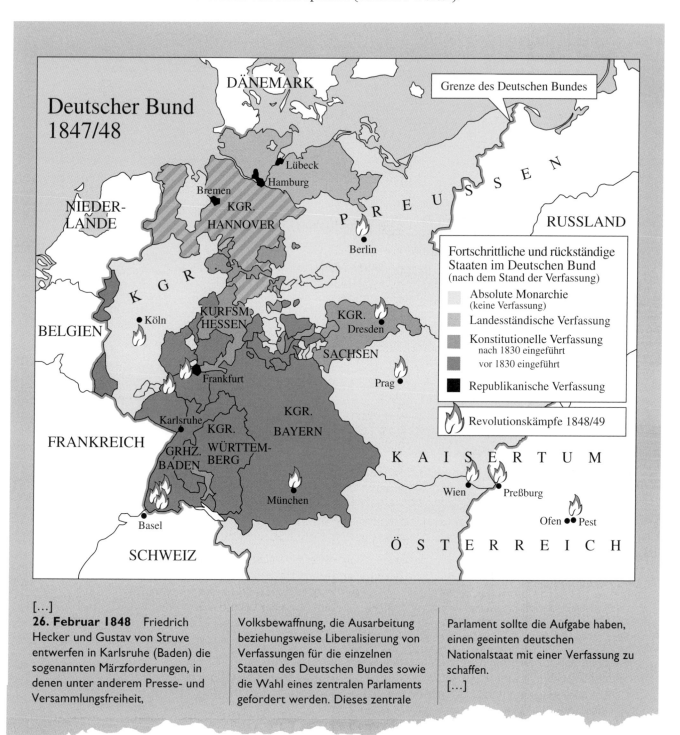

[...]
26. Februar 1848 Friedrich
Hecker und Gustav von Struve
entwerfen in Karlsruhe (Baden) die
sogenannten Märzforderungen, in
denen unter anderem Presse- und
Versammlungsfreiheit,

Volksbewaffnung, die Ausarbeitung
beziehungsweise Liberalisierung von
Verfassungen für die einzelnen
Staaten des Deutschen Bundes sowie
die Wahl eines zentralen Parlaments
gefordert werden. Dieses zentrale

Parlament sollte die Aufgabe haben,
einen geeinten deutschen
Nationalstaat mit einer Verfassung zu
schaffen.
[...]

Angriff der Kavallerie auf das Volk vor dem Schloß in Berlin am 18. März 1848

18. März 1848 März-Revolution in Berlin: Preußische Truppen schießen auf eine friedliche Versammlung vor dem königlichen Palast und töten mehrere Zivilisten. Die Berliner bewaffnen sich und errichten Barrikaden. Es kommt zu Straßenkämpfen. Resultat: 277 Tote, in der Mehrheit einfache Leute.

19. März 1848 König Friedrich Wilhelm IV. von Preußen reagiert, indem er sich vor den im Schloßhof aufgebahrten Toten verneigt und eine verfassunggebende Versammlung für Preußen bewilligt.

[...]

1. Mai 1848 Wahlen zur Frankfurter Nationalversammlung in allen deutschen Staaten und zur Preußischen Nationalversammlung.

18. Mai 1848 Die Nationalversammlung tritt in der Frankfurter Paulskirche zusammen mit dem Ziel, einen deutschen Nationalstaat zu schaffen und eine Verfassung für diesen Staat zu entwickeln.

[...]

18. September 1848 Der Volksaufstand in Frankfurt wird von preußischen und österreichischen Truppen niedergeschlagen. Preußen und Österreich formieren sich als die wichtigsten Bastionen der Gegenrevolution.

[...]

10. November 1848 Demonstrationen und Straßenunruhen in Berlin. Friedrich Wilhelm IV. befiehlt seinen Truppen, in die Stadt einzumarschieren. Die Berliner leisten praktisch keinen Widerstand.

[...]

5. Dezember 1848 Friedrich Wilhelm IV. löst die Preußische Nationalversammlung auf und verordnet Preußen eine Verfassung, in der dem Herrscher wichtige Privilegien vorbehalten bleiben.

27. Dezember 1848 Die Frankfurter Nationalversammlung verabschiedet die Grundrechte.

[...]

28. März 1849 Die Reichsverfassung, die die Freiheitsrechte der Bürger formuliert, wird verkündet. Die Frage, ob Österreich Teil des zu schaffenden Deutschen Reiches werden sollte, wird von der Nationalversammlung negativ entschieden.

[...]

Friedrich Wilhelm IV., Abgeordnete: „Schweinekrone"

3. April 1849 Friedrich Wilhelm IV. lehnt die ihm von der Frankfurter Nationalversammlung angebotene Kaiserkrone ab.

[...]

30. Mai 1849 Nachdem Preußen seine Abgeordneten zurückgezogen hat, verlegen die restlichen Parlamentarier ihren Sitz nach Stuttgart.

[...]

23. Juli 1849 Ende der Revolution in Deutschland. Die letzten aufständischen Revolutionäre kapitulieren in Rastatt (Baden).

[...]

Eröffnungssitzung der Frankfurter Nationalversammlung am 18. Mai 1848

(„Der Spiegel", 9.2.1998, S. 46, 53, gekürzt und abgeändert)

In der folgenden Übung befassen Sie sich mit den Hintergründen und einer Einschätzung der Revolution.

Übung 6

Lesen Sie jetzt die Anmerkungen, die die deutsche Historikerin Helga Grebing über die Revolution von 1848 macht. Beantworten Sie dann die nachfolgenden Fragen.

> 1848 gehörten konsequenterweise die Liberalen zu denen, die keine Revolution wollten. [...]
>
> Als dann in den Metropolen der verhaßtesten Polizei- und Militärstaaten Österreich und Preußen, in Wien und Berlin, das Volk – Handwerker, Studenten, Arbeiter, Dienstmädchen – im März 1848 auf die Barrikaden ging, war die Revolution da, und die Liberalen zeigten sich bereit, nicht: sich an die Spitze der Revolution zu stellen, wohl aber die „vorangeeilte Revolution" auf „reformatorischem Wege einzuholen", wie sich einer von ihnen ausdrückte. Als das mißlang, [...] entschieden sich die deutschen Liberalen für Eigentum und Ordnung und standen den Kampf gegen ihre alten Gegner, die soziale und politische Reaktion, nicht durch.
>
> Die Revolution war gescheitert – so lautet auch fast einhellig das Urteil der Historiker. [...]
>
> Aber ist wirklich nur – wie auch immer begründet – vom „Scheitern" der Revolution von 1848 zu sprechen? Die Revolution von 1848 hat – so [der deutsche Historiker] Nipperdey – die Ära der Restauration beendet. [...] Mit ihr begann das bürgerliche Zeitalter auch in Deutschland. Sie hat einen Gewinn an gesamtnationaler Kommunikation erbracht. [...] In der Revolution konstituierte sich die Arbeiterbewegung in Deutschland zum ersten Mal in ihrer Geschichte – und dies auf nationaler Ebene. [...] Die Revolution hat zwar ihr politisches Ziel nicht erreicht, aber die deutsche Gesellschaft ist durch sie tiefgreifend verändert worden. [...]
>
> Die deutsche Revolution von 1848 ist damit in der Tat nicht als eine gescheiterte zu betrachten, sondern als eine unvollendete.
>
> *(Helga Grebing, „Der »deutsche Sonderweg« in Europa 1806–1945: Eine Kritik", 1986, S. 90–91, 93, 95, gekürzt)*

1 Wie beschreibt Helga Grebing die Position der Liberalen zu Beginn der Revolution?

2 Wer war, nach ihren Aussagen, vor allem an der Revolution beteiligt?

3 Was sagt sie über die Haltung der Liberalen gegen Ende der Revolution?

4 Die meisten Historiker betrachten die Revolution von 1848 als gescheitert. Welche Gegenargumente werden hier genannt?

5 Welches Fazit zieht sie über die Revolution von 1848?

Das Ende der Revolution von 1848 bedeutete auch das vorläufige Ende der Idee eines deutschen Nationalstaats. In den verschiedenen Ländern Deutschlands wurde eine mehr oder weniger reaktionäre Politik betrieben. Schließlich wurde 1871 – nach der militärischen Niederlage Frankreichs gegen Deutschland – unter preußischer Führung ein deutscher Nationalstaat, das Deutsche Reich, gegründet.

Die Gründung des Deutschen Reichs im Versailler Spiegelsaal. Kaiser wurde der preußische König Wilhelm I.

Wodurch wurde das Deutsche Reich nach 1871 innenpolitisch geprägt? In der folgenden Übung erhalten Sie dazu einige Informationen.

Übung 7

Lesen Sie die Satzteile, in denen es um das Deutsche
Reich geht, und verbinden Sie sie miteinander.

I In Wahrheit wurde es [das Deutsche Reich] regiert …

2 Als Reichskanzler, preußischer Ministerpräsident und Außenminister, dem sich Wilhelm I. weitgehend unterordnete, …

3 Das neue Reich war von Anbeginn erfüllt von …

4 Es war preußisch und protestantisch geprägt …

5 Im „Kulturkampf" wandte sich Bismarck gegen …

6 Bismarck führte die staatliche Schulaufsicht und die Zivilehe ein, schloß Klöster …

7 Katholische Bischöfe wurden …

8 Der politische Katholizismus wurde …

9 Mit dem Sozialistengesetz von 1878, das bis zum Ende von Bismarcks Kanzlerschaft 1890 Geltung hatte, …

10 Wirtschaft und Gesellschaft des Bismarck-Reiches waren gekennzeichnet …

11 Auf die erste Phase der industriellen Revolution, die ihre Grundlage in der Montanindustrie und im Eisenbahnbau hatte, …

(a) … als „Reichsfeind Nummer eins" Mitte der siebziger Jahre durch die Sozialdemokratie abgelöst.

(b) … und geriet daher in Konflikt zur katholischen Kirche.

(c) … prägte er den Begriff der „Kanzlerdiktatur".

(d) … tiefen gesellschafts- und parteipolitischen Spannungen.

(e) … von einem einzigen Mann: Bismarck.

(f) … die konfessionellen Sonderinteressen des Katholizismus.

(g) … des Landes verwiesen oder verhaftet.

(h) … folgte im letzten Drittel des 19. Jahrhunderts eine zweite Phase mit dem Aufstieg der chemischen Industrie, der Elektrizitätserzeugung und der Elektroindustrie sowie der maschinellen Serienproduktion.

(i) … sollte die sozialdemokratische Arbeiterbewegung zerschlagen werden.

(j) … von einem bis zum ersten Weltkrieg andauernden Bevölkerungs- und Wirtschaftswachstum, von fortschreitender Industrialisierung und Urbanisierung.

(k) … und verbot den Jesuitenorden.

(Christoph Stölzl (Hg.), „Deutsche Geschichte in Bildern", 1997, S. 430, 439, gekürzt)

Übung 8   Hörabschnitt 3

Sie sprechen jetzt mit einer Freundin über Bismarck
und seine Rolle im Deutschen Reich nach 1871.
Sprechen Sie bitte in den Pausen.

 Q2.1, Q2.2, Q2.3, Q2.4, Q2.5

Lerneinheit 3

Diese Lerneinheit behandelt weitere Aspekte der Geschichte Sachsens und Deutschlands bis 1945. Zwei wichtige Themen werden angesprochen: die so genannte Weimarer Republik und das Dritte Reich.

Study chart

Activity		You will be ...
1	💿	asking questions about the Weimar Republic
2		summarizing the phases of the Weimar Republic
3		checking you've understood the events in Saxony in 1923
4		changing nouns into verbs
5		identifying key points about the rise of the NSDAP in Saxony
6		taking notes about Klemperer's description of the gauleiter of Saxony
7	💿	talking about Klemperer's fears for the future
8		answering questions about Klemperer's account of bomb alerts in Dresden

Der Ausbruch des Ersten Weltkriegs im Jahre 1914 wurde in Deutschland, ähnlich wie in den anderen Nationen, mit einer Mischung aus Patriotismus, Enthusiasmus und Angst aufgenommen. In Deutschland stimmten auch die Sozialdemokraten den Kriegskrediten zu. Kaiser Wilhelm II. äußerte den berühmten Satz: „Ich kenne keine Parteien mehr, ich kenne nur noch Deutsche."

Der Krieg im Osten endete 1917 mit dem Frieden von Brest-Litowsk, in dem Deutschland dem gerade entstehenden bolschewistischen russischen Staat harte Friedensbedingungen diktierte. Nach einer letzten gescheiterten Offensive an der westlichen Front boten die Deutschen im Herbst 1918 den Waffenstillstand an.

Damit war der Erste Weltkrieg beendet.

Welche Folgen hatte das für die Monarchie in Deutschland? Wie entwickelte sich dann die Weimarer Republik? Darüber erfahren Sie mehr in den folgenden Übungen.

Übung 1 **Hörabschnitt 4**

In einer Radiosendung „Fragen zur Geschichte" sind Sie der Moderator beziehungsweise die Moderatorin und interviewen einen Experten zur Geschichte der Weimarer Republik. Stellen Sie ihm Fragen. Orientieren Sie sich an den folgenden englischen Fragen. Sprechen Sie in den Pausen.

1 How did the Weimar Republic start?

2 How long was the first phase?

3 What kind of problems did the Republic have to fight against?

4 What happened after 1923?

5 What caused the end of this phase?

6 And the time after 1929? What events marked this period?

7 What role did the Reichstag play in this?

der Reichstag (-) German parliament

In Wilhelmshaven weigerten sich die Matrosen gegen die britische Flotte auszulaufen. Am 5. November 1918 übernahm ein Soldatenrat die Macht in Wilhelmshaven. Von hier aus verbreitete sich die Meuterei in Deutschland. Überall bildeten sich Arbeiter- und Soldatenräte.

9. November 1918: Der Sozial- demokrat Philipp Scheidemann ruft die Republik aus. Der Kaiser hat abgedankt. Der Krieg ist offiziell am 11. November 1918 zu Ende. Die deutschen Länder, wie zum Beispiel Sachsen, Bayern und Preußen, bleiben als Bestandteile der neuen Republik bestehen.

Kapp-Putsch 13. März 1920: Die Truppen des Kapp-Putsches marschierten in Berlin ein. Sie versuchten die Regierung zu stürzen und die Monarchie wieder zu errichten. Die Gewerkschaften riefen zu einem Generalstreik auf und auch die Beamten verweigerten den Putschisten den Gehorsam. Nach vier Tagen war der Aufstand beendet.

Am 9. Januar 1923 wurde das Ruhrgebiet durch die französische Armee besetzt. Grund: Deutschland zahlte die im Versailler Vertrag festgelegten Reparationen nicht.

Hitler-Putsch: Hitler und seine Partei, die NSDAP, wurden in Bayern immer einflussreicher. Hitler versuchte 1923 die bayrische Regierung zu zwingen, sich offen gegen die Reichsregierung in Berlin auszu- sprechen und mit bayrischen Truppen nach Berlin zu marschieren. Die Landesregierung verweigerte sich diesem Ansinnen. Als am 9. November 1923 nationalsozialistische Kolonnen durch München marschierten, wurden sie von der Polizei gestoppt und auseinander getrieben. Die NSDAP wurde verboten, Hitler und andere Parteiführer wurden verhaftet.

Die zweite Hälfte der zwanziger Jahre erlebte eine wirtschaftliche und kulturelle Blüte.

Die NSDAP unter der Leitung Adolf Hitlers wurde bei den Wahlen im Juli 1932 die stärkste Partei im Reichstag und forderte die Regierungsgewalt für sich.

Schauen Sie sich die Bilder zu den verschiedenen Phasen der Weimarer Republik auf den vorhergehenden Seiten an und hören Sie sich Hörabschnitt 4 noch einmal an.

Schreiben Sie dann eine Zusammenfassung der drei Phasen, in die man die Weimarer Republik unterteilen kann (etwa 100 Wörter).

Die erste Phase der Weimarer Republik war gekennzeichnet durch starke politische Wirren, die in den verschiedenen Landesteilen Deutschlands einen unterschiedlichen Verlauf nahmen und sich in Richtungskämpfen zwischen Links- und Rechtsgerichteten widerspiegelten.

Sie lesen jetzt einige Beobachtungen zur politischen Situation Sachsens im Jahre 1923 und die nachfolgenden Aussagen. Entscheiden Sie, welche richtig oder falsch sind. Korrigieren Sie die falschen Aussagen.

> Im Gegensatz zu dem rechtsradikalen Bayern rutschte Sachsen zusehends nach links ins marxistische Lager. Eine aus SPD (Sozialdemokratische Partei Deutschlands) und KPD (Kommunistische Partei Deutschlands) bestehende Regierung bewaffnete proletarische Hundertschaften als Schutz gegen militärische Drohungen von rechts. Sachsen wollte die Republik stärken. Bayrische Armeeeinheiten, die mit der Reichswehr sympathisierten, marschierten an der sächsischen Grenze auf. Sie wollten erst Sachsen erobern und dann auf Berlin marschieren, um die Republik zu stürzen. Um das Schlimmste zu verhindern, ließ die Berliner Regierung die Reichswehr in Sachsen einmarschieren: die proletarischen Hundertschaften wurden entwaffnet, die sächsische Regierung wurde abgesetzt, Sachsen wurde durch einen monarchistisch gesonnenen Kommissar befehligt.
>
> *die proletarischen Hundertschaften* (pl.)
> proletarian groups of one hundred

	Richtig	Falsch
I In Bayern wurde 1923 eine extrem reaktionäre Politik betrieben.	❏	❏
2 Sachsens Regierung wurde zunehmend rechtsradikal.	❏	❏
3 Die sächsische Regierung bestand aus der NSDAP und den Freikorps.	❏	❏
4 Die sächsische Regierung fühlte sich von den bayrischen Rechtsextremen in der Armee bedroht.	❏	❏
5 Die Reichsregierung schickte Truppen der NSDAP nach Sachsen.	❏	❏
6 Die Regierung in Sachsen wurde ihres Amtes enthoben.	❏	❏

Verwandeln Sie die folgenden Substantive in Verben und schreiben Sie dann die Sätze. Benutzen Sie bitte das Präteritum.

> **Beispiel**
>
> Abdankung des Kaisers
>
> *Der Kaiser dankte ab.*

I die Bedrohung der Republik von rechts und links

2 Verhinderung von Anarchie und Auflösung der Nation durch Scheidemann

3 die Besetzung des Ruhrgebiets durch französische und belgische Truppen

4 der Versuch einer Abspaltung Bayerns durch rechtsradikale Gruppen

5 Schutz der sächsischen Regierung durch proletarische Hundertschaften

6 Im Januar 1933 die Machtergreifung Hitlers

Der Bericht auf Seite 93 über die Endphase der Republik und die Anfänge der nationalsozialistischen Zeit stammt aus einem Buch über Sachsen. Lesen Sie die Aussagen und den Bericht. Bringen Sie die Aussagen in die Reihenfolge, in der sie in dem Bericht erwähnt werden.

◯ Geringer Wahlerfolg der NSDAP

◯ Eingliederung in das nationalsozialistische Deutschland

◯ Absetzung des Oberhaupts der Landesregierung

◯ Ein neuer Gauleiter und seine Persönlichkeit

◯ Rolle der Industriellen in Sachsen

◯ Ende der Arbeitslosigkeit für die Bevölkerung

„Menschenfängern" gleich zogen da die Redner der NSDAP durch die Städte, versprachen bei einer Machtübernahme jedem Arbeit und damit Brot. Trotz dieser Parolen erreichte die NSDAP bei den Landtagswahlen 1930 in Sachsen [...] noch nicht einmal 15 Prozent der Wählerstimmen. Die sächsischen Industriellen jedoch forderten [...] im Januar 1931 lautstark einen „Systemwechsel". Genau das geschah schon wenige Wochen nach der Machtübernahme der NSDAP. Im März 1933 wurde in Sachsen ein Reichskommisar ein- und der gewählte Ministerpräsident abgesetzt. Mit der Zwangsauflösung des Landtags verlor Sachsen seine Stellung als Freistaat und wurde „Gau des Deutschen Reiches". [Gauleiter wurde der Industrielle Martin Mutschmann, ein „alter Kämpfer an der Seite Hitlers".]

(Renate Florstedt, „Sachsen, Land und Leute", 1994, S. 39, gekürzt und abgeändert)

Die Nationalsozialisten unter Führung Adolf Hitlers kontrollierten in der Folgezeit alle Bereiche des öffentlichen Lebens, gleichzeitig schalteten sie jegliche Opposition aus.

Zeitgleich mit dieser Entwicklung ging der Expansionswille des Hitler-Regimes einher, der am 1. September 1939 mit dem Einmarsch in Polen einen ersten Höhepunkt fand. Damit begann der Zweite Weltkrieg.

In den nächsten Übungen bekommen Sie einen Eindruck von der Lage Dresdens während des Zweiten Weltkrieges aus der Perspektive eines Einzelnen.

· · · · · · · · · · · · · · · · · · ·

Victor Klemperer

Victor Klemperer (*1881, † 1960) war jüdischer Abstammung und wurde aus diesem Grund von den Nationalsozialisten aus seinem Amt als Professor der Romanistik an der Technischen Hochschule Dresden entfernt. Klemperer gehörte zu den wenigen Juden, die den Holocaust, in dem etwa sechs Millionen Juden von den Nationalsozialisten ermordet wurden, überlebten. Zusammen mit seiner nichtjüdischen Frau lebte er bis fast zum Ende des Krieges in Dresden und führte während dieser Zeit Tagebuch.

· · · · · · · · · · · · · · · · · · ·

In den folgenden Übungen befassen Sie sich mit einigen Ausschnitten aus diesen Tagebüchern.

Übung 6

Lesen Sie die ausgewählten, zum Teil gekürzten Tagebucheinträge, in denen Klemperer sehr häufig die indirekte Rede verwendet, da er über Dinge schreibt, die ihm berichtet wurden. Notieren Sie in Stichwörtern, was Klemperer über den bereits zuvor erwähnten Gauleiter Mutschmann schreibt.

1942

31. Juli, Freitag, gegen Abend

[...] Der verhaßteste Mann in Dresden ist fraglos der Statthalter Mutschmann, auch bei den Ariern, auch bei den Nazis verhaßt. (Die verbreitete Sorte derer, die immer betonen, der Führer wisse nicht, was für üble Dinge geschähen, an allem Bösen seien andere schuld.) Jetzt geht ein Gerücht, man habe seine Villa mit besonderem Schutz umgeben müssen, er selber habe sich eine Weile unsichtbar gemacht. Er habe in großem Maßstab für seinen Gebrauch schwarz schlachten lassen; als das herauskam, habe der betreffende Fleischer Selbstmord verüben müssen, ihm, Mutschmann, aber sei wieder nichts geschehen, ihn decke der Führer. (Version 1, Mutschmann habe Hitler in dessen Anfängen geholfen, Version 2, Mutschmann „wisse zuviel".)

(Victor Klemperer, „Tagebücher 1942–1945", Band 2, 1996, S. 190, gekürzt)

schwarz schlachten lassen   to have (pigs) slaughtered illegally

Übung 7 Hörabschnitt 5

In den folgenden beiden Tagebucheintragungen spiegelt sich die unmittelbare Bedrohung Klemperers als Jude in Nazi-Deutschland wider. Lesen Sie die beiden Ausschnitte und beantworten Sie dann die Fragen auf der CD.

1942

17. Januar, Sonnabend

[...] Es sollen sich auf der Gemeinde und im Werk, wo sehr viele Juden in Arbeit stehen, grausige Szenen der Verzweiflung abspielen. Man läßt zwar Eheleute zusammen, trennt aber rücksichtslos Eltern und Kinder. [...] Was ergibt sich für uns beide? 1) Wie lange bleibe ich in Dresden? 2) Wie lange bleiben wir in dieser Wohnung? 3) Was wird man mit dem Dresdener Judenrest überhaupt machen? Es scheint, als werde der Antisemitismus noch weiter verstärkt.

19. September, Sonnabend nachmittag

Heute vor einem Jahr wurde der Judenstern aufgeheftet. Welch namenloses Elend ist in diesem Jahr über uns gekommen. Alles Vorherige scheint leicht demgegenüber. – Und Stalingrad fällt eben, und im Oktober gibt es mehr Brot: Also kann sich die Regierung über den Winter halten; also hat sie Zeit zur gänzlichen Vernichtung der Juden. Ich bin tief deprimiert.

(Victor Klemperer, „Tagebücher 1942–1945", Band 2, 1996, S. 11, 247, gekürzt)

Übung 8

In dem letzten Ausschnitt aus den Tagebüchern, mit dem Sie arbeiten, beschreibt Klemperer die Bombenalarme in Dresden.

Lesen Sie den Ausschnitt und beantworten Sie die nachfolgenden Fragen.

1944

29. Mai, Pfingstmontag vormittag und später

[…] Des weiteren brachte gestern, Pfingstsonntag also, um Viertel drei, als wir gerade die Teemahlzeit begannen, kleinen, gleich darauf großen Alarm. Ein Privilegierter mit Radio brachte die Nachricht: „Die Feindflugzeuge erreichen den Nordrand Dresdens" (also etwa Klotzsche). Ein paar Minuten lang hörte man starkes Propellersurren und heftiges Flakschießen. Einen Augenblick war mir doch beklommen zumut. Aber wieder ging alles vorüber. – Dresden blieb rätselhaft tabu. […] Der neueste Witz: Hier liege Churchills Großmutter begraben – andere Fassung: Hier wohne Churchills Tante.

(Victor Klemperer, „Tagebücher 1942–1945", Band 2, 1996, S. 522 f., gekürzt)

1 Was für eine Nachricht erhält Klemperer am Pfingstmontag 1944?

2 Welches Gefühl hat Klemperer beim Bombenalarm?

3 Die Tatsache, dass Dresden von den Bombenangriffen verschont bleibt, wird mit zwei Varianten eines Witzes begründet. Wie lauten sie?

Als Dresden im Februar 1945 bombardiert wurde, befand sich Klemperer in Bayern, wo er das Ende des Krieges und seiner Verfolgung erlebte.

 Q2.6, Q2.7, Q2.8, Q2.9, Q2.10, Q2.11, Q2.12, Q2.13

Lerneinheit 4

In dieser Lerneinheit wiederholen Sie einige wichtige Themen der deutschen und sächsischen Geschichte bis 1945.

Sie arbeiten zunächst erneut mit dem Video.

Übung 1 00:24–28:09

Schauen Sie sich das Video noch einmal an und vervollständigen Sie bitte die folgenden Sätze.

1 Der erste Wettiner, der auf den Meißner Burgberg einzog, war ....

2 Nach der Wettiner Teilung verlegte ...... seine Residenz nach Dresden.

3 Kurfürst Friedrich August I. ist in die Geschichte unter dem Namen ...... eingegangen.

4 In Meißen wurde die erste ...... errichtet.

5 Im Erzgebirge wurde in der Nähe von Annaberg ...... gefunden.

6 Das ...... ist eine Tradition im Erzgebirge, die sich aus dem Silberbergbau entwickelt hat.

7 Auch die Tradition des Klöppelns steht im Zusammenhang mit dem Bergbau, denn die Leute wollten ihren ...... zeigen und trugen deshalb viele Spitzen an ihrer Kleidung.

8 Im Erzgebirge waren zu ...... viele Frauen im Textilbereich beschäftigt.

9 Nach dem Ende der DDR gingen viele ...... in der Textilindustrie verloren.

Sie wiederholen jetzt, was Sie in Lerneinheit 1 über die absolutistische Herrschaftsform und August den Starken gelernt haben.

Übung 2

Bearbeiten Sie die folgenden Aufgaben. Lesen Sie dazu, wenn nötig, noch einmal die angegebenen Übungen und Lösungen in Lerneinheit 1.

1 Wann gewannen Renaissance und Humanismus auch in Deutschland Einfluss? (Übung 6)

2 Nennen Sie eine der Folgen des Dreißigjährigen Krieges (1618–1648). (Übung 6)

3 Welche zentralen Elemente charakterisieren die absolutistische Regierungsform? (Übung 6)

4 Wie schätzte August der Starke seine eigene Person als junger Mann ein? (Übung 7)

5 Benennen Sie die Erfolge und Misserfolge August des Starken. (Übung 7)

In den folgenden beiden Übungen betrachten Sie noch einmal die Revolution von 1848.

Zunächst geht es um ihre Auswirkungen auf Sachsen.

Übung 3

Lesen Sie den folgenden Ausschnitt aus einem Artikel der Wochenzeitung „Die Zeit" über die Revolution von 1848 und bearbeiten Sie die Aufgaben. Die Antworten auf die Fragen 1–3 finden Sie in Übung 5, Lerneinheit 2.

[...] Am 4. Mai 1849 ist in Dresden bereits Bürgerkrieg. Friedrich August II. von Sachsen, unter starkem Druck des preußischen Königs, seines Freundes und Schwagers, und mehrere Minister wollen die Reichsverfassung nicht ohne weiteres anerkennen. Der Herrscher löst die sächsischen Kammern auf, die sich mit einem Hoch auf die Reichsverfassung verabschieden. Sie wissen das Volk auf ihrer Seite; doch nur eine radikale Minderheit will auf die Barrikaden. Der König und die Minister fliehen. Zuvor ist Preußen um Militärhilfe gebeten worden, da der größte Teil des sächsischen Heeres noch in Schleswig-Holstein kämpft (dort hatten die Dänen den Waffenstillstand gekündigt).

Eine provisorische Regierung ruft das Volk auf: „Jetzt oder nie. Freiheit oder Sklaverei! Wählt!" 108 Barrikaden türmen sich in den Straßen von Dresden. Vier Tage und vier Nächte tobt die Schlacht, dann hat die Konterrevolution gesiegt. Zweihundertfünfzig Volkskämpfer haben ihr Leben gelassen. Im Gedächtnis des Volkes sind berühmte Namen geblieben: Auf den Barrikaden standen der Hofkapellmeister Richard Wagner, der Hofbaumeister Gottfried Semper, der russische Anarchist Michail Bakunin und der Arbeiterführer Stephan Born. [...]

(Karl-Heinz Janssen, Freiheit oder Sklaverei! Wählt!, „Die Zeit", 12.2.1998, S. 80, *leicht abgeändert)*

die Kammern (pl.)   (here) parliamentary chambers

I Welches gewalttätige Ereignis kennzeichnete den Beginn der Revolution in Deutschland. Wann fand dieses Ereignis statt?

2 Der preußische König Friedrich Wilhelm IV. spielte eine wichtige Rolle in der Revolution. Beschreiben Sie kurz seine Position.

3 Nennen Sie zwei wichtige Ereignisse, die dem Aufstand in Dresden unmittelbar vorausgingen.

4 Wie reagierte der sächsische König Friedrich August II. Anfang Mai 1849?

5 Was war das Ergebnis des Aufstandes in Dresden?

Über den Stellenwert der Revolution von 1848 in der Geschichte gibt es unter Historikern unterschiedliche Ansichten.

Übung 4

Lesen Sie den folgenden Ausschnitt, in dem es um die Bewertung der Revolution von 1848 geht, und vergleichen Sie sie mit dem, was Helga Grebing in Übung 6, Lerneinheit 2 zu diesem Thema sagt. Schreiben Sie dann eine Zusammenfassung der beiden Positionen (etwa 100 Wörter).

Trotz ihres Scheiterns waren die *Wirkungen der Revolution* auf die folgende deutsche Geschichte groß und nachhaltig. Dies gilt vor allem in einem negativen Sinne: Der unglückliche Verlauf der Revolution, der Eindruck der Vergeblichkeit ihrer gewaltigen Anstrengungen, die Festigung des alten Systems als Ergebnis des Versuchs seiner revolutionären Umgestaltung – all dies mußte eine Stimmung tiefer Resignation erzeugen. [...] Auf die Dauer mußte es unabsehbare Folgen haben, daß das Bürgertum in Deutschland sich von seiner Niederlage nie wieder ganz erholt hat und seitdem das Vertrauen verlor, den Nationalstaat aus eigener Kraft schaffen zu können.

(Theodor Schieder, „Vom Deutschen Bund zum Deutschen Reich 1815–1871", 1984, S. 103, gekürzt)

Jetzt befassen Sie sich noch einmal mit der Weimarer Republik und dem Dritten Reich.

Übung 5

Lesen Sie die folgenden Aussagen und entscheiden Sie, ob sie richtig oder falsch sind. Korrigieren Sie die falschen Aussagen. Lesen Sie gegebenenfalls noch einmal in Lerneinheit 3 nach.

		Richtig	Falsch
1	Die erste Phase der Weimarer Republik ging von 1918–1923, die Republik war instabil und es kam zu mehreren Putschversuchen.	❏	❏
2	Die zweite Phase ging von 1923–1929, die wirtschaftliche Situation wurde wegen der Inflation immer schlechter.	❏	❏
3	Die dritte Phase ging von 1929–1933 und zeichnete sich durch das Ende des parlamentarisch-demokratischen Systems aus.	❏	❏
4	Sachsen war 1923 innenpolitisch so rechtsradikal wie Bayern.	❏	❏
5	Die NSDAP bekam bei den sächsischen Landtagswahlen 1930 weniger als 15% der Stimmen.	❏	❏
6	Der sächsische Gauleiter Martin Mutschmann war bei den Dresdnern sehr beliebt.	❏	❏
7	Victor Klemperer wurde im Januar 1942 von seiner Frau getrennt.	❏	❏

Die Geschichte Deutschlands von 1848 bis 1945 wurde immer wieder unter der Fragestellung analysiert, wie es zum Dritten Reich kommen konnte. Eine These war, dass Deutschland in seiner Entwicklung einen Sonderweg gegangen war. Mit dieser Frage beschäftigen Sie sich in den folgenden Übungen.

Übung 6 Hörabschnitt 6

Sie dolmetschen jetzt ein Gespräch zwischen einem britischen Journalisten und einer deutschen Historikerin, Dr. Susanne Barkhop, in dem es um die Frage geht, ob Deutschland in seiner historischen Entwicklung einen „Sonderweg" gegangen ist. Sprechen Sie in den Pausen jeweils auf Deutsch oder Englisch.

Übung 7 Hörabschnitt 6

Hören Sie jetzt Hörabschnitt 6 noch einmal an und notieren Sie sich in Stichwörtern die wichtigsten Aussagen zur Frage des deutschen Sonderwegs.

Übung 8

Lesen Sie den folgenden Abschnitt zum Thema „deutscher Sonderweg" und machen Sie sich Notizen zu den beiden Punkten:

- Ausgangspunkt der Debatte
- der deutsche Sonderweg in der neueren Diskussion

> Der Ausgangspunkt der wissenschaftlichen Debatte war die Frage, warum Deutschland als einziges hochentwickeltes Industrieland im Zuge der Weltwirtschaftskrise nach 1929 sein demokratisches System zugunsten einer totalitären Diktatur von rechts aufgab. Die Antworten stimmten meist darin überein, daß Deutschland bis 1918 ein von vorindustriellen Eliten beherrschter Obrigkeitsstaat war und daß die erste deutsche Demokratie, die Weimarer Republik, vor allem an diesem autoritären Erbe zugrunde gegangen ist. […]
>
> In der neueren Diskussion […] hat sich ein komplexeres Bild vom deutschen Sonderweg durchgesetzt. *Neben* den autoritären Traditionen wird jetzt die frühe Teildemokratisierung Deutschlands und in diesem Zusammenhang besonders das allgemeine gleiche Wahlrecht für Männer hervorgehoben, das Bismarck […] einführte. Das Nebeneinander von nicht-parlamentarischer Regierung und demokratischem Wahlrecht vor 1918 war einer der Widersprüche im deutschen Modernisierungs-prozeß, von denen später Hitler profitierte. Er konnte, seit 1930 ein autoritäres Präsidialsystem an die Stelle der gescheiterten parlamenta-rischen Demokratie von Weimar getreten war, an *beides* appellieren: an die verbreiteten Ressentiments gegenüber dem neuen angeblich „undeutschen" Parlamentarismus *und* an den seit langem verbrieften, nunmehr fast wirkungslos gewordenen Anspruch des Volkes auf politische Mitbestimmung. Der tiefere Grund für das Scheitern der ersten deutschen Demokratie und für Hitlers Triumph lag mithin darin, daß es Weimar nicht gelungen war, das zwiespältige Erbe zu meistern, das ihm das Kaiserreich hinterlassen hatte.
>
> *(Heinrich August Winkler, „Streitfragen der deutschen Geschichte", 1997, S. 144–145, gekürzt)*

Sie halten jetzt mithilfe Ihrer Notizen aus den Übungen 7 und 8 einen kurzen Vortrag über die Frage: Welche Argumente gibt es für oder gegen einen deutschen Sonderweg? Sprechen Sie für etwa eine Minute auf eine Leerkassette. Hören Sie dann auf der CD eine Modellantwort.

Benutzen Sie die folgenden Stichpunkte um Ihren Vortrag zu strukturieren:

- Sonderweg – von wem entwickelt?

- Was erklärte diese These?

- Hauptargumente dieser Theorie

- die neuere Diskussion um die Sonderweg-These

C h e c k l i s t e

In *Teil I* you have worked on

- the history of silver mining in Saxony and the Wettiner dynasty;

- August der Starke, his life and times;

- the 1848 Revolution and its impact on Germany;

- Bismarck and his achievements;

- events of the Weimar Republic and the Third Reich;

- Saxony in the 1920s and 1930s;

- life in Dresden during World War II;

- the debate on Germany's *Sonderweg* in European history.

You have also

- written summaries and made comparisons of texts from various sources;

- talked and written about history;

- practised note-taking in German;

- interpreted into and out of German.

C h e c k l i s t e

Teil 2 Deutschland – und die Bundesrepublik Deutschland – von 1945 bis 1966

In diesem Teil stehen einige Aspekte der Geschichte Deutschlands in den ersten Nachkriegsjahren sowie der Entwicklung der Bundesrepublik bis Mitte der sechziger Jahre im Mittelpunkt.

Lerneinheit 5

In dieser Lerneinheit geht es um die ersten Nachkriegsjahre in Deutschland bis zur Gründung der beiden deutschen Staaten im Jahre 1949, dabei bilden die Rückkehr aus dem Exil und die Versorgungslage bis zur Währungsreform die Schwerpunkte.

Study chart

Activity	You will be ...
1	matching dates to historical events
2	changing verbs into nouns
3, 4	identifying key points in an account by a returned exile and answering questions about the text
5	finding German translations for English words
6	completing sentences which summarize food supply problems after World War II
7	checking you've understood an extract about the effects of the currency reform
8	acting as an interpreter in a discussion about the post-war period

In den ersten beiden Übungen dieser Lerneinheit beschäftigen Sie sich mit einigen zentralen geschichtlichen Ereignissen der unmittelbaren Nachkriegszeit.

Übung 1

Verbinden Sie die Daten mit den richtigen historischen Ereignissen.

Kriegsende

1	Die deutsche Wehrmacht **kapituliert**.	(a)	17. Juli – 2. August 1945
2	Potsdamer Konferenz: Deutschland wird in vier Besatzungszonen **geteilt**.	(b)	8. Mai 1945

Westliche Besatzungszonen

3	Die D-Mark wird **eingeführt**.	(c)	3. April 1948
4	Die amerikanische und die britische Zone **schließen** sich zur Bizone **zusammen**.	(d)	8. Mai 1949
5	Die Bundesrepublik Deutschland wird **gegründet**.	(e)	20. Juni 1948
6	Die finanzielle Hilfe zum Wiederaufbau im Rahmen des Marshall-Plans **beginnt**.	(f)	1. Januar 1947

Sowjetische Besatzungszone

7	Die Blockade Berlins **beginnt**.	(g)	1945–1946
8	Großgrundbesitzer und Großindustrie werden **enteignet**.	(h)	7. Oktober 1949
9	Die Deutsche Demokratische Republik (DDR) wird **gegründet**.	(i)	20. Juni 1948
10	Eine eigene Währung wird **eingeführt**.	(j)	21.–22. April 1946
11	Die KPD und die SPD **schließen** sich zur Sozialistischen Einheitspartei Deutschlands (SED) **zusammen**.	(k)	23. Juni 1948

Übung 2

Leiten Sie nun Substantive aus den fett gedruckten Verben beziehungsweise Partizipien in Übung 1 ab. Verwenden Sie diese Substantive dann um die Chronik wie folgt zu gestalten:

Kriegsende
8. Mai 1945 – Kapitulation der deutschen Wehrmacht ...

Der Sozialdemokrat Heinz Kühn kehrte nach Kriegsende aus dem Exil nach Köln zurück. Sie lesen jetzt, wie er seine Rückkehr beschreibt.

Übung 3

Lesen Sie den Auszug aus Heinz Kühns Erinnerungen und unterstreichen Sie die Zeilen, in denen er:

1 die Länge seines Exils erwähnt;

2 die Rolle der politisch engagierten Emigranten beschreibt;

3 die Fremdheit der Exilanten in ihren Gastländern explizit benennt;

4 die möglichen Probleme bei der Rückkehr erwähnt;

5 die Rückkehr nach Köln beschreibt.

> Mehr als zehn Weihnachten hatte ich fern der Heimat in der Fremde des Exils verbracht, irgendwo in der Tschechoslowakei, in der Schweiz, in Belgien, so dicht an die deutschen
> 5 Grenzen gepreßt, wie es nur irgend möglich war, denn unsere Lebensaufgabe in jener Zeit war es, als politisch aktive Emigranten, den Geist demokratischer Freiheit nach Deutschland hineinzuhauchen, nachdem
> 10 Hitler ihn im Vaterland erstickt hatte; unsere Aufgabe war es, der deutschen Freiheit eine Stimme zu geben, nach Deutschland hinein und in die Welt hinaus, nachdem das Dritte Reich sie in der Heimat zum Verstummen
> 15 gebracht hatte. [...]
>
> Wie in allen Emigrationen der europäischen Geschichte, so ging es auch uns, die wir die Emigration nicht als Auswanderung, als Suche nach einer neuen Heimat begriffen, die
> 20 wir vielmehr das politische Exil als Aufgabe an der Heimat und als Wartesaal in die Heimat gewählt hatten; uns war die Fremde nicht heimatlich geworden. Aber war uns die Heimat nicht fremd geworden, mehr noch:
> 25 würde uns die Heimat nicht als fremd geworden empfinden? [...]
>
> Dies alles ging mir durch den Sinn, als ich im Wagen eines Schweizer Freundes [...] endlich

im späten Dezember 1945 über die
30 zerbombten Straßen von der belgischen
Grenze nach Köln rumpelte. [...]

Spät in der Nacht kamen wir in dem
vaterstädtischen Trümmerhaufen, der von
Köln übrig geblieben war, an, irgendwo an der
35 Peripherie in einer der wenigen unzerstörten
Wohnungen, die einem Freund gehörte.

*(Heinz Kühn, Heimkehr aus dem Exil in Claus
Hinrich Casdorff (Hg.), „Weihnachten 1945. Ein
Buch der Erinnerungen", 1984, S. 148–152,
gekürzt)*

Übung 4

Lesen Sie bitte den Auszug aus Übung 3 noch einmal
und beantworten Sie dann die folgenden Fragen.

I Warum hat Kühn die Jahre seines Exils in
Ländern, die direkt an Deutschland grenzten,
verbracht?

2 Überlegen Sie sich, welche Risiken er dadurch
einging.

3 Aus welchen Gründen hat er seine Gastländer
während des Exils nicht als Heimat betrachtet?

4 Wie beschreibt er seine Heimatstadt Köln?

Die unmittelbare Nachkriegszeit war nicht nur durch
die Zerstörungen infolge des Krieges, sondern auch
von großen Versorgungsproblemen der Bevölkerung
und einer radikalen Geldentwertung geprägt.

Annemarie Renger, spätere SPD-Politikerin und
Präsidentin des deutschen Bundestags, hat die
unmittelbare Nachkriegszeit bis zur Währungsreform,
die sie in Westdeutschland erlebt hat, beschrieben.

Übung 5

Lesen Sie den Ausschnitt und suchen Sie die
deutschen Entsprechungen für die Begriffe im Kasten.

> over-supply of money • supply of goods •
> rationing • allocation • consumer •
> foraging trip • valuables • barter
> economy • substitute currency

Das Geld in Form der Reichsmark war nahezu
wertlos geworden, nachdem die Druckpresse
zur Kriegsfinanzierung hatte herhalten
müssen. Dem inflationären Geldüberhang
stand kein Warenangebot gegenüber. Doch die

Heimatvertriebenen, die Evakuierten, die
Renten- und Pensionsempfänger besaßen
nicht einmal dieses fast wertlose Geld. [...]

Die Bewirtschaftung durch Lebensmittelkarten funktionierte eher schlecht als recht.
Hatte in den letzten Kriegsmonaten der Pro-
Kopf-Verbrauch statistisch noch bei über
zweitausend Kalorien täglich gelegen, so
wurden jetzt dem „Normalverbraucher" nur
weniger als tausend Kalorien zugewiesen.
„Dabei bekamen die Menschen nach längerem
Schlangestehen vor den Geschäften oft
weniger, als ihnen zugesagt wurde. Ohne die
erwarteten Lebensmittel nach Hause
zurückzukehren war ein Alltagserlebnis, das
kaum jemandem erspart blieb." (Zitiert nach:
Heiß und Kalt. Die Jahre 1945–69. Berlin
1986.) [...]

Neben Getreide war die Kartoffel das Grund-
nahrungsmittel jener Jahre. Aber selbst in
diesem Bereich funktionierte die Zuteilung
nicht, und da die Kartoffel nicht zum Verbraucher kam, kamen die Verbraucher zur
Kartoffel. Wer erinnert sich nicht an die
immer völlig überfüllten Züge aus den Groß-
städten. Bei diesen Hamsterfahrten aufs Land
wurden die letzten verbliebenen Wertgegenstände gegen Nahrungsmittel einge-
tauscht. In jener Zeit der lebhaften Tauschwirtschaft wurden die Zigaretten zur
Ersatzwährung.

*(Annemarie Renger, Am Ende der Tausend Jahre
in Heinz Friedrich (Hg.), „Mein Kopfgeld", 1988,
S. 80 ff., gekürzt)*

*Viele Städter fuhren in überfüllten Zügen aufs Land
um zu „hamstern"*

Übung 6

Ergänzen Sie die folgenden Aussagen zum Inhalt des Ausschnitts in Übung 5.

1 Mit der Reichsmark konnte man zu dieser Zeit ....

2 Der „Normalverbraucher" bekam nach dem Krieg ...... als in den letzten Kriegsmonaten.

3 Es war gang und gäbe vor den Geschäften ....

4 Manche Leute fuhren aufs Land um ....

5 Viele Waren wurden zu dieser Zeit mit ...... oder ...... bezahlt.

Am 20. Juni 1948 wurde in den westlichen Besatzungszonen die Währungsreform durchgeführt. Alle Schulden des Reiches galten als erloschen. Bank- und Sparguthaben wurden im Verhältnis 10:1 abgewertet, die Bürger und Bürgerinnen erhielten zunächst als „Kopfquote" 40 D-Mark. Eine zweite Rate von 20 DM wurde im August/September ausgezahlt.

In Übung 7 erfahren Sie, welche Auswirkungen die Währungsreform auf die Menschen in Westdeutschland hatten.

Übung 7

Lesen Sie nun, was Annemarie Renger über die Zeit nach der Währungsreform schreibt und beantworten Sie die Fragen auf Seite 103.

Mit dem Tag der Währungsreform, dem 20. Juni 1948, begann eine neue Epoche.

Schon lange vorher, als sich die Gerüchte um die Währungsreform verdichteten, hatten Hersteller und Händler begonnen, ihre Waren nicht mehr anzubieten, sondern zu horten. […] Auf dem Schwarzmarkt waren die Preise noch einmal enorm angestiegen. Aus den gleichen Überlegungen hatten die Verbraucher versucht, ihr vermutlich bald ungültiges Geld noch loszuwerden. Es wurde wahllos alles gekauft, was noch auf dem Markt war, und sogar ihre Schulden beeilten sich viele zu bezahlen.

Dann war der „Wandel über Nacht" gekommen. Am ersten Tag der neuen Währung trat das ein, was man später den „Schaufenstereffekt" genannt hat: Die sofort dicht belagerten Schaufenster und Läden waren voll von Waren aller Art – dem bisher gehorteten Reichtum. […]

Der Schwarzmarkt verschwand, und die Zigarettenwährung löste sich in Rauch auf. […] Zunächst war jedoch der Nutzen für den „kleinen Mann" nicht erkennbar: Es kam zu Preissteigerungen und einer Zunahme der Arbeitslosigkeit auf über eineinhalb Millionen im Jahr 1950.

Gerade im ökonomischen Bereich gab es berechtigte Kritik an der Währungsreform, insbesondere im Hinblick auf die unmittelbaren Folgen für den „kleinen Mann". […] Alfred Grosser, Forschungsdirektor an der Universität Paris, sah das so: „Die Bauern, Fabrikbesitzer und Kaufleute, die heimlich Vorratslager angelegt hatten, wurden dafür belohnt, daß sie die gesetzlichen Vorschriften mißachtet hatten". (Zitiert nach: Welt der Arbeit vom 16.6.1983.) […]

Die Sparer, die keine Sachwerte besaßen, verarmten. Es waren vor allem die hart

Am Tag der Währungsreform waren die Geschäfte schlagartig gefüllt mit Waren aller Art

erarbeiteten Ersparnisse des kleinen Mannes, die entwertet wurden. […] Breite Bevölkerungsschichten in Deutschland waren praktisch enteignet, teilweise zum zweitenmal in diesem Jahrhundert. Während Staat und Wirtschaft schuldenfrei geworden waren, hatten ihre Gläubiger, die Sparer, ihr Vermögen verloren. Die Abwertung des alten Geldes und der Verlust der Spargelder schaffte unendlich viel Verbitterung. Manche, vor allem bedürftige alte Leute, die so das Ergebnis ihrer Lebensarbeit verloren, sahen keinen Ausweg mehr und schieden freiwillig aus dem Leben. Die damals umgehende Parole „Nie wieder sparen!" war danach nur zu verständlich.

(Annemarie Renger, Am Ende der Tausend Jahre in Heinz Friedrich (Hg.), „Mein Kopfgeld", 1988, S. 80 ff., gekürzt)

I Was machten die Händler und Hersteller mit ihren Waren in den Tagen vor dem 20. Juni? Warum, glauben Sie, verhielten sie sich so?

2 Wie verhielten sich die Verbraucher?

3 Was war der „Schaufenstereffekt"?

4 Welche zwei unmittelbare Auswirkungen hatte die Währungsreform?

5 Wer waren die Gewinner und die Verlierer der Währungsreform? Warum?

6 Wie reagierten die Verlierer dieses Prozesses?

Zum Schluss dieser Lerneinheit sprechen Sie über die Nachkriegszeit in Deutschland.

Übung 8   **Hörabschnitt 8**

Sie dolmetschen jetzt das Gespräch zwischen einer britischen Journalistin und einem Deutschen, der die Nachkriegszeit erlebt hat. Sprechen Sie jeweils auf Deutsch oder Englisch in den Pausen.

  Q2.14, Q2.15

Lerneinheit 6

In dieser Einheit setzen Sie sich mit einigen Aspekten der Entwicklung der Bundesrepublik von 1949 bis 1966 auseinander. Sie behandeln die Frage der Souveränität des westdeutschen Staates, das Konzept der „Sozialen Marktwirtschaft" und das Problem der unvollendeten Bewältigung der nationalsozialistischen Vergangenheit.

Activity		You will be ...
1, 2	💿	identifying key points of a speech by the German chancellor Adenauer and taking notes
3, 4		identifying key vocabulary and points connected to the concept of *Soziale Marktwirtschaft*
5		answering questions about the concept of *Soziale Marktwirtschaft*
6		reading Günter Grass's open letter to Kiesinger and identifying key vocabulary
7		checking you've understood Grass's letter to Kiesinger
8		rewriting sentences from Grass's letter to Kiesinger
9	💿	discussing Grass's open letter

Study chart (vertical label, left margin)

Die Bundesrepublik war durch das Besatzungsstatut der westlichen Besatzungsmächte in ihrer Souveränität eingeschränkt. Das Recht, in den Bereichen der Außenpolitik und der Verteidigung zu handeln, wurde von den Besatzungsmächten nur an die Bundesregierung delegiert.

In den frühen fünfziger Jahren wurde die Remilitarisierung der Bundesrepublik sehr kontrovers diskutiert. Als Regierungschef betrachtete Bundeskanzler Adenauer sie als unabdingbare Voraussetzung für die volle Integration des Landes in die Gemeinschaft der westlichen Nationen. Die SPD war aus Angst vor einem Wiederaufleben des alten Militarismus dagegen.

In den Pariser Verträgen von 1954, im Februar 1955 vom Bundestag ratifiziert, wurde die Beendigung des Besatzungsregimes und die Aufnahme der Bundesrepublik in die NATO beschlossen. Westdeutschland konnte eine Armee gründen. Aus diesem Anlass hielt der westdeutsche Bundeskanzler Konrad Adenauer eine Rundfunkansprache. Adenauer verfolgte eine Politik der Stärke und der Integration der Bundesrepublik in die westliche Staatengemeinschaft. Das brachte die Gefahr mit sich eine Wiedervereinigung unmöglich zu machen.

Übung 1 Hörabschnitt 9

Hören Sie Adenauers Rede. Die folgenden Sätze sind Umschreibungen seiner Aussagen. Notieren Sie die richtige Reihenfolge dieser Umschreibungen.

◯ Wir können uns erst über unsere Souveränität wirklich freuen, wenn auch die Deutschen der DDR frei sind.

◯ Wir werden alles tun um die verbleibenden deutschen Kriegsgefangenen aus der Gefangenschaft freizubekommen.

◯ Wir denken heute an die Deutschen in der DDR.

◯ Die Bundesrepublik ist jetzt ein gleichberechtigtes Mitglied der westlichen Völkergemeinschaft.

◯ Wir werden alles tun um Deutschland in einem freien Europa wieder zu vereinigen.

Übung 2

Fassen Sie die wichtigsten Punkte von Adenauers Rundfunkansprache in Stichwörtern zusammen.

Die fünfziger Jahre waren die Jahre des so genannten Wirtschaftswunders, die durch hohe Wachstumsraten, den Abbau der Arbeitslosigkeit und wachsenden Wohlstand gekennzeichnet waren.

Ludwig Erhard war einer der Architekten dieses Wirtschaftswunders. Als Wirtschaftsminister von 1949 bis 1963 setzte er eine Wirtschaftsordnung in der Bundesrepublik durch, die auf Ideen basierte, an denen Wirtschaftswissenschaftler schon seit den dreißiger Jahren gearbeitet hatten. Einer von ihnen, Alfred Müller-Armack, hat den Namen dafür geprägt: Soziale Marktwirtschaft.

In den nächsten drei Übungen geht es um die Soziale Marktwirtschaft. Als Einstieg befassen Sie sich mit einigen zentralen Begriffen dieses ökonomischen Konzepts.

Übung 3

Bestimmen Sie zuerst, aus welchen Wörtern die folgenden Begriffe zusammengesetzt werden, indem Sie die einzelnen Elemente durch einen Schrägstrich trennen, zum Beispiel Betrieb(s)/ordnung. Ordnen Sie anschließend jedem Begriff seine englische Bedeutung zu.

I Betriebsordnung	(a) industrial regulations
2 Arbeitnehmer	(b) right of co-determination
3 Arbeitgeber	(c) misuse of power
4 Beschäftigungspolitik	(d) employer
5 Einkommensausgleich	(e) employee
6 Krisenrückschläge	(f) equitable distribution of income
7 Machtmissbrauch	(g) collective bargaining agreements
8 Mitgestaltungsrecht	(h) policy on housing development
9 Siedlungspolitik	(i) critical setbacks
10 Tarifvereinbarungen	(j) employment policy

Lesen Sie jetzt Müller-Armacks Konzept der Sozialen Marktwirtschaft und ordnen Sie die englischen Umschreibungen den jeweiligen Punkten im Original zu.

> **Beispiel**
>
> the building of publicly subsidized housing (f)

1 a minimum wage and free collective bargaining on pay

2 anti-monopoly policies to combat the misuse of economic power

3 the extension of social security

4 redistribution policy to eliminate extreme differences in income and property

5 the creation of rules governing competition

6 industrial regulations to secure the right of co-determinaton for employees without limiting the entrepreneurial freedom and responsibilities of employers

7 employment policy aimed at giving employers greater security during economic crises

Die Verwirklichung der Sozialen Marktwirtschaft

(Aus einer Denkschrift Alfred Müller-Armacks vom Mai 1948)

[…]

Um den Umkreis der Sozialen Marktwirtschaft ungefähr zu umreißen, sei folgendes Betätigungsfeld künftiger sozialer Gestaltung genannt:

a) Schaffung einer sozialen Betriebsordnung, die den Arbeitnehmer als Mensch und Mitarbeiter wertet, ihm ein soziales Mitgestaltungsrecht einräumt, ohne dabei die betriebliche Initiative und Verantwortung des Unternehmers einzuengen.

b) Verwirklichung einer als öffentliche Aufgabe begriffenen Wettbewerbsordnung. […]

c) Befolgung einer Antimonopolpolitik zur Bekämpfung möglichen Machtmißbrauches in der Wirtschaft.

d) Durchführung einer konjunkturpolitischen Beschäftigungspolitik mit dem Ziel, dem Arbeitgeber im Rahmen des Möglichen Sicherheit gegenüber Krisenrückschlägen zu geben. Hierbei ist außer kredit- und finanzpolitischen Maßnahmen auch ein mit sinnvollen Haushaltssicherungen versehenes Programm staatlicher Investitionen vorzusehen.

e) Marktwirtschaftlicher Einkommensausgleich zur Beseitigung ungesunder Einkommens- und Besitzverschiedenheiten, und zwar durch Besteuerung und durch Familienzuschüsse, Kinder- und Mietbeihilfen an sozial Bedürftige.

f) Siedlungspolitik und sozialer Wohnungsbau. […]

i) Ausbau der Sozialversicherung. […]

k) Minimallöhne und Sicherung der Einzellöhne durch Tarifvereinbarungen auf freier Grundlage.

(zitiert in Christoph Kleßmann (Hg.), „Die doppelte Staatsgründung. Deutsche Geschichte 1945–1955", 5. überarbeitete und erweiterte Auflage, 1991, S. 428–429, gekürzt)

Beantworten Sie die folgenden Fragen zur Sozialen Marktwirtschaft. Lesen Sie dazu noch einmal, was Müller-Armack in Übung 4 schreibt.

1 Welche Punkte beziehen sich direkt auf die Unternehmer?

2 Welche Punkte beziehen sich direkt auf die Arbeitnehmer?

3 Zwei dieser Punkte beziehen sich gleichermaßen auf Unternehmer und Arbeitnehmer. Welche?

Von 1949 bis 1966 hatten die CDU und ihre Schwesterpartei, die CSU, die Bundesregierung gebildet, entweder allein oder in einer Koalition mit der liberalen Partei, der FDP. 1966 setzte eine wirtschaftliche Krise ein, daraufhin verließ die FDP die Koalition und Erhard, seit 1963 Bundeskanzler, trat zurück. Es kam zur Bildung der so genannten Großen Koalition zwischen CDU/CSU und SPD. Kurt-Georg Kiesinger (CDU) sollte Bundeskanzler werden. Dies war wegen seiner früheren Mitgliedschaft in der NSDAP kontrovers.

Zu dieser Zeit hatte eine neue rechtsextreme Partei, die Nationaldemokratische Partei Deutschlands (NPD), bei verschiedenen Wahlen Erfolge, was die Diskussion um Kiesinger um eine weitere Ebene bereicherte.

Lesen Sie den offenen Brief des Schriftstellers Günter Grass und ergänzen Sie die nachfolgenden Ausdrücke, die in ihm vorkommen.

Offener Brief an Kurt Georg Kiesinger

30. November 1966

Sehr geehrter Herr Kiesinger,

bevor Sie morgen zum Bundeskanzler gewählt werden, will ich in aller Öffentlichkeit den letzten Versuch unternehmen, Sie zur Einsicht zu bewegen.

Ich gehöre einer Generation an, deren Väter in der Mehrzahl die ab 1933 verübten Verbrechen wissend oder unwissend unterstützt haben. Ich weiß, daß in vielen deutschen Familien dieser Bruch geheilt werden konnte: Das Eingeständnis der Väter begegnete dem Verstehenwollen der Söhne. Sie, Herr Kiesinger, sind 1933 als erwachsener Mann in die NSDAP eingetreten, erst die Kapitulation vermochte Sie von Ihrer Mitgliedschaft zu entbinden.

Erlauben Sie mir folgende Fiktion: Wenn Sie mein Vater wären, würde ich Sie bitten, mir Ihren folgenreichen Entschluß aus dem Jahre 1933 zu erklären. Ich wäre in der Lage, ihn zu verstehen, denn die Mehrzahl aller Väter meiner Generation verlor ihre besten Jahre im Zeichen solcher Fehlentscheidungen. Wenn aber Sie, der fiktive Vater, mich, den fiktiven Sohn, fragten: „Ich soll Bundeskanzler werden. Politik interessiert mich leidenschaftlich. Ich habe immer schon außenpolitische Ambitionen gehabt. In meinem Land Baden-Württemberg war ich erfolgreich. Die Leute mögen mich. Soll ich Ja sagen?", dann hieße die Antwort des fiktiven Sohnes: „Gerade weil dich Politik leidenschaftlich interessiert, weil du außenpolitische Ambitionen hast, mußt du Nein sagen. Denn eigentlich müßtest du wissen, daß in diesem Land mit seiner immer noch nicht abgetragenen Hypothek, in diesem geteilten Land ohne Friedensvertrag das Amt des Bundeskanzlers niemals von einem Mann wahrgenommen werden darf, der schon einmal wider alle Vernunft handelte und dem Verbrechen diente, während andere daran zugrunde gingen, weil sie der Vernunft folgten und dem Verbrechen Widerstand boten. Dein

Anstand sollte dir verbieten, dich nachträglich zum Widerstandskämpfer zu ernennen."

Sie, Herr Kiesinger, sind nicht mein Vater. Mögen Sie einen Sohn haben, der Ihrem unheilvollen Entschluß Widerstand leistet.

Ich frage Sie:

Wie soll die Jugend in diesem Land jener Partei von vorgestern, die heute als NPD auferstehen kann, mit Argumenten begegnen können, wenn Sie das Amt des Bundeskanzlers mit Ihrer immer noch schwerwiegenden Vergangenheit belasten?

Wie sollen wir der gefolterten, ermordeten Widerstandskämpfer, wie sollen wir der Toten von Auschwitz und Treblinka gedenken, wenn Sie, der Mitläufer von damals, es wagen, heute hier die Richtlinien der Politik zu bestimmen?

Wie soll fortan der Geschichtsunterricht in unseren Schulen aussehen? […]

Gibt es in der SPD/CSU/CDU keinen Mann, der unbelastet genug wäre, das Amt des Bundeskanzlers zu verwalten? […]

So bleibt es mir, stellvertretend für viele, überlassen, noch einmal, in letzter Minute, empörten Einspruch zu erheben.

Die Verantwortung werden Sie tragen müssen, wir die Folgen und die Scham.

Noch in Hochachtung,
Ihr *Günter Grass*

(Günter Grass, „Werkausgabe in zehn Bänden", Band 9, 1987, S. 171–172, gekürzt)

die immer noch nicht abgetragene Hypothek (here) the continuing burden of the past

I *to make an attempt* einen Versuch ......

2 *to bring someone to his/her senses* zur Einsicht ......

3 *to belong to a generation* einer Generation ......

4 *to act against all reason* wider alle Vernunft ......

5 *to hold office* ein Amt ....../ein Amt ......

6 *to resist, put up resistance* Widerstand ....../Widerstand ......

7 *to raise objections* Einspruch ......

Übung 7

Lesen Sie Grass' Brief noch einmal und beantworten Sie die folgenden Fragen.

1. Was will Grass durch seinen Brief erreichen?

2. Gehört Grass der gleichen Generation wie Kiesinger an?

3. Wie lange war Kiesinger Mitglied der NSDAP?

4. Wie sieht Grass Kiesingers Mitgliedschaft in der NSDAP?

5. Grass stellt sich vor, mit welchen Argumenten Kiesinger seinen Wunsch, Kanzler zu werden, rechtfertigt. Wie lauten diese Argumente?

6. Warum sollte Kiesinger nach Grass' Meinung nicht Bundeskanzler werden?

7. Grass nennt drei moralische und praktische Schwierigkeiten für Deutschland, wenn Kiesinger Kanzler wird. Welche?

8. Der Schriftsteller Grass mischte sich mit diesem Brief direkt in die Politik ein. Was glauben Sie, sollten sich Schriftsteller in die Politik einmischen? Warum (nicht)?

Übung 8

Ersetzen Sie die fett gedruckten Verben jeweils mit einem der Ausdrücke aus Grass' Brief.

1. Grass **versuchte** Kiesinger klar zu machen, dass er nicht Kanzler werden sollte.

2. Konrad Adenauer **amtierte** als Bundeskanzler von 1949 bis 1963.

3. Nicht viele **widersetzten** sich den Verbrechen der Nazis.

4. Die SPD **protestierte** nicht gegen die Kandidatur Kiesingers.

Übung 9 Hörabschnitt 10

Hatte Günter Grass mit seinem Brief an Kiesinger und mit seiner Intervention in das politische Geschehen Recht? Darüber sprechen Sie jetzt mit einem Freund. Sie sind der Meinung, dass Grass Recht hatte mit seinem Brief. Sie hören in Stichwörtern, was Sie sagen sollen. Sprechen Sie in den Pausen.

Lerneinheit 7

In dieser Grammatikeinheit beschäftigen Sie sich mit verschiedenen Arten von abhängigen Sätzen.

Study chart

Activity	You will be ...
1	identifying different types of clauses
2	completing sentences using relative pronouns
3	identifying relative clauses with *was*
4	completing sentences using *das* and *was*
5	practising relative clauses with *das* and *was*
6	finding English equivalents for German proverbs
7	writing sentences using *während* for contrast
8	completing sentences using subordinating conjunctions
9, 10	rewriting sentences using infinitive clauses

In *Thema 1* you worked with different types of main clauses and subordinate clauses. In this *Lerneinheit* you will take a closer look at subordinate clauses and also deal with infinitive clauses (*Infinitivsätze*).

Übung 1

Read the beginning of Günter Grass's open letter to Kurt-Georg Kiesinger once more. Find the four clauses that are not main clauses and note down what type of subordinate clause they are – a **relative clause** or a **clause with a conjunction** – or an **infinitive clause**.

> Sehr geehrter Herr Kiesinger,
>
> bevor Sie morgen zum Bundeskanzler gewählt werden, will ich in aller Öffentlichkeit den letzten Versuch unternehmen, Sie zur Einsicht zu bewegen.
>
> Ich gehöre einer Generation an, deren Väter in der Mehrzahl die ab 1933 verübten Verbrechen wissend oder unwissend unterstützt haben. Ich weiß, daß in vielen deutschen Familien dieser Bruch geheilt werden konnte. […]

Relative clauses

5.4 Here is a reminder of how relative clauses work.

Relative clauses relate back to the preceding clause, providing an additional piece of information about something or someone already mentioned, using a relative pronoun. The most commonly used relative pronouns in German are *der*, *die*, *das*. For example:

> Ein **Satz**, **der** mit einem Relativpronomen beginnt, ist ein Beispiel eines Relativsatzes.

In the following activity you will practise using relative clauses with the correct relative pronoun.

Übung 2

Fill in the gaps in the following sentences using the correct relative pronoun.

1 Der Sozialdemokrat Heinz Kühn, ... emigriert war, kam 1945 nach Köln zurück.

2 Er fand eine Stadt vor, von ...... nur noch ein Trümmerhaufen übrig geblieben war.

3 Die unmittelbare Nachkriegszeit war durch Probleme bei der Lebensmittelversorgung geprägt, unter ...... die Menschen zu leiden hatten.

4 Die Bewirtschaftung durch Lebensmittelkarten, auf ...... die jeweiligen Mengen festgelegt waren, funktionierte nur schlecht.

5 Die Währungsreform, ... Vorbereitung zum größten Teil in den Händen der westlichen Alliierten lag, wurde am 20. Juni 1948 durchgeführt.

In the next activity you will look at relative clauses using *was* and *das* as the relative pronoun.

Übung 3

Find the two relative clauses in the passage from the excerpt by Annemarie Renger. Underline the relative pronoun and the word to which it refers.

> […] Es wurde wahllos alles gekauft, was noch auf dem Markt war, und sogar ihre Schulden beeilten sich viele zu bezahlen. […] Am ersten Tag der neuen Währung trat das ein, was man später den „Schaufenstereffekt" genannt hat: Die sofort dicht belagerten Schaufenster und Läden waren voll von Waren aller Art – dem bisher gehorteten Reichtum. […]

More on relative clauses

5.4.3 (a)–(d) The two examples in *Übung 3* demonstrate two different uses of *was* as a relative pronoun introducing a relative clause.

The first one shows *was* referring back to the neuter indefinite *alles*. Other such indefinites include: *einiges, etwas, folgendes, manches, nichts, vieles, weniges*.

The second example shows *was* referring back to the indefinite demonstrative *das*. As *das* is in the nominative case here, it could be omitted, as it often is in English:

> Am ersten Tag trat (das) ein, **was** man später den „Schaufenstereffekt" nannte.

Was may also refer back to a neuter adjective used like a noun:

> Das erste, **was** man nach der Währungsreform sah, waren die gefüllten Schaufenster.

Finally, *was* can be used to refer back to a whole clause:

> Die Ersparnisse waren wertlos geworden, **was** viele Sparer verbitterte.

In the following activity you will practise the use of the relative pronouns *was* and *das*.

Übung 4

Fill in the gaps in these sentences with the relative pronouns *das* or *was* and underline the words the relative pronoun refers to.

1 Das ist alles, ... ich Ihnen zu sagen habe.

2 Das ist ein Buch, ... ich sehr gern gelesen habe.

3 Es ist etwas geschehen, ... niemand voraussehen konnte.

4 Sie haben das Spiel verloren, ... mich überrascht hat.

5 Es gibt nichts, ... es nicht gibt.

6 Natürlich ist das, ... ich dir gerade gesagt habe, streng vertraulich.

7 Ich habe das Bild, ... über dem Sofa hängt, auf dem Flohmarkt gekauft.

8 Einiges von dem, ... sie gesagt hat, ist richtig.

9 Das, ... mich am meisten ärgert, ist, dass du mich angelogen hast.

The use of *was* clauses to start a sentence is more common in spoken language, where the emphasis can be used to convey emotion.

Übung 5 Hörabschnitt 11

Listen to the examples given here of *was* used to start a sentence, paying particular attention to the intonation. Then practise the constructions, as in this example.

Example

> Ich finde es schade, dass sie immer nur von der Arbeit spricht.

> **Was** ich schade finde, ist, dass sie immer nur von der Arbeit spricht.

Note that with phrases like *Ich finde es schade/toll/ peinlich, dass …*, *es* becomes redundant in the corresponding *was* clause.

 5.4.5 (a) Another pronoun that can be used at the beginning of a sentence in very much the same way as *was* is *wer*. Since *wer*, like its English equivalents 'He who …', 'Anyone who …', 'People who …', is used to refer to people in general, it is often found in proverbs.

Übung 6

Read these sayings and find the matching German explanation for them. Then write down the English equivalent, if there is one.

1	Wer wagt, gewinnt.	(a)	Wer etwas beginnt, muss es auch konsequent zu Ende führen.
2	Wer zu spät kommt, den bestraft das Leben.	(b)	Wer anderen Böses tut, muss mit einer noch schlimmeren Reaktion rechnen.
3	Wer ohne Sünde ist, der werfe den ersten Stein.	(c)	Nur wer selber ohne Fehler ist, hat das Recht andere zu beschuldigen.
4	Wer Wind sät, wird Sturm ernten.	(d)	Wer etwas erreichen will, der muss auch etwas riskieren.
5	Wer anderen eine Grube gräbt, fällt selbst hinein.	(e)	Wer zu lange wartet, für den ist es am Ende zu spät.
6	Wer flüstert, der lügt.	(f)	Wer zu viel riskiert, ist selber schuld, wenn es nicht gut ausgeht.
7	Wer A sagt, muss auch B sagen.	(g)	Wer etwas heimlich tut, hat unehrliche Absichten.
8	Wer sich in Gefahr begibt, kommt darin um.	(h)	Wer andere hereinlegen will, ist am Ende selbst der Dumme.

Subordinate clauses with conjunctions

G 19.3– 19.7 There are many subordinating conjunctions in German. A logical link can be made between two clauses using a subordinating conjunction such as *während*.

Look at these two sentences from Annemarie Renger's account of the currency reform of 1948. Note how she marks the contrast between two aspects of a particular event.

> Während die einen draufzahlen mussten, gewannen die anderen hinzu.

> Während Staat und Wirtschaft schuldenfrei geworden waren, hatten ihre Gläubiger ihr Vermögen verloren.

Während is not used here with its more common meaning ('while'), but to indicate a contrast ('whereas').

When *während* is used in this way, either clause could be the subordinate clause, so you could just as well have written *Die einen mussten draufzahlen, während die anderen hinzugewannen.*

Übung 7

Link these sentences using *während*. Vary your sentence structure by making either the first or the second sentence into a subordinate clause.

> ***Example***
> Dresden ist eine berühmte Barockstadt an der Elbe. Annaberg-Buchholz ist eine Kleinstadt im Erzgebirge.
>
> **Während Dresden eine berühmte Barockstadt an der Elbe ist, ist Annaberg-Buchholz eine Kleinstadt im Erzgebirge.**
>
> **Dresden ist eine berühmte Barockstadt an der Elbe, während Annaberg-Buchholz eine Kleinstadt im Erzgebirge ist.**

1 Die Stadt Meißen hat sich aus einem Handelsplatz an einer Elbfurt entwickelt. Annaberg-Buchholz verdankt seine Gründung einem Silberfund.

2 Durch das Silber kamen im Erzgebirge viele Leute zu Geld. Für andere brachte es unmenschliche Arbeitsbedingungen.

3 Die Meißener Porzellanmanufaktur wurde schon im Jahre 1710 eingerichtet. Die Manufaktur im Triebischtal arbeitet erst seit 1864/1865.

4 Zu DDR-Zeiten arbeiteten im Erzgebirge viele Frauen in der Textilindustrie. Seit der Wende ist ein großer Teil von ihnen arbeitslos geworden.

5 Friedrich II. von Sachsen wurde auch Friedrich der Sanftmütige genannt. Friedrich August I. hatte den Beinamen August der Starke.

Während is just one of many subordinating conjunctions in the German language. In the following exercise you will practise some of the others.

Übung 8

Fill in the gaps in the sentences below with the correct conjunctions from the box.

> als • bevor • da • damit • nachdem • obwohl • wenn

1 ...... sich die Gerüchte um eine bevorstehende Währungsreform verdichteten, begannen Hersteller und Händler ihre Waren zu horten, ... sie sie nicht für Geld verkaufen mussten, das bald wertlos sein würde.

2 ...... das neue Geld eingeführt wurde, stiegen auf dem Schwarzmarkt noch einmal die Preise.

3 ...... nach der Währungsreform die Schaufenster wieder voll waren, war ihr Nutzen für den „kleinen Mann" zunächst nicht erkennbar, ... es zunächst zu Preissteigerungen kam und die Arbeitslosigkeit zunahm.

4 ...... Sparer keine Sachwerte besaßen, wurden sie durch die Währungsreform praktisch enteignet.

5 ...... sie das Ergebnis ihrer Lebensarbeit verloren hatten, sahen vor allem viele alte Leute keinen Ausweg mehr.

Infinitive clauses ('Infinitivsätze')

G 13.2 The final type of clause you will work on here is the infinitive clause. Look at these examples from the open letter Günter Grass wrote to Kurt-Georg Kiesinger.

… will ich […] den Versuch unternehmen, Sie zur Einsicht **zu bewegen**.

… wenn Sie, der Mitläufer von damals, es wagen, heute hier die Richtlinien der Politik **zu bestimmen**.

Infinitive clauses never have their own subject, which explains why their verbs occur in the infinitive rather than in a conjugated form.

The infinitive with *zu* comes at the end of the clause. Note that with separable verbs like *einkaufen* or *mitnehmen*, *zu* is inserted after the prefix (*ein**zu**kaufen*, *mit**zu**nehmen*).

 23.5.2, 23.7.4 In the past, it was usual to separate infinitive clauses with *zu* off from the main clause by commas (as in the two examples above). However, according to the reformed spelling rules commas no longer need to be used with infinitive clauses, but they may be employed at the writer's discretion to mark a pause clearly or to make the sense of the sentence quite clear.

23.5.2, 23.7.4

Übung 9

Rewrite sentences 1–7, replacing the *dass* constructions with infinitive clauses with *zu*.

> **Example**
>
> Ich hoffe, dass ich bald einmal Zeit habe.
>
> Ich hoffe(,) bald einmal Zeit zu haben.

1 Sie glaubt, dass sie nicht zuständig ist.

2 Er gibt zu, dass er keine Ahnung hat.

3 Ich verspreche, dass ich dich sofort anrufe, wenn ich etwas erfahre.

4 Sie behauptet, dass sie nicht weiß, wer er ist.

5 Erwarten Sie, dass Sie pünktlich ankommen?

6 Ich hoffe, dass ich bald wieder von dir höre.

7 Sie schwört, dass sie schon volljährig ist.

If there is more than one part to the verb in the corresponding *dass* clause (e.g. …, *dass ich ihn* **gesehen habe**, …, *dass sie ihn* **besuchen will**), the finite form (*habe, will*) is converted into the infinitive which goes to the end of the infinitive clause and is preceded by *zu* (… *ihn gesehen* **zu haben**, … *ihn besuchen* **zu wollen**).

Übung 10

Rewrite these sentences, using the infinitive with *zu* instead of the *dass* construction.

1 Wir hoffen, dass wir Sie wieder einmal bei uns begrüßen dürfen.

2 Er glaubt, dass er hier schon einmal gewesen ist.

3 Ich freue mich, dass ich wieder einmal von ihnen gehört habe.

4 Wollen Sie wirklich behaupten, dass Sie gar keinen Verdacht gehabt haben?

5 Er gibt zu, dass er mich mit einer anderen betrogen hat.

6 Sie schwört, dass sie das Geld nicht gestohlen hat.

7 Ich erinnere mich nicht, dass ich hier schon einmal war.

Lerneinheit 8

In dieser Einheit wiederholen Sie einige zentrale Ereignisse der ersten Nachkriegsjahre und der westdeutschen Geschichte bis 1966. Sie befassen sich noch einmal mit der Währungsreform im Jahre 1948 und vergleichen sie mit der Einführung der D-Mark in der DDR im Jahre 1990.

Study chart

Activity	You will be ...
1	writing a summary about Kühn's reaction to his return to Germany
2	linking sentences using *während*
3	revising key points about the 1948 currency reform in the FRG
4	answering questions about the introduction of the D-Mark in the GDR in 1990
5	comparing the effects of the introduction of the D-Mark in the GDR with those of the 1948 currency reform
6	completing sentences using infinitive clauses with *zu*
7	revising the key points of *Soziale Marktwirtschaft*
8	discussing Grass's open letter

In der ersten Übung befassen Sie sich erneut mit der Heimkehr aus dem Exil.

Übung 1

Lesen Sie noch einmal den Auszug aus Heinz Kühns Erinnerungen an die Rückkehr aus dem Exil (Lerneinheit 5, Übung 3) und den folgenden Ausschnitt. Fassen Sie anschließend seine Schilderung auf Englisch zusammen (circa 150 Wörter).

Schon der nächste Tag wurde, wie jeder in dieser Zeit, zu einem Tag der Wiederbegegnung mit Freunden, der Wiederauferstehung aus Trümmern. Für uns Sozialdemokraten waren es immer Stunden heute nicht mehr vorstellbarer Freude, wenn sich alte Freunde aus Konzentrationslagern und Gefängnissen kommend, aus der äußeren Emigration des Widerstandes oder der inneren Emigration der Verweigerung in ihrer Wiedersehensfreude umarmten. Da hatte das Wort „Genosse" […] noch seinen ganzen brüderlichen Sinn, – das Wort, das aus dem niederdeutschen „genôte" kommt, den in Sieg und Not verläßlich Vereinten.

Die Deutschen, die zuzeiten stolz darauf waren, die besten Soldaten Europas zu sein, und die noch viel mehr Anlaß zu Stolz haben würden, wenn sie mehr Grund hätten, sich die besten Zivilisten zu nennen, fanden aus ihrer Lethargie und Passivität bald wieder zu ihren von der Welt gerühmten Tugenden zurück: Arbeitswille und Disziplin. Die alten Konturen der Stadt begannen sich wieder aus den Trümmern herauszubilden, freigeschaufelt von zupackenden Gemeinschaftsaktionen der Bürger.

(Heinz Kühn, Heimkehr aus dem Exil in Claus Hinrich Casdorff (Hg.), „Weihnachten 1945. Ein Buch der Erinnerungen", 1984, S. 154–155, gekürzt)

In der nächsten Übung geht es erneut um die Ereignisse der unmittelbaren Nachkriegszeit.

Übung 2

Die Tabelle oben rechts ist eine Gegenüberstellung einiger Ereignisse aus der Zeit von 1945 bis 1949 in den westlichen Zonen und der sowjetischen Besatzungszone. Formulieren Sie diese Gegenüberstellung in vollständigen Sätzen wie im Beispiel.

Beispiel

I Die KPD und die SPD schlossen sich zur SED zusammen.

Die SPD und die KPD entwickelten sich im Westen unterschiedlich.

Während die KPD und die SPD sich in der sowjetischen Besatzungszone zur SED zusammenschlossen, entwickelten sich die SPD und die KPD im Westen unterschiedlich.

Sowjetische Besatzungszone	Westliche Besatzungszonen
I Die KPD und die SPD schlossen sich zur SED zusammen.	Die SPD und die KPD entwickelten sich im Westen unterschiedlich.
2 Die Sowjetunion demontierte im Rahmen der Reparationen viele Industriebetriebe.	Die westlichen Alliierten stellten die Demontage von Industriebetrieben im Westen schon bald ein.
3 Die UdSSR lehnte die Marshall-Plan-Hilfe für die sowjetische Besatzungszone ab.	Westdeutschland bekam Hilfe im Rahmen des Marshall-Plans in Höhe von 1,7 Milliarden Dollar.
4 Die Gründung der Deutschen Demokratischen Republik fand erst im Oktober 1949 statt.	Die Bundesrepublik Deutschland wurde bereits im Mai 1949 gegründet.

Sie wiederholen jetzt einige zentrale Aspekte der Zeit bis zur Währungsreform.

Übung 3

Beantworten Sie die folgenden Fragen. In den Klammern finden Sie die Übungen aus Lerneinheit 5, in denen Sie die Antworten finden können.

I Warum war die Reichsmark nach dem Krieg praktisch wertlos geworden? (Übung 5)

2 Annemarie Renger nennt drei Gruppen, die besonders benachteiligt waren. Welche? (Übung 5)

3 Was ist eine „Hamsterfahrt"? Definieren Sie den Begriff in einem Satz. (Übung 5)

4 Wann wurde die Reichsmark abgeschafft? (Übung 7)

5 Was geschah mit den Staatsschulden? (Übung 7)

6 Welche Auswirkungen hatte die Währungsreform zunächst auf den „kleinen Mann"? (Übungen 7–8)

7 Wie reagierten die „kleinen Leute" auf die Währungsreform? (Übungen 7–8)

Vergleichen Sie jetzt die Währungsreform von 1948 mit der Einführung der D-Mark in der DDR am 1. Juli 1990.

Übung 4

Lesen Sie den Ausschnitt aus einer Chronik und den Zeitungsartikel über die Auswirkungen der Einführung der D-Mark in der DDR und beantworten Sie die Fragen oben rechts.

> Zum 1. Juli wird in der DDR die DM einge-führt. [...] Löhne, Gehälter, Stipendien, Renten, Mieten und Pachten werden im Verhältnis 1:1 umgestellt. Alle auf „Mark der DDR" lautenden Forderungen und Verbind-lichkeiten werden 2:1 umgestellt. Guthaben werden nach Lebensalter gestaffelt zwischen 2000 und 6000 „Mark der DDR" 1:1, bei höheren Beträgen 2:1 umgestellt.
>
> *(Hartwig Bögeholz, „Die Deutschen nach dem Krieg. Eine Chronik", 1995, S. 698, gekürzt)*

1 In welchem Verhältnis wurden Löhne, Gehälter und Mieten umgestellt? Was heißt das?

2 Was passierte mit Schulden in „Mark der DDR"?

3 In welchem Verhältnis wurden die Sparguthaben umgestellt?

4 Welche Artikel wurden nach Einführung der D-Mark teurer? Welche wurden billiger?

5 Was wird hier gesagt über die daraus entstehenden Probleme?

6 Welche Folgen hatte die Einführung der D-Mark auf die örtlichen Obstproduzenten?

7 In dem Artikel werden zwei Gründe für den Rückgang des Milchkonsums verantwortlich gemacht. Welche?

[...] Die erste Woche mit dem neuen Geld ist auch in Leipzig vor allem eine Woche der Hausfrauen-Reports gewesen. Der Schock über die neuen Preise trifft vor allem in den Haus-halts- und Lebensmittelabteilungen. Theoretisch war jeder vorbereitet, daß dort vieles teurer würde: Brot über drei Mark anstatt einer, Brötchen zwanzig Pfennig statt fünf, Kotelett zwölf Mark das Kilo anstatt sechs. Doch in den vergleichenden Listen, die in den letzten Tagen reihenweise veröf-fentlicht wurden [...], nahm sich das weniger einschneidend aus, denn da sind weiter unten immer auch die anderen Knüller zu finden: Farbfern-seher 1000 statt 5500, Kühlschrank 572 statt 1200, Sitzgarnitur 2828 statt 4000. Doch der erschwinglich gewor-dene Videorecorder wird nur einmal gekauft und von gespartem Geld, während Essen und Trinken immer wieder bezahlt und verdient werden wollen. Außerdem haben auch die Leipziger entdeckt, daß manches nicht nur teurer ist als früher, sondern auch teurer als „drüben". [...]

Leipziger sagen, der Schwung sei offenbar ein bißchen zu stark ge-wesen, der Handel sei offensichtlich nicht in der sozialen Marktwirtschaft gelandet, sondern gleich im Früh-kapitalismus. Andere meinen, die Geschäftsleute hätten wahrscheinlich von der Devise der fliegenden Händler aus dem Westen gelernt, die mona-telang die Straßen der Stadt belebt hatten: Den Ost-Bewohnern billiges Zeug so teuer wie möglich verkaufen. [...]

Mit der Preis- und Waren-Wende ist aber noch mehr unkalkulierbar geworden. Angestellte von Obstbe-trieben um Leipzig, denen der von Bananen, Kiwis und Mangos ge-sättigte Handel die Ernte nicht mehr abnimmt, verkaufen die Erdbeeren korbweise selber vor dem Haupt-bahnhof, mitten unter den vietna-

mesischen Musikkassetten-Händlern. In der Milchwirtschaft ist das nicht so einfach. Die Leute trinken weniger bei den neuen Preisen, und außerdem gibt es auch hier die adrettere West-Konkurrenz. „Meine Buchhalterin hat einen Weinkrampf bekommen", erzählt der Leiter eines Leipziger Betriebs mit 1200 Kühen, der bisher 7000 Liter Milch geliefert hat und bei der Molkerei jetzt nur noch 5400 absetzt. „Wenn das so weitergeht, schütten auch wir die Milch auf die Straße. Was soll ich denn sonst machen? Es den Kühen weitersagen? Schlachten lassen kann ich sie auch nicht, denn die Schlachthäuser nehmen keine Kühe mehr an. Die Leute kaufen auch weniger Fleisch, jedenfalls von unserem. Warum hat das eigentlich niemand vorhergesehen? Ich kann Ihnen sagen, so schlecht sind wir nicht einmal die 40 Jahre lang regiert worden!" [...]

(Bernhard Heimrich, „Frankfurter Allgemeine Zeitung", 9.7.1990, gekürzt und leicht abgeändert)

Vergleichen Sie jetzt schriftlich die Einführung der D-Mark in der DDR 1990 mit der Währungsreform in Westdeutschland 1948.

Schreiben Sie über:

- die Ähnlichkeiten;
- die Unterschiede;
- die Folgen für die „kleinen Leute";
- die Folgen für die Wirtschaft. (circa 150 Wörter)

Übung 6

Formulieren Sie jetzt Sätze, die sich auf den Artikel in Übung 4 beziehen, mithilfe der unten stehenden Ausdrücke. Verwenden Sie jeweils den Infinitiv mit „zu".

Beispiel

I Man hatte nicht erwartet so hohe Brotpreise zahlen zu müssen.

I Man hatte (nicht) erwartet …

2 Die Leipziger waren (nicht) darauf vorbereitet …

3 Es war jetzt möglich/unmöglich …

4 Es war von einigen Händlern unverantwortlich …

5 Angestellte von Obstbetrieben waren gezwungen …

Die Einführung der Sozialen Marktwirtschaft verlief in der DDR nicht immer problemlos. Sie wiederholen jetzt die wichtigsten Prinzipien dieses Konzepts.

Übung 7

Lesen Sie die Aussagen und kreuzen Sie die richtigen Informationen an. Sehen Sie gegebenenfalls Übung 4, Lerneinheit 6 noch einmal an.

I Die Soziale Marktwirtschaft fühlt sich

  (a) der Freiheit verpflichtet. ❑

  (b) der Einheit verpflichtet. ❑

  (c) der sozialen Gerechtigkeit verpflichtet. ❑

2 Arbeitnehmer haben das Recht

  (a) an betrieblichen Entscheidungen mitzuwirken. ❑

  (b) Löhne mit dem Arbeitgeber direkt auszuhandeln. ❑

  (c) die Gewinne der Unternehmer zu kontrollieren. ❑

3 Die Soziale Marktwirtschaft schafft einen Ausgleich

  (a) zwischen den Interessen des Staates und der Arbeitnehmer. ❑

  (b) zwischen den Interessen der Arbeitnehmer und der Arbeitgeber. ❑

  (c) zwischen den Interessen des Staates und der Großunternehmer. ❑

4 Der Staat ist verantwortlich

  (a) für die Beschäftigungspolitik. ❑

  (b) für die betriebliche Initiative der Unternehmer. ❑

  (c) für den sozialen Wohnungsbau. ❑

5 Die Soziale Marktwirtschaft soll

  (a) wirtschaftliche Monopole verhindern. ❑

  (b) eine zu starke Ungleichheit der Einkommensverhältnisse ausgleichen. ❑

  (c) die Verantwortung der Unternehmer beschneiden. ❑

Am Ende dieser Lerneinheit geht es noch einmal um die Wahl Kiesingers zum Bundeskanzler.

Übung 8 **Hörabschnitt 12**

Sie diskutieren jetzt mit einer Freundin über Günter Grass' offenen Brief und argumentieren gegen Grass' Einstellung. Sie hören auf Englisch, was Sie sagen sollen. Sprechen Sie bitte in den Pausen. Sie beginnen das Gespräch.

In *Teil 2* you have worked on

- the history of Germany between 1945 and 1949;

- the reactions of returning exiles;

- West German currency reform in 1948;

- the concept of *Soziale Marktwirtschaft;*

- the repercussions of National Socialism in the Federal Republic;

- the introduction of the D-Mark in the GDR.

You have also

- expressed opinions;

- practised various types of subordinate clause;

- used *während* to indicate contrast;

- practised note-taking.

C h e c k l i s t e

Teil 3   Deutsches aus Ost und West

In diesem Teil gibt es zwei thematische Schwerpunkte. Sie beschäftigen sich mit einigen Bereichen der Geschichte der DDR von ihrer Gründung bis nach dem Bau der Mauer sowie mit bestimmten Themen der Geschichte der Bundesrepublik von den sechziger bis in die achtziger Jahre.

Lerneinheit 9

Diese Lerneinheit befasst sich mit ausgewählten Ereignissen der DDR-Geschichte von 1949 bis in die sechziger Jahre.

Study chart

Activity	You will be ...
1	checking you've understood an extract about the founding of the GDR
2	changing nouns into verbs and using them to write sentences
3	identifying key sections of a pledge made by Honecker in 1949
4	answering questions about Honecker's pledge
5	writing a summary about the workers' revolt in June 1953
6	reordering sentences based on an article about conditions in the GDR in 1964
7	checking you've understood the article about conditions in the GDR
8	talking about the GDR and its people in 1964

Aus der sowjetischen Besatzungszone wurde 1949 die DDR. In der ersten Übung geht es um die Gründung dieses deutschen Staates.

Übung 1

Lesen Sie die folgenden Informationen über die Gründung der DDR und beantworten Sie die Fragen.

> Am 7. Oktober 1949 konstituierte sich in Berlin (Ost) der „Deutsche Volksrat" als „Provisorische Volkskammer" und nahm eine Verfassung an. Auf dem Gebiet der SBZ war damit die Deutsche Demokratische Republik, die DDR, entstanden. […]

Die Gründung der DDR bedeutete nach der Konstituierung der Bundesrepublik Deutschland […] die staatsrechtliche Spaltung Deutschlands. Freilich war die Schaffung der DDR keineswegs nur eine „Antwort" auf die Entstehung der Bundesrepublik; vielmehr hatte seit 1947 der Kalte Krieg zur schrittweisen Spaltung Deutschlands und zur Bildung zweier deutscher Staaten geführt.

Die Provisorische Volkskammer wählte gemeinsam mit der neugeschaffenen Länderkammer am 11. Oktober 1949 den Kommunisten Wilhelm Pieck zum Präsidenten der DDR. Als Ministerpräsident bestätigte die Volkskammer am 12. Oktober den ehemaligen Sozialdemokraten Otto Grotewohl, stellvertretende Ministerpräsidenten wurden Walter Ulbricht (SED), Otto Nuschke (CDU) und Hermann Kastner (LDP).

(Hermann Weber, „Die DDR 1945–1990", 1993, S. 27, gekürzt)

die Volkskammer (-)   East German Parliament

LDP   Liberal-Demokratische Partei Deutschlands

I Wann wurde die DDR gegründet?

2 Was bedeutete das für das gesamte Deutschland?

3 Warum sieht der Verfasser die Gründung der DDR nicht als direkte Reaktion auf die Gründung der Bundesrepublik im Mai 1949?

4 In welche Position wurde Wilhelm Pieck von wem gewählt?

5 Welche Aufgaben übernahmen Otto Grotewohl und Walter Ulbricht?

Übung 2

I Finden Sie in den Informationen über die Gründung der DDR zu Übung 1 fünf weitere Substantive, aus denen Sie Verben bilden können, wie im Beispiel.

> ### Beispiel
> Gründung   gründen

2 Schreiben Sie dann jeweils einen kurzen, zum Thema passenden Satz mit diesen Verben. Verwenden Sie, wenn möglich, das Passiv.

Erich Honecker, der von 1971 bis 1989 die DDR führte, war 1949 Vorsitzender der sozialistischen Jugendorganisation „Freie Deutsche Jugend" (FDJ). Auf einer Kundgebung in Berlin machte er am 11. Oktober 1949 – als Teil einer Rede – das folgende Gelöbnis.

Übung 3

Lesen Sie das Gelöbnis und unterteilen Sie es in die drei Abschnitte, in die es sich gliedert.

Gelöbnis der deutschen Jugend, Erich Honecker auf der Kundgebung in Berlin am 11. Oktober 1949:

„Zum erstenmal in der langen Geschichte unseres Landes haben das deutsche Volk und seine Jugend sich einen Staat und eine Regierung geschaffen, die den wahren Interessen der deutschen Nation entsprechen. Zum erstenmal in ihrer Geschichte darf sich die deutsche Jugend in Vertrauen und Liebe zu diesem Staat und seiner Regierung bekennen. In diesen feierlich freudigen Stunden gedenkt die deutsche Jugend der Lehren, die ihr Jahrhunderte bitterster Erfahrungen erteilt haben. Sie gedenkt der Helden und Märtyrer des deutschen Volkes, die von den Bauernkriegen bis zum Widerstand gegen Hitler für ein Deutschland des Volkes kämpften und starben. Wir, die deutsche Jugend, geloben der Deutschen Demokratischen Republik Treue, weil sie der Jugend Frieden und ein besseres Leben bringen will und bringen kann. Wir, die deutsche Jugend, geloben der Deutschen Demokratischen Republik Treue, weil in ihr die Selbstbestimmung des deutschen Volkes zum erstenmal im ganzen Umfang hergestellt sein wird!" […]

(„Junge Welt", 12.10.1949, in Joachim Heise und Jürgen Hofmann (Hg.), „Fragen an die Geschichte der DDR", 1989, S. 94–95, gekürzt)

Übung 4

Lesen Sie das Gelöbnis noch einmal und beantworten Sie die folgenden Fragen auf Englisch.

I How do you think this pledge came over in 1949, only a few years after the end of the Third Reich and the Second World War?

2 Consider it now in the light of 40 years of GDR history. What might people think of it now?

Nach dem Tode Stalins (5. März 1953) geriet auch die innenpolitische Situation in der DDR in Bewegung. Die SED proklamierte einen „neuen Kurs" und versprach sowohl die Rücknahme von Preiserhöhungen als auch Verbesserungen im Konsum. Sie weigerte sich aber die allgemeine Erhöhung der Arbeitsnormen zurückzunehmen. Diese Erhöhung der Produktivitätsnormen der Arbeiter, zusammen mit der generellen Unzufriedenheit von Teilen der Bevölkerung, führte zu dem Arbeiteraufstand am 17. Juni 1953.

Sie lesen jetzt den Augenzeugenbericht eines der
aufständischen Arbeiter, Günter Sandow.

Schreiben Sie eine Zusammenfassung des Berichts
(etwa 100 Wörter) mithilfe der folgenden Stichpunkte:

- Beschreibung der Demonstration

- Forderungen der Arbeiter

- Ereignisse am 17. Juni

- Ergebnis des Aufstands

- Folgen für Günter Sandow

»Wir wollen freie Menschen sein«

Eigentlich ging's schon am 16. Juni los. Wir trafen uns wie immer um sieben Uhr in der Baubaracke am Block E-Süd in der neuen Stalinallee. [...] Da stürzte der Zimmermann Heinz Homuth in die Baracke: »Kollegen, wir müssen was gegen die Normerhöhung tun!« [...]

Erst waren wir nur 40 Bauarbeiter. Das Transparent vorneweg und wir mit Sprechchören hinterher: »Kollegen, reiht euch ein, wir wollen freie Menschen sein!« Der Zug schwoll schnell an. [...] Von den Baustellen, an denen wir vorbeizogen, reihten sich immer mehr Arbeiter ein. [...] Am Alexanderplatz waren wir schon mehrere tausend. [...] Alle waren sehr aufgeregt. Keiner wußte ja, was passieren wird – und trotzdem: Wir trauten uns. Und je mehr wir wurden, desto lauter wurden die Rufe: »Nieder mit den Normen!« [...]

Jetzt waren wir bestimmt über 10 000 Menschen. [...] Dann wurde aus dem Gebäude ein großer Tisch angeschleppt. Ein Arbeiter und der Erzbergbauminister Fritz Selbmann kletterten rauf. »Liebe Kollegen«, sagte Selbmann, »die Normerhöhung wird rückgängig gemacht.« Doch dazu war es zu spät. Nun wollten wir mehr.

»Freie Wahlen«, forderten einige. Und dann stand plötzlich der Fliesenleger Alfred Brun auf dem Tisch und rief zum Generalstreik auf: »Treffpunkt morgen, sieben Uhr Strausberger Platz!«

In der Nacht zum 17. bin ich durch Panzerlärm geweckt worden. Ich dachte sofort: »Jetzt rollen die Russen an.«

[...] Trotzdem, sieben Uhr Strausberger Platz, da mußte ich hin. Schon auf dem Weg dahin, in der Stalinallee, merkte ich, daß wir einen großen Fehler gemacht hatten: Jeder lief allein zum Treffpunkt. Nichts war organisiert. [...] Dann kamen mir auch schon die ersten entgegengerannt – mit blutig geschlagenen Köpfen. [...] Da hörte ich die ersten Schüsse. Vom Potsdamer Platz rollten Russenpanzer an. Auf einem stand ein hoher Offizier und rief in gebrochenem Deutsch: »Geht nach Hause. Bis 18 Uhr müssen alle von der Straße sein!«

Wir hatten verloren. Über Ost-Berlin war der Ausnahmezustand verhängt worden. Auf den Plätzen standen Panzer. [...] Es herrschte eine gespenstige Ruhe. [...] Die DDR war für mich erledigt. Im September floh ich in den Westen.

*(Günter Sandow, Wir wollen freie Menschen sein in
„50 Jahre das Beste vom Stern. Nr. 6, 1953", 1998, S. 3, gekürzt)*

Sowjetische Panzer gehen in Ostberlin gegen die demonstrierenden Arbeiter vor

Von 1949 bis 1961 flüchtete insgesamt ein Siebtel der Gesamtbevölkerung (etwa 2,7 Millionen Menschen) aus der DDR in die Bundesrepublik. Der einfachste Weg, die DDR zu verlassen, führte über Westberlin. Am 13. August 1961 versperrte die DDR diesen Weg, indem sie eine Mauer um die drei Westsektoren Berlins errichtete. Auch die Grenze zur Bundesrepublik wurde noch stärker befestigt.

Die Mauer an der Grenze zwischen West- und Ostberlin wird errichtet

Wie hat der Bau der Mauer das Leben in der DDR verändert? Dazu lesen Sie einen Auszug aus der Reportage westdeutscher Journalisten.

Übung 6

Lesen Sie den Auszug aus dem Bericht von einer Reise durch die DDR im März 1964 und bringen Sie die nachfolgenden Aussagen in die richtige Reihenfolge.

Die Toleranzschwelle des Regimes liegt heute höher als früher – jedenfalls gegenüber der Bevölkerung (nicht gegenüber rebellierenden Genossen). Und so schmerzlich die Erklärung auch anmutet, die einem SED-Mitglied wie Parteilose anbieten, ist es doch etwas grausam Einleuchtendes daran: bloß die Mauer habe das möglich gemacht. Seitdem erst sei es wirtschaftlich vorwärtsgegangen, weil der ‚Ausblutungsprozeß' aufhörte und das Regime verläßlich mit dem Arbeitskräfte-potential des Landes rechnen konnte, seitdem erst habe man den Druck im Innern lockern können.

Die Mauer als Beruhigungsfaktor – es ist eine paradoxe Vorstellung, aber sie erklärt manches: den ökonomischen Aufschwung, eine gewisse Nonchalance, die das Regime heute an den Tag legt, weil sein Sicherheits-gefühl gewachsen ist, und jene Erscheinung, die im Parteijargon ‚Festigung des Staats-bewußtseins' heißt.

In der Tat ist in der DDR ein solches Staats-bewußtsein im Entstehen. Viele meiner Gesprächspartner, auch Kritiker des Regimes, sprachen wie selbstverständlich von ihrer ‚Republik': „Wir haben in der Republik jetzt das und das gemacht …", „unsere Republik hat …" Es ist noch ein zaghaftes Staats-bewußtsein, ein ‚unterbewußtes Staats-bewußtsein', wie es ein FDJ-Funktionär ausdrückte, aber doch schon deutlich genug ausgeprägt, um die Andersartigkeit der DDR, ihre Verschiedenheit von der Bundesrepublik sichtbar werden zu lassen – und die Tatsache, daß die Bevölkerung dieser Verschiedenheit in zunehmendem Maße gewärtig ist.

Psychologisch ist das durchaus erklärlich. Die Mehrzahl der Menschen verharrt nun einmal nicht auf unbestimmte Zeit in Trotzpose und Widerstandshaltung; sie arrangiert sich mit ihrer Umwelt, wenn diese Umwelt unabänderlich zu sein scheint. Die Menschen in der DDR mögen auch nicht die Leistungen, die sie trotz aller äußeren und inneren Schwierig-keiten im Laufe der Zeit vollbracht haben, verlachen oder verspotten; schließlich sind es ihre eigenen Leistungen. Aus dem Schöpfer-stolz wird so eine gewisse Identifizierung, aus der Identifizierung am Ende das Sich-Abfinden.

Nicht, daß dies Sich-Abfinden sie zu Kommunisten machte – das sind sie nicht und werden sie nicht. Aber ihre gesonderte Existenz hat über die Jahre hinweg doch dazu geführt, daß viele auch dem westlichen System distanziert gegenüberstehen. Sie beneiden den Westen in vielem, aber sie wünschen ihn nicht in allem nachzuahmen. „Bei euch liegt so manches im argen", mußte ich mir von einem alten Bekannten vorhalten lassen. „Meine Frau erwartet jetzt ein Kind; das wird uns keinen Pfennig kosten. In der Bundesrepublik aber? Dann gibt es 8000 Ein-Klassen-Schulen bei euch, bei uns keine mehr – schämt ihr euch eigentlich gar nicht? Und die alten Nazis, die Hitler-Generale in hohen Stellungen? Wenn auch nur die Hälfte von dem stimmt, was in unseren Zeitungen steht, ist es schlimm genug!"

(Marion Gräfin Dönhoff, Rudolf Walter Leonhardt und Theo Sommer, „Reise in ein fernes Land", 1968, S. 108–109)

an den Tag legen   to display

gewärtig sein (+ Gen.)   (here) to be aware of

in Trotzpose verharren   to maintain a defiant position

Der Journalist:

○ spricht davon, wie sich die Einstellung der DDR-Bürger zum Westen geändert hat.

○ beschreibt die Folgen, die der Mauerbau auf die Regierung der DDR hat.

○ versucht eine psychologische Erklärung des neuen Staatsbewusstseins der DDR-Bürger zu geben.

○ zitiert die Kritik eines DDR-Bürgers an der Bundesrepublik.

○ spricht von den wirtschaftlichen Folgen des Mauerbaus für die DDR.

○ beschreibt das entstehende Staatsbewusstsein der DDR-Bürger.

Übung 7

Lesen Sie die folgenden Aussagen über den Bericht in Übung 6 und entscheiden Sie, ob sie richtig oder falsch sind. Korrigieren Sie die falschen Aussagen.

		Richtig	Falsch
I	Das Regime ist heute toleranter gegenüber Dissidenten innerhalb der Partei.	☐	☐
2	Trotz des Mauerbaus geht es heute der DDR wirtschaftlich besser.	☐	☐
3	Das Regime fühlt sich jetzt sicherer als früher.	☐	☐
4	In der DDR gibt es jetzt ein deutlich ausgeprägtes Staatsbewusstsein.	☐	☐
5	Die DDR-Bevölkerung ist sich der Unterschiede zwischen den beiden deutschen Staaten immer stärker bewusst.	☐	☐
6	Die Bürger der DDR sind stolz auf ihre Leistungen.	☐	☐
7	Als gute Kommunisten stehen viele DDR-Bürger der Bundesrepublik kritisch gegenüber.	☐	☐
8	Der Bekannte der Autoren lobt die sozialen Zustände in der Bundesrepublik.	☐	☐

Übung 8 Hörabschnitt 13

Sie unterhalten sich jetzt mit einem Bekannten über die Zustände in der DDR nach dem Mauerbau aus der damaligen Perspektive. Sie hören auf Englisch, was Sie sagen sollen. Sprechen Sie in den Pausen.

M Q2.16, Q2.17, Q2.18

Lerneinheit 10

Im Mittelpunkt dieser Lerneinheit stehen die westdeutsche Studentenbewegung der sechziger Jahre und ihre Folgen, insbesondere die Entwicklung des westdeutschen Terrorismus.

Study chart

Activity		You will be ...
1, 2		identifying key points of an account of the events of 2 June 1967
3		acting as an interpreter in an eyewitness's account of the event
4		finding examples of polemic descriptions of students in an article
5		identifying examples of the use of irony and criticism
6		writing a letter in response to an article
7		translating a short extract
8		studying a chronology of terrorism
9		trying to explain the actions of the *Rote Armee Fraktion* (RAF)

In den sechziger Jahren kam es in der Bundesrepublik – wie auch in anderen westlichen Ländern – zu Studentenunruhen. Der Protest der westdeutschen Studentenbewegung richtete sich nicht nur gegen die unverarbeitete Nazivergangenheit, sondern insgesamt gegen die Strukturen der damaligen westdeutschen Gesellschaft. Die Große Koalition unter Bundeskanzler Kiesinger und ihre Politik wurden von den Studenten heftig kritisiert. Aus dieser Kritik entwickelte sich die Außerparlamentarische Opposition (APO).

Die Studentinnen und Studenten wandten sich gegen diktatorische Regime in anderen Ländern und deren politische Unterstützung durch den Westen und protestierten auch gegen den Krieg in Vietnam, den die USA führten.

Als der Schah von Persien, Reza Pahlevi, im Juni 1967 auf Staatsbesuch in die Bundesrepublik kam, führte dies im ganzen Land zu Demonstrationen gegen das persische Regime. Am 2. Juni 1967 – beim Besuch des Schahs in Westberlin – kam es zur Eskalation. Dieser Tag wurde zum historischen Datum.

Darüber schreibt der Journalist Stefan Aust in seinem Buch „Der Baader-Meinhof-Komplex".

Übung I

Lesen Sie in diesem Ausschnitt aus Austs Buch, was am Abend des 2. Juni in Westberlin geschah. Geben Sie die Zeilen an, in denen:

I die Reaktionen der Demonstranten nach Beginn des gewalttätigen Polizeieinsatzes;

2 das Todesopfer Benno Ohnesorg;

3 der Zivilbeamte Karl-Heinz Kurras;

4 der Zwischenfall, der den Tod Benno Ohnesorgs verursachte, beschrieben werden.

[Der Schah und seine Begleitung hatten die Oper erreicht.] […] Langsam rückten die Demonstranten ab, wollten sich auf die umliegenden Kneipen verteilen und um 22.00
5　Uhr nach Schluß der Mozart-Aufführung zur Verabschiedung des Schahs neu versammeln. Plötzlich fuhren Krankenwagen auf, vierzehn insgesamt. Die Polizeibeamten, die sich in einer Reihe vor den Demonstranten aufgebaut
10　hatten, zogen die Knüppel. Einige Schaulustige versuchten, über die Absperrgitter zu entkommen, wurden aber zurückgetrieben.

Dann stürmte die Polizei. Ohne die gesetzlich
15　vorgeschriebene Warnung prügelten die Beamten los. […]

Es setzte ein die brutalste Knüppelei, die man bis dahin im Nachkriegs-Berlin erlebt hatte.

Blutüberströmt brachen viele Demonstranten
20　zusammen. Eine junge Hausfrau schlug unter den Hieben lang auf die Straße, wurde von Polizisten aus dem Getümmel getragen und fand ihr Foto am nächsten Tag in der Zeitung wieder, versehen mit der Unterzeile, tapfere
25　Polizisten hätten sie aus dem Steinhagel entmenschter Demonstranten gerettet. Die Krankenwagen füllten sich in wenigen Minuten. Demonstranten rannten in panischer Angst davon – soweit sie von der Polizei nicht
30　daran gehindert wurden. […]

Im Dunkel der Nacht konnten die Studenten kaum noch ausmachen, wer Polizist, wer Zivilbeamter und wer Schah-Agent war.

Einer der Nichtuniformierten war der 39
35　Jahre alte Kriminalobermeister Karl-Heinz Kurras aus der Abteilung 1, Politische Polizei. Zusammen mit seinen Kollegen bildete er einen Greiftrupp. Gegen 20.30 Uhr hielten sich die Beamten in der Nähe des Grund-
40　stücks Krumme Straße 66/67 auf.

Auf der einen Seite stand eine Kette von Polizisten, ihnen gegenüber ein letzter Pulk von Demonstranten. Sie riefen „Mörder". […] Steine flogen in Richtung auf die Polizisten.

45　Einer der Beamten meinte, einen Rädelsführer zu sehen: er trug einen Schnurrbart, ein rotes Hemd und Sandalen ohne Socken. Der Kriminalbeamte stürzte auf ihn zu. Karl-Heinz Kurras folgte seinem Kollegen. Sie stellten
50　den Verdächtigen und rissen ihn zu Boden. Uniformierte Beamte kamen ihnen zur Hilfe. Demonstranten liefen dazu, umringten die Polizisten, es kam zum Handgemenge. Der niedergeworfene Student riß sich los,
55　versuchte zu entkommen. Schutzpolizisten setzten nach, erreichten ihn, traktierten ihn mit Schlägen. Regungslos hing der Student in ihren Armen, sackte langsam zu Boden.

In diesem Augenblick war auch Karl-Heinz
60　Kurras zur Stelle, in der Hand eine entsicherte Pistole vom Kaliber 7,65 Millimeter. Die Mündung war kaum einen halben Meter vom Kopf des Demonstranten entfernt, so

jedenfalls erschien es Augenzeugen. Plötzlich
65 löste sich ein Schuß. Die Kugel traf über dem
rechten Ohr, drang in das Gehirn und
zertrümmerte die Schädeldecke. Einer der
Polizeibeamten hörte den Knall, drehte sich
um und sah Kurras mit der Waffe in der Hand.
70 „Bist du denn wahnsinnig, hier zu schießen?"
schrie er. Kurras antwortete: „Die ist mir
losgegangen".

Der Demonstrant wurde in das städtische
Krankenhaus Moabit gebracht, die Wunde
75 zugenäht und als Todesursache zunächst
Schädelbruch diagnostiziert.

Sein Name war Benno Ohnesorg, 26 Jahre alt,
Student der Romanistik, ein Pazifist und
aktives Mitglied der evangelischen Studenten-
80 gemeinde. Er hatte das erste Mal in seinem
Leben an einer Demonstration teilgenommen.

*(Stefan Aust, „Der Baader-Meinhof-Komplex",
1997, S. 57–59, gekürzt und leicht abgeändert)*

Der Schah und Farah in Berlin am 2. Juni 1967

Übung 2

Suchen Sie in dem Ausschnitt in Übung 1 die Ausdrücke, mit denen man Leute bezeichnet, die:

1 an einer Massenkundgebung teilnehmen;

2 zusehen wollen, wenn etwas Aufregendes passiert;

3 andere bei ungesetzlichen Aktionen anführen;

4 ein bestimmtes Geschehen beobachtet haben und darüber etwas aussagen können.

Übung 3   Hörabschnitt 14

Sie arbeiten jetzt als Dolmetscher beziehungsweise Dolmetscherin für eine Reporterin, die einen Augenzeugen der Ereignisse am Abend des 2. Juni befragt. Der Augenzeuge spricht nur Englisch, die Reporterin nur Deutsch. Sprechen Sie jeweils auf Deutsch oder Englisch in den Pausen.

Der Tod des Studenten Benno Ohnesorg führte zu einer Eskalation der Protestbewegung. Als der Studentenführer Rudi Dutschke (1940–1979) am 11. April 1968 bei einem Attentat schwer verletzt wurde, kam es auch zu Demonstrationen und Aktionen gegen Teile der Presse. Sie wurde der Hetze gegen die Studenten beschuldigt.

Sie untersuchen nun anhand eines Beispiels, wie Studenten und Studentinnen damals von Teilen der Presse dargestellt wurden.

Übung 4

Lesen Sie den Auszug aus der Illustrierten „Bunte". Im ersten Satz werden hier die demonstrierenden Studenten „Lümmel" genannt. Unterstreichen Sie alle weiteren Ausdrücke, mit denen die Demonstranten bezeichnet werden.

[...] Über jeden und jedes in unserem Lande und auf der Welt schwingen sich diese Lümmel zu Richtern auf. Es weiß ja auch niemand so gut wie sie, alles, aber auch alles zu beurteilen. [...] Worüber sich wohlinformierte, ernsthaft denkende Menschen die Köpfe zerbrechen, um zu einer abgewogenen Meinung zu gelangen [...] – den jungen Herren mit ein paar anstudierten Kenntnissen, verquollenen Philosophien, ohne Lebenserfahrung und ohne Verantwortung ist selbstverständlich alles klar! Wahre Genies! Man braucht sich ja diese Typen nur anzusehen, um das zu erkennen! [...]

Anstand, Würde, Ordnung – das sind ihnen offenbar unbekannte Begriffe.

Sie lehnen jede Ordnung, die ein Zusammenleben der Menschen erst möglich macht, ab. Sie respektieren nichts, gar nichts. [...]

Noch nie in der deutschen Geschichte hat es eine solche – trotz aller Holprigkeit – funktionierende Demokratie gegeben. [...] Was wir heute haben, ist die dem einzelnen Menschen soweit wie möglich angenehmste Staatsform, die wir Deutschen je gehabt haben! Das sollten wir nicht vergessen!

Gerade das aber stellen die Intelligenz-Rocker, die gegen die jetzige Ordnung aufbegehren, nicht nur in Frage, sondern sie negieren es! [...]

*(Karlheinz Schönherr, „Bunte" (**41**), 1968, S. 11, gekürzt)*

verquollen (here) confused, muddled

Der Autor dieses Artikels ist den demonstrierenden Studenten gegenüber kritisch eingestellt. Dies lässt sich sowohl an ironischen Bemerkungen wie zum Beispiel „wahre Genies" als auch an sachlichen Äußerungen erkennen.

1 Welche weiteren Bezeichnungen und welche Aussagen sind hier ebenfalls ironisch gemeint?

2 Was wirft der Verfasser den Studenten vor? Fassen Sie die drei Hauptpunkte seiner Kritik zusammen.

Schreiben Sie jetzt einen kurzen Leserbrief an die „Bunte", in dem Sie die Studenten verteidigen und die „Bunte" kritisieren.

Der Anfang und das Ende Ihres Briefs sind Ihnen schon vorgegeben. Schreiben Sie etwa 60 Wörter.

Sehr geehrte Redaktion!
Als Antwort auf Ihren Artikel über die Studenten in Heft 41 möchte ich die folgenden Anmerkungen machen: Ich denke, die Studenten haben ein Recht zu demonstrieren und kritische Fragen an die Gesellschaft zu stellen.
…
Ich hoffe, dass Ihre Berichterstattung in Zukunft weniger polemisch sein wird und sich mit den Argumenten der Studenten sachlich auseinander setzt.
Hochachtungsvoll

Das Ende der Großen Koalition von Christdemokraten (CDU/CSU) und Sozialdemokraten (SPD) und die Wahl Willy Brandts zum Bundeskanzler im Jahre 1969 bedeutete auch das Ende der Außerparlamentarischen Opposition (APO) und damit der Studentenbewegung. Aus der Studentenbewegung entwickelten sich die Frauenbewegung und die Umweltschutzbewegung. Eine Minderheit der Protestbewegung jedoch bildete terroristische Gruppen, die den Staat aktiv bekämpften. Die bekannteste Gruppe entwickelte sich um Andreas Baader und Ulrike Meinhof – die später so genannte Rote Armee Fraktion (RAF). Ihre blutigen Aktionen fanden ihren Höhepunkt im Herbst des Jahres 1977, als der westdeutsche Arbeitgeberpräsident Hanns-Martin Schleyer am 5. September entführt und sechs Wochen später ermordet wurde.

Nur wenige Wochen später, im Oktober 1977, wurden die inhaftierten Terroristen Andreas Baader, Jan-Carl Raspe und Gudrun Ensslin tot in ihren Zellen im Hochsicherheitsgefängnis Stuttgart-Stammheim gefunden.

Hanns-Martin Schleyer in der Gewalt der RAF-Terroristen

Der Tatort in Köln, an dem Hanns-Martin Schleyer am 5. September 1977 entführt wurde und seine vier Begleiter erschossen wurden

Lerneinheit 10

In den letzten drei Übungen dieser Lerneinheit geht es um die Bilanz des westdeutschen Terrorismus. Sie arbeiten noch einmal mit dem Buch von Stefan Aust.

Übung 7

Lesen Sie den folgenden Ausschnitt aus Austs Buch, der mit einem Lehrstück von Bertolt Brecht beginnt. Dieses Lehrstück wurde nach ihrem Tode in der Zelle der Terroristin Gudrun Ensslin gefunden. Übersetzen Sie das Lehrstück ins Englische.

> „Furchtbar ist es, zu töten.
> Aber nicht andere nur, auch uns töten wir,
> wenn es nottut
> Da doch nur mit Gewalt diese tötende
> Welt zu ändern ist, wie
> Jeder Lebende weiß."
> Bis zu diesem „deutschen Herbst" des Jahres 1977 waren 28 Menschen bei den Anschlägen oder Schußwechseln ums Leben gekommen. 17 Mitglieder der „Stadtguerilla" fanden den Tod. Zwei gänzlich Unbeteiligte waren bei Fahndungsmaßnahmen versehentlich von der Polizei erschossen worden.
> 47 Tote. Das ist die Bilanz von sieben Jahren „Untergrundkampf" in der Bundesrepublik Deutschland.
>
> *(Stefan Aust, „Der Baader-Meinhof-Komplex",*
> *1997, S. 658)*

Wie entwickelte sich der Terrorismus nach den Ereignissen im Herbst 1977 weiter?

Übung 8

Lesen Sie jetzt, was Aust über die weitere Entwicklung der RAF schreibt, und beantworten Sie die nachfolgenden Fragen.

> Das blutige Ende des „Deutschen Herbstes" war nicht das Ende des Terrorismus in Deutschland. Die neue RAF hatte nur dazugelernt. Sie hinterließ keine Spuren mehr. Sie mordete aus dem Hinterhalt:

24.9.1978 Dortmund	Schußwaffengebrauch gegen Polizeibeamte bei der Festnahme von Angelika Speitel; ein Beamter tödlich, ein weiterer schwer verletzt.
25.6.1979 Mons/Belgien	Sprengstoffanschlag auf US-General Alexander Haig; zwei Polizeibeamte im Begleitfahrzeug schwer verletzt.
4.8.1981 Paris	Inge Viett schießt auf einen Polizeibeamten und verletzt ihn schwer. [...]
1.2.1985 Gauting	Sprengstoffanschlag auf MTU-Chef Ernst Zimmermann; Zimmermann tödlich verletzt. [...]
8.8.1985 Frankfurt	Sprengstoffanschlag auf US-Basis; zwei Tote. [...]
9.7.1986 Straßlach	Sprengstoffanschlag auf Siemens-Manager Karl-Heinz Beckurts; Beckurts und sein Fahrer Groppler tödlich verletzt. [...]
30.11.1989 Bad Homburg	Sprengstoffanschlag auf Deutsche-Bank-Sprecher Alfred Herrhausen; Herrhausen tot, sein Fahrer verletzt.
1.4.1991 Düsseldorf	Ermordung von Treuhand-Chef Detlev Karsten Rohwedder; Ehefrau verletzt.
27.6.1993 Bad Kleinen	Zugriff auf [die Terroristen] Wolfgang Grams und Birgit Hogefeld; GSG-9-Beamter Michael Newrzella tödlich verletzt. [...]

> 1996/97 endlich scheint es, als habe die RAF ihren sinnlosen tödlichen Kampf aufgegeben. Inhaftierte Gefangene aus der RAF, die mit dem Leben davongekommen waren, sagten sich vom „bewaffneten Kampf" los, jenem Mythos, für den sie gemordet hatten und für den sie am Ende lebendig begraben worden waren. [...]
>
> Ein Spuk, der am 14. Mai 1970 mit der Befreiung Andreas Baaders aus der Haft begonnen hatte, ist nach mehr als einem Vierteljahrhundert vorbei.
>
> *(Stefan Aust, „Der Baader-Meinhof-Komplex",*
> *1997, S. 659–660, gekürzt und leicht abgeändert)*

GSG-9   special anti-terrorist unit of the *Bundesgrenzschutz* (Federal Border Guard)

1 Welche Personengruppen wurden von den RAF-Terroristen vor allem ermordet?

2 Woraus schließt Aust, dass 1996/1997 der RAF-Terrorismus endgültig vorbei ist?

3 Welches Ereignis hatte den Beginn des RAF-Terrorismus eingeläutet? Wann fand dieses Ereignis statt?

Lesen Sie das Zitat von Ulrike Meinhof und überlegen Sie sich:

- warum die RAF bestimmte Gruppen gezielt ermordete;

- warum die Gewalt der RAF nicht mit dem Tod von Baader, Ensslin und Raspe endete.

Schreiben Sie etwa 100 Wörter auf Englisch.

> „Die Aktionen der Stadtguerilla richten sich nie, richten sich nie gegen das Volk. Es sind immer Aktionen gegen den imperialistischen Apparat. Die Stadtguerilla bekämpft den Terrorismus des Staats.“
> (Ulrike Meinhof)
>
> *(Stefan Aust, „Der Baader-Meinhof-Komplex", 1997, S. 363)*

Lerneinheit 11

In dieser Lerneinheit, die wiederum der Grammatik vorbehalten ist, geht es um Modalpartikeln am Beispiel von „ja", um weitere Nebensatzkonstruktionen und Alternativen dazu.

Activity		You will be …
1	💿	identifying where *ja* is positioned in sentences
2		inserting *ja* in the right position
3		identifying particular uses of *ja*
4	💿	answering questions using *ja*
5		rewriting sentences using *um … zu …*
6		rewriting sentences using *zu* plus a noun
7		translating sentences using *zu* plus infinitive after different prepositions
8		rewriting sentences using *dass*

Study chart

Übung 1 **Hörabschnitt 15**

Listen to these sentences from the video *Zwischen Elbe und Erzgebirge*. In each of the sentences you will hear the modal particle *ja*. Practise saying the sentences by listening to them again and repeating them, using your pause button.

Now read the sentences below and insert *ja* at the point where you hear it.

1 August war bekannt, berühmt, berüchtigt für seine äußerste Prunkentfaltung am Hof.

2 Sie wissen, dass es seit 1710 die Porzellanmanufaktur gab …

3 Man musste zum Förderschacht das ganze Erz bringen, dass man es rausbringen konnte.

4 Ja, das ist der sächsische Silberbergbau gewesen, der oberste Bergherr war also auch jeweils der Landesfürst, zum Beispiel August der Starke.

5 Ja, zu DDR-Zeiten waren sehr viele Frauen hier in der Region im Textilbereich beschäftigt.

Using modal particles

10 (intro), T.10.1 Words like *ja, doch, denn, aber, halt, schon,* etc. can be used not only in their primary meaning, but also as so-called modal particles (in German, *Modalpartikeln*).

When used like this these words don't change the actual meaning of the sentence, but rather the emphasis, to convey the subtleties of the speaker's intentions and attitudes. So although learning them might take time, using them will improve the quality of your spoken German.

10.19.1 (a)–(b) Look again at one of the examples from *Übung 1*.

August war **ja** bekannt, berühmt, berüchtigt für seine äußerste Prunkentfaltung am Hof.

Here, the use of *ja* does not affect the factual content of the sentence. Rather, the speaker's use of *ja* implies that he or she assumes that the listener is already aware of the truth of the statement s/he is making and so will not disagree with it.

In the examples in *Übung 1* the statements modified with *ja* are not disputed, and speaker and listener are assumed to be in agreement. *Ja* can, however, also be used as a rhetorical device to appeal for agreement. The speaker is insisting that his or her view is correct.

In the following activity you will practise putting *ja* in the correct position in sentences where the writer is trying to make a particular point or emphasize a point of view.

Übung 2

Read these sentences from Karlheinz Schönherr's article (Lerneinheit 10, Übung 4) and insert *ja* in the appropriate place.

1 Diese Lümmel schwingen sich über jeden und jedes zu Richtern auf.

2 Es weiß auch niemand so gut wie sie, alles zu beurteilen.

3 Den jungen Herren ist alles klar.

4 Man braucht sich diese Typen nur anzusehen, um das zu erkennen!

5 Anstand, Würde, Ordnung – das sind unbekannte Begriffe für sie.

6 Sie lehnen jede Ordnung ab.

7 Sie respektieren nichts, gar nichts.

One of the reasons why the use of modal particles can be tricky is that for many of them, the meaning can change according to the context and the situation in which they are used.

More on 'ja' as a modal particle

10.19.1– 10.19.5 So far, you have learned that *ja* may be used as a modal particle either as:

(a) an appeal for agreement when the speaker assumes that the listener is in agreement, or

(b) an appeal for agreement when the speaker is insisting that s/he is right.

There are four further uses of *ja*. These are:

(c) in exclamations to express surprise;

(d) to intensify a command, often implying a warning or threat (NB in this case only *ja* can be stressed);

(e) in a string of nouns, verbs or adjectives to emphasize the importance of the word which follows it;

(f) as a question tag at the end of a phrase or sentence, asking for affirmation.

Übung 3

Read the following sentences and for each note down in which of the ways (a)–(f) listed above *ja* is being used.

> *Example*
>
> Du warst ja beim Friseur! (c)

1 Du kannst ja mal versuchen den Hund anzufassen!

2 Das ist ja unglaublich!

3 Komm ja nicht näher!

4 Das konnte ja nicht funktionieren.

5 Es war eine gute, ja interessante Erfahrung.

6 Treffen wir uns morgen früh, ja?

7 Ich kann ja mal mit ihm darüber sprechen, wenn du denkst, dass das hilft.

Now answer some questions using *ja* as a modal particle. Listen to each question and respond as in the examples.

Examples

Warum hast du mir denn nicht Bescheid gesagt?
Ich hab' ja versucht dir Bescheid zu sagen.

Warum habt ihr denn nicht eingegriffen?
Wir haben ja versucht einzugreifen.

You no doubt noticed that, besides practising the use of *ja* in *Übung 4*, you also used infinitive clauses again, the subject of *Lerneinheit 7*. In the following exercise you practise a specific use of the infinitive.

Expressing purpose using the infinitive

 13.2.7(a)   If you wanted to say why West German students took to the streets in the 1960s, one way would be:

Ihr Protest hatte das Ziel die Gesellschaft zu ändern.

Another way of expressing the same idea would be:

Sie protestierten **um** die Gesellschaft **zu** ändern.

By adding *um* to the infinitive with *zu*, you are expressing the idea of purpose: "They protested in order to change society."

Übung 5

Rewrite sentences 1–6 using *um … zu …*

Example

Vor der Oper hatten sich Hunderte von Studenten versammelt. Sie hatten vor, gegen den Besuch des Schahs zu demonstrieren.

Vor der Oper hatten sich Hunderte von Studenten versammelt **um** gegen den Besuch des Schahs **zu** demonstrieren.

1 Die Polizei hatte Absperrgitter aufgestellt. Ihr Zweck war es die Demonstranten zurückzuhalten.

2 Hinter dem Gitter standen Polizisten. Ihre Aufgabe war es den Schah zu schützen.

3 Die Demonstranten rannten in panischer Angst davon. Sie wollten sich in Sicherheit bringen.

4 Der Kriminalbeamte stürzte auf den Studenten los. Er wollte den vermeintlichen Rädelsführer verhaften.

5 Andere Beamte folgten ihrem Kollegen. Sie wollten ihm helfen.

6 Die Kriminalbeamten stellten den Verdächtigen. Ihre Aufgabe war es ihn zu verhaften.

Alternatives to using 'um … zu …'

Look at this sentence with *um … zu…*:

Die Demonstranten wollten sich um 22.00 Uhr nach Schluss der Mozart-Aufführung neu versammeln um den Schah zu verabschieden.

The same meaning can be expressed as follows:

Die Demonstranten wollten sich um 22.00 Uhr nach Schluss der Mozart-Aufführung zur Verabschiedung des Schahs neu versammeln.

Instead of using a construction with *um … zu …, zu* + a noun can also be used to express purpose.

 22.2   If you want to use *zu* + noun instead of *um … zu … +* infinitive, you need to use a noun that derives from the verb.

Quite often, this is done in German by adding the suffix *-ung* to the stem of the word.

verabschieden → Verabschiedung

 2.3.1   You also need to put the accusative object of the verb in the *um … zu …* clause into the genitive to complement the noun, just as in English you would use 'of'.

… um den Schah zu verabschieden →
… zur Verabschiedung des Schahs

Rewrite these sentences, using *zu* + noun instead of *um … zu …* You should note that all the nouns derived from the verbs are formed with *-ung* at the end.

Example

Um seine Prunkbauten zu finanzieren hat August der Starke diverse Steuern erhoben.

Zur Finanzierung seiner Prunkbauten hat August der Starke diverse Steuern erhoben.

1 Um weitere wilde Ansiedlungen im Erzgebirge zu verhindern wurde 1496 die Stadt Annaberg gegründet.

2 Um den Silberbergbau zu erweitern wurden immer tiefere Schächte gegraben.

3 Um ein paar Zentimeter Spitze herzustellen braucht selbst eine geübte Klöpplerin viele Stunden.

4 Um 1 000 Jahre sächsischer Geschichte darzustellen wurde ein riesiges Wandbild aus Meißener Porzellan geschaffen.

5 Um an die Opfer des Ersten Weltkriegs zu erinnern wurde eine Gedenkstätte aus Porzellan errichtet.

6 Das Denkmal wurde jedoch nicht angefertigt um Helden zu verehren.

Other uses of the infinitive with 'zu'

13.2.7 (b)–(d) *Um* is not the only preposition that can be followed by an infinitive with *zu*. Others include:

(a) *ohne … zu …*

(b) *(an)statt … zu …*

(c) *außer … zu …*

In the next activity you practise these prepositions with *zu* + infinitive.

Übung 7

Please translate these sentences into German.

1 They left without saying goodbye.

2 What could I do but complain?

3 Instead of talking to her friends, she went to see a priest.

4 He worked all day without taking a break.

5 Instead of paying cash, she used her credit card.

6 We did nothing all week except shop.

More on subordinate clauses

In *Lerneinheit 7* you learned that dependent clauses (i.e. clauses that do not constitute full sentences on their own) can either be infinitive clauses or subordinate clauses. Subordinate clauses are introduced either by a relative pronoun or a subordinate conjunction, which both automatically send the finite verb to the end of the clause.

19.2.1(b) This is normally the case where the conjunction *dass* introduces a dependent clause. However, there are some cases where *dass* can be omitted:

Man sagt, er wurde nur noch von Ludwig XIV. übertroffen.

Übung 8

Rewrite these sentences using *dass*.

Example

Man sagt, er wurde nur noch von Ludwig XIV. übertroffen.

Man sagt, **dass** er nur noch von Ludwig XIV. übertroffen wurde.

1 Wir sagen, es kommt alles vom Bergbau her oder vom Bergwerk.

2 Sie sehen, man kann mit allem, was lang und reißfest ist, klöppeln.

3 Aber nicht, dass Sie jetzt denken, das ist was ganz Neues.

4 Ich möchte sagen, der überwiegende Teil der Frauen, die in der Produktion beschäftigt waren, waren in der Textilindustrie beschäftigt.

Lerneinheit 12

In dieser Einheit befassen Sie sich noch einmal mit einigen der Ereignisse, die im Mittelpunkt dieses Teils standen – mit dem Aufstand vom 17. Juni 1953, mit dem Tod des Studenten Benno Ohnesorg und dem westdeutschen Terrorismus.

Study chart

Activity	You will be ...
1	revising key dates and events in the history of the GDR
2	identifying key points in Honecker's account of the workers' revolt in 1953
3	taking notes about an eyewitness account of the workers' revolt
4	comparing two versions of the 1953 workers' revolt
5	writing about the death of Benno Ohnesorg
6	comparing information about the results of the students' revolt in West Germany
7	rewriting sentences using um ... zu ... and alternatives
8	writing a summary about the aims of a West German terrorist group

Sie wiederholen jetzt einige Fakten und Daten zur Geschichte der DDR.

Übung 1

Lesen Sie die folgenden Aussagen und entscheiden Sie, ob sie richtig oder falsch sind. Korrigieren Sie die falschen Aussagen.

Wenn Sie sich nicht sicher sind, suchen Sie die entsprechenden Informationen in den ersten fünf Übungen von Lerneinheit 9.

		Richtig	Falsch
1	Die DDR wurde am 7. Oktober 1949 gegründet.	❏	❏
2	Erich Honecker wurde zum ersten Präsidenten der DDR gewählt.	❏	❏
3	Der Arbeiteraufstand in der DDR begann mit einem Barrikadenkampf in Ostberlin.	❏	❏
4	Der Aufstand wurde am 17. Juni gewaltsam beendet.	❏	❏
5	Die DDR baute am 17. Juni 1958 die Mauer um Westberlin.	❏	❏
6	Die Mauer wurde gebaut um die Flucht der DDR-Bürgerinnen und Bürger nach Westdeutschland zu verhindern.	❏	❏

Auch in den nächsten Übungen geht es noch einmal um den 17. Juni 1953, in Übung 2 aus der Perspektive der Parteiführung.

Übung 2

Erich Honecker, der spätere Staats- und Parteichef der DDR, war 1953 Vorsitzender der FDJ und Mitglied des Zentralkomitees der SED. In dem folgenden Abschnitt seiner Autobiografie präsentiert er seine Version des Aufstandes vom 17. Juni. Sie spiegelt die offizielle Linie der SED-Regierung wider.

1 Notieren Sie alle Ausdrücke, mit denen Honecker die Urheber des Aufstands beschreibt.

2 Wie beschreibt er den Aufstand?

> Am 17. Juni 1953 kam es in Berlin und einigen anderen Städten der DDR zu Arbeitsniederlegungen und Demonstrationen. Die Feinde des Sozialismus nutzten Mißstimmungen von Werktätigen, um ihren von langer Hand vorbereiteten, durch imperialistische Geheimdienste und Agentenzentralen gesteuerten konterrevolutionären Putschversuch zu starten. Doch der von ihnen angestrebte „Generalstreik" blieb aus. Als die Arbeiter sahen, daß die konterrevolutionären Provokateure wie die Faschisten hausten, distanzierten sie sich sehr rasch von ihnen. In vielen Betrieben traten sie den Aufwieglern entschlossen entgegen. Die bewaffneten Organe der DDR schritten ein, an ihrer Seite Einheiten der in der DDR stationierten sowjetischen Streitkräfte. Das war ausschlaggebend für den raschen Zusammenbruch des Putschversuches.
>
> *(Erich Honecker, „Aus meinem Leben", 1982, S. 274)*

Übung 3

Lesen Sie den Augenzeugenbericht von Günter Sandow in Übung 5, Lerneinheit 9 noch einmal und machen Sie sich Notizen zu den folgenden Punkten:

- Ausgangsort des Aufstands
- genauer Zeitpunkt des Beginns
- Verlauf der Ereignisse
- Forderungen der Arbeiter

- Reaktion der Staatsmacht
- Ergebnis des Aufstands

Übung 4 Hörabschnitt 17

Sie halten jetzt einen kurzen Vortrag über die Ereignisse am 16./17. Juni 1953 und die offizielle Beurteilung des Aufstandes von der SED-Regierung. Benutzen Sie dazu die Informationen und Lösungen aus den beiden vorhergehenden Übungen.

Sprechen Sie auf eine Leerkassette für etwa eine Minute. Hören Sie dann eine Modellantwort auf der CD.

Sie beschäftigen sich jetzt noch einmal mit dem 2. Juni 1967. Was genau geschah an diesem Abend in Berlin?

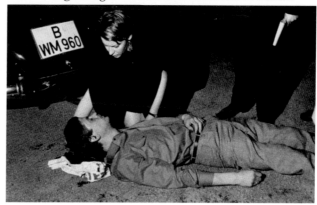

Tödlich getroffener Benno Ohnesorg in der Nähe der Oper

Übung 5

Beschreiben Sie, was Sie auf diesem Foto sehen, und berichten Sie dann, welche Ereignisse dieser Szene vorangegangen sind. Orientieren Sie sich dabei an dem Auszug aus Stefan Austs Buch „Der Baader-Meinhof-Komplex", den Sie in Übung 1, Lerneinheit 10 gelesen haben.

Gehen Sie in Ihrer Darstellung auf die folgenden Punkte ein:

- Beschreibung der Szene
- Person des Opfers
- Ereignisse am Abend des 2. Juni 1967
- Tathergang

Schreiben Sie etwa 150 Wörter.

Die Auswirkungen der Ereignisse des 2. Juni sind im Folgenden am Beispiel des – fiktiven – Studenten „Bernd S." beschrieben, bei dem die Nachricht vom Tod Benno Ohnesorgs eine „persönliche Revolte" auslöste.

Übung 6

Lesen Sie den Auszug aus dem Buch und bearbeiten Sie die beiden Aufgaben.

> Abends die Nachricht im Radio: in Berlin ist ein Demonstrant erschossen worden. Von diesem Tag an ging es rasend weiter. Er unterbrach sich manchmal im Lauf seiner persönlichen Revolte, wie um seiner selbst inne zu werden, und war erstaunt, wie wenig er sich gleich blieb. Er hörte von Kundgebungen, ging hin.
>
> Vor der Universität fand eine große Versammlung statt. Unter den Teilnehmern stand einer mit Kind und Kinderwagen. Er war nicht mehr jung, seriös wirkend und hatte sein Kind an der Hand. Dieses Bild prägte sich Bernd tief ein; es war das Gegenbild dessen, was er in der *Bild-Zeitung* gelesen hatte: Radikalinskis, Studenten, junge Leute ohne Verantwortung. […] Auch die Trauerfeier auf dem Schloßhof am nächsten Tag besuchte er, emotional erregt wie alle anderen. Durch die Reden der Trauerfeier ging eine Welle der Empörung und Erregung durch alle Beteiligten, alle waren fassungslos. Das erzeugte in ihnen ein Gefühl der Zusammengehörigkeit.
>
> Der 2. Juni, die Schah-Demonstration in Berlin, der Tod des 26jährigen Germanistik-Studenten Benno Ohnesorg, von hinten von Polizeiobermeister Kurras in den Kopf geschossen, waren der Motor der Politisierung Bernds. In seine Erregtheit, seinen Zorn mischten sich Gefühle der Identifikation: *Das hätte ich selbst sein können – es war die erste Demonstration von Benno Ohnesorg!* Dieser Gedanke erweckte in ihm Gefühle eines persönlichen Zusammenhalts mit dem Toten von Berlin. Von Politik, sozialistischer Politik wußte er damals nichts. Es waren Gefühle der Ohnmacht, Betroffenheit, Empörung und Angst, die ihn beherrschten.
>
> *(Peter Mosler, „Was wir wollten, was wir wurden: Studentenrevolte – zehn Jahre danach", 1977, S. 41–42, gekürzt)*

1 Was wird hier über die Darstellung der Demonstranten in der „Bild-Zeitung" gesagt? Inwiefern widerspricht das der Erfahrung von „Bernd S."?

2 Vergleichen Sie die hier zitierten Bezeichnungen für die Demonstranten mit denen, die in dem Artikel in der Zeitschrift „Bunte" (Übung 4, Lerneinheit 10) standen.

Sie befassen sich jetzt noch einmal mit dem Terrorismus der Rote Armee Fraktion.

Übung 7

Schreiben Sie die folgenden Sätze um. Benutzen Sie die Konstruktion mit „um … zu …" oder „zu + Substantiv".

1 Zur Durchsetzung ihrer Ziele verübte die Rote Armee Fraktion unter anderem Anschläge auf amerikanische Militärbasen.

2 Um ihre Aktion und ihr Leben im Untergrund zu finanzieren überfiel die RAF Banken.

3 Zur Bekämpfung des Terrorismus erließ die Bundesregierung neue Gesetze.

4 Um inhaftierte Terroristen aus dem Gefängnis zu befreien entführte die RAF Hanns-Martin Schleyer.

5 Zur Vermeidung von Zeitverlusten bei der Kommunikation zwischen der Bundesregierung und den Schleyer-Entführern wurde eine Kontaktperson eingeschaltet.

Übung 8

Lesen Sie das unten stehende Zitat von Ulrike Meinhof aus dem Jahre 1974, als sie in Berlin vor Gericht stand. Fassen Sie dann schriftlich die Ziele der RAF zusammen und schreiben Sie auch, was nach dem Tod von Andreas Baader, Gudrun Ensslin und Jan-Carl Raspe mit der RAF geschah. Beziehen Sie sich dabei auf Übungen 8 und 9 in Lerneinheit 10. Schreiben Sie etwa 100 Wörter.

> „Antiimperialistischer Kampf, wenn das nicht nur Geschwätz sein soll, heißt: Vernichtung, Zerstörung, Zerschlagung des imperialistischen Herrschaftssystems – politisch, ökonomisch, militärisch." (Ulrike Meinhof)
>
> *(Stefan Aust, „Der Baader-Meinhof-Komplex", 1997, S. 297)*

In *Teil 3* you have worked on

- the founding of the GDR;

- the workers' revolt in the GDR in 1953;

- life in the GDR after the construction of the Wall;

- the students' revolt in West Germany and its impact on society;

- West German terrorism.

You have also

- written summaries from different sources;

- analyzed polemical language used in journalistic prose;

- acted as an interpreter in interviews about political events;

- used modal particles, in particular *ja;*

- expressed purpose in different ways.

C h e c k l i s t e

Teil 4   Die DDR – ihr Ende – das wieder vereinigte Deutschland

In diesem Teil bilden das Leben in der DDR von 1968 bis 1989 sowie die Lage des wieder errichteten Bundeslandes Sachsen in den neunziger Jahren die thematischen Schwerpunkte.

Lerneinheit 13

Sie behandeln einige Aspekte des Lebens in der DDR von 1968 bis zu den Ereignissen im Jahre 1989, die als „Wende" in die Geschichte eingegangen sind.

Study chart

Activity	You will be ...
1	sequencing sentences about the history of the GDR
2	verifying an account of conditions in the GDR
3	noting key points about the changes in East Germany
4	checking you've understood an account of life in the GDR
5	talking about the situation in the GDR in the 1980s
6	answering questions about two texts from the GDR
7	matching sentence halves about the demonstration in Leipzig
8	sequencing the key events that led to the collapse of the Berlin Wall

Diese Lerneinheit beginnt mit einem kurzen Überblick über die DDR in den sechziger und siebziger Jahren.

Übung 1

Lesen Sie die folgenden Sätze über den Werdegang der DDR in den sechziger und siebziger Jahren. Bringen Sie die Sätze in die richtige Reihenfolge, so dass ein zusammenhängender Bericht entsteht.

○ Die DDR sah sich nach dem Ende dieser Aufbauphase als sozialistischer Staat.

○ Er war ein wichtiger Meilenstein bei der Verbesserung der deutsch-deutschen Beziehungen.

○ Während dieser Entwicklungen in der DDR blieben die Beziehungen zwischen den beiden deutschen Staaten weiterhin problematisch.

○ In den sechziger Jahren war der Aufbau des Sozialismus in der DDR beendet worden.

○ Durch seine „Ostpolitik" kam es zwischen beiden deutschen Staaten zu einer Annäherung.

○ 1972 wurde zwischen Ost- und Westdeutschland der Grundlagenvertrag abgeschlossen, in dem die DDR von der westdeutschen Regierung als Staat anerkannt wurde.

○ Der Sozialdemokrat Willy Brandt wurde Bundeskanzler in Westdeutschland.

○ Erst durch einen Regierungswechsel in der Bundesrepublik im Jahre 1969 veränderten sich die deutsch-deutschen Beziehungen.

Innenpolitisch kam es in der DDR immer wieder zu wirtschaftlichen Krisen.

Während es in den ersten Jahrzehnten der DDR vor allem um die Industrialisierung gegangen war (Schwerindustrie), standen seit Anfang der siebziger Jahre die Konsumgüterindustrie und die Bedürfnisse der Bevölkerung mehr im Vordergrund.

In der nächsten Übung erhalten Sie einen Einblick in das Alltagsleben der DDR-Bürger und die Versorgungslage in den sechziger und siebziger Jahren.

Übung 2

Lesen Sie den folgenden Ausschnitt und schauen Sie sich dann die rechts stehenden Aussagen an. Entscheiden Sie, ob die Aussagen richtig oder falsch sind. Korrigieren Sie die falschen Aussagen.

Die Fortschritte im Außenhandel waren anhaltend und beträchtlich, was dazu führte, daß die DDR als wirtschaftliche Weltmacht auf internationalen Märkten in Erscheinung trat. Diese Entwicklung wirkte sich in mancher Hinsicht nachteilig auf den Inlandskonsum aus, aber gleichzeitig hat das damit verbundene Prestige zu dem neuen Gefühl der Zufriedenheit beigetragen: „Wir sind wieder wer." […] Es steht in erheblichem Maße mit einer eindeutigen Verbesserung der Lebensbedingungen in Zusammenhang, wobei die Wohnungsfrage immer noch der heikelste Punkt ist. […]

Bei allem anderen ist der Fortschritt offensichtlich. Doch Vergleiche anzustellen, ist schwieriger, als beide Seiten zugeben wollen. Die Lebensmittelkarten sind im Mai 1958 abgeschafft worden, aber viele Verbrauchsgüter sind nach wie vor knapp. Dagegen mehren sich die Güter, die ein Symbol der „Konsumgesellschaft" sind. 1972 hatten 19,4% der Haushalte einen Personenkraftwagen (gegenüber 3,2% im Jahr 1960), 69,5% einen

elektrischen Kühlschrank (1960 6,1%, 1967 37,7%), 63,4% eine elektrische Waschmaschine.

Hier zeigt sich die Schwierigkeit des Vergleichs. Es gibt statistische Tricks im Osten, zum Beispiel werden die Prozentsätze bei Kühlschränken nicht im Verhältnis zur Gesamtzahl der Haushaltungen angegeben. In der Bundesrepublik wird dagegen ständig verabsäumt, bei dem Vergleich den wesentlichen Faktor zu berücksichtigen, den die Gemeinschaftseinrichtungen darstellen. Das Auto ist gewiß ein Symbol des Wohlstands, aber nur einer gewissen Art von Wohlstand. Die Zahl der Kindertagesheime, Sportplätze und Bibliotheken und die Sozialleistungen müßten auch in Rechnung gestellt werden. Daß insgesamt der Lebensstandard in der Bundesrepublik höher ist, liegt auf der Hand; die Beibehaltung der Mauer ist der sichtbarste Beweis dafür.

(Alfred Grosser, „Geschichte Deutschlands seit 1945. Eine Bilanz", 1974, S. 395–396, gekürzt)

		Richtig	Falsch
1	Die Entwicklungen im Außenhandel haben sich negativ auf das Selbstwertgefühl der DDR-Bürger ausgewirkt.	❑	❑
2	Außer bei der Wohnungsfrage war in der DDR eine eindeutige Verbesserung der Lebensbedingungen zu verzeichnen.	❑	❑
3	Der Anteil der Haushalte in der DDR im Besitz eines Personenkraftwagens stagnierte zwischen 1960 und 1972.	❑	❑
4	Es ist einfach anhand von Statistiken einen direkten Vergleich zwischen beiden deutschen Staaten zu ziehen.	❑	❑
5	Wohlstand lässt sich nur am Besitz von Konsumgütern messen.	❑	❑
6	Der Lebensstandard in der Bundesrepublik ist höher als der in der DDR.	❑	❑

Wie stellt sich das Leben in der DDR in den achtziger Jahren dar? Darüber erfahren Sie mehr in den nächsten Übungen.

Übung 3

Lesen Sie den folgenden Ausschnitt. In ihm werden verschiedene Vergleiche über das Leben in der DDR angestellt. Notieren Sie sie unter den beiden Stichwörtern „früher" und „jetzt".

> DDR 1986: [...] Es herrscht Bewegung statt Stagnation, die Zaghaftigkeit hat einer selbstbewußten Gelassenheit Platz gemacht, das Grau weicht überall freundlicheren Farben, die niederdrückende Trübsal ist verflogen. [...] Keine Aggressivität mehr im Gespräch, nicht einmal in der Kontroverse. Keine plumpe Agitation. [...] Es läßt sich besser miteinander reden. [...]

> Es gibt noch Plakate, Transparente und Propagandabanner, [...] aber es sind sehr viel weniger geworden. [...] Die DDR-Bürger lassen sie noch unbeeindruckter an sich abrieseln als der durchschnittliche Bundesbürger die Fernsehwerbespots. [...]

> Vor allem wirkt das Land bunter, seine Menschen sind fröhlicher geworden. [...] Die Jungen sind von ihren Altersgenossen im Westen schwer zu unterscheiden. [...] Die Jugend trägt Levis, T-Shirts mit westlichem Aufdruck, viel Weiß. Ein erheblicher Teil stammt aus dem kapitalistischen Ausland [...], von Verwandten mitgebracht oder im Intershop gegen [...] Westmark erstanden. [...]

> Die Menschen drüben genießen [...] die kleinen Freiheiten, die ihnen ihr Staat gewährt. [...] Die private Sphäre dient wieder einmal als Zufluchtsstätte, in die man sich vor dem Zugriff der Politik rettet. [...] Günter Gaus, der erste Ständige Vertreter Bonns in der DDR, hat dafür den Begriff „Nischengesellschaft" geprägt. [...]

> Es ist nicht anders als bei uns; warum sollte es auch. Und Gaus hat ganz recht: eine gewisse Staatsferne prägt das Leben in den Nischen schon, aber sie existieren innerhalb des Sozialismus, nicht außerhalb des Sozialismus. [...] Die Partei, die gesellschaftlichen Organisationen und die Betriebe tun sogar viel, um den Menschen das

> Nischendasein überhaupt erst zu ermöglichen. [...] Überall gibt es Kreise und Zirkel, Klubs und Vereinigungen. Sport wird in jeglicher Variation getrieben. [...]

> Seit Erich Honeckers Amtsantritt [gibt es eine] bessere Befriedigung der materiellen Bedürfnisse; weniger Angst; mehr Angebot [und] neue Freiräume für Kunst und Künstler.

(Christoph Kleßmann und Georg Wagner (Hg.), „Das gespaltene Land. Leben in Deutschland 1945–1990. Texte und Dokumente zur Sozialgeschichte", 1993, S. 41–43, gekürzt und abgeändert)

Übung 4

Bearbeiten Sie folgende Aufgaben, die sich ebenfalls auf den Ausschnitt aus Übung 3 beziehen.

1. Welche Wirkung haben die Plakate und Propagandabanner auf die DDR-Bürger?

2. Was wird über die Jugendlichen in der DDR und ihre Kleidung gesagt?

3. Definieren Sie den Begriff „Nischengesellschaft" mithilfe der hier gegebenen Informationen.

4. Es werden vier Aspekte genannt, die sich verbessert haben. Welche?

5. Wo lebt Ihrer Meinung nach der Autor, in der DDR oder in der Bundesrepublik Deutschland? Begründen Sie Ihre Meinung und belegen Sie dies anhand mindestens eines Beispiels aus dem Text.

Übung 5 Hörabschnitt 18

Jetzt sprechen Sie mit einer Bekannten über das Leben in der DDR in den achtziger Jahren. Ihre Bekannte kennt die DDR jedoch nur durch einen Aufenthalt in den sechziger Jahren, wodurch ihr Bild vom Leben im östlichen Deutschland etwas veraltet ist. Da Sie über Ereignisse reden, die in der Vergangenheit liegen, müssen Sie das Perfekt oder Präteritum benutzen. Sprechen Sie in den Pausen.

Trotz der größeren Freiräume unter Honecker hatte der ostdeutsche Staat ein sehr umfassendes Kontrollsystem um die Bevölkerung zu beobachten und Daten über potenzielle Dissidenten und Oppositionelle zu sammeln.

Dabei spielte das Ministerium für Staatssicherheit („Stasi") in der DDR eine dominante Rolle.

Lesen Sie die beiden Texte. Beantworten Sie die
Fragen auf Seite 140.

Text I

Verbraucherpreise für Erzeugnisse in der DDR und in der BRD sowie in Berlin (West)

Erzeugnis	Menge	BRD/Westberlin 1970 – in DM –	30.6.1980	DDR – in DM–	Erzeugnis	Menge	BRD/Westberlin 1970 – in DM –	30.6.1980	DDR – in DM–
Rindfleisch z. Schmoren	kg	10,06	15,67	9,80	Delikateß-Margarine				
Rindfleisch, Lendenfilet	kg	17,37	33,00	13,20	(DDR: Sorte „Sahna")	kg	2,75	4,64	4,00
Kalbfleisch aus der Keule	kg	16,76	26,60	13,00	Sonnenblumenöl	l	2,30	3,89	3,30
Schweinefleisch, Kotelett	kg	8,15	11,20	8,00	Mischbrot (Roggen,				
Schweineschnitzel	kg	12,90	18,28	10,00	Weizenmehl)	kg	1,38	2,61	0,62
Schweinebauchfleisch,					Weißbrot	kg	1,77	3,50	1,00
o. Knochen, o. Schwarte	kg	4,34	6,60	5,60	Weizenmehl, Type 405	kg	1,03	1,30	1,32
Schweineleber, frisch	kg	7,64	8,95	9,60	Linsen, in Packungen zu				
Leberwurst, Hausmacherart	kg	5,52	9,11	6,60	500 g	kg	2,12	3,38	2,00
Kalbsleberwurst	kg	8,70	14,38	8,80	Eiernudeln, einf. Qual.,				
Braunschweiger	kg	7,38	12,15	6,80	abgepackt	kg	2,06	2,84	2,80
Jagdwurst	kg	7,76	13,22	6,80	Reis, poliert	kg	2,40	3,50	1,50
Würstchen, frisch	kg	9,20	15,20	8,50	Weizengries, in Packg. zu				
Zervelatwurst, fein, hart					500 g	kg	1,39	2,94	1,34
ausgereift	kg	14,64	20,90	11,20	Zucker, Raffinade,				
Kochschinken	kg	13,33	20,60	10,20	abgepackt	kg	1,19	1,71	1,59
Schinkenspeck, geräuchert	kg	14,70	19,93	9,20	Bienenhonig, in Glas	kg	8,96	10,53	9,00
Rollschinken, geräuchert	kg	15,62	21,18	10,80	Kakaopulver, schwach				
Fischfilet, Seelachs, gefrostet	kg	5,46	8,11	2,56	entölt	kg	13,60	24,40	40,00
Kabeljau, frisch in Stücken,					Schwarzer Tee (DDR:				
ausgenommen, ohne Kopf	kg	4,79	9,18	1,80	grusinische Mischung)	kg	24,30	33,60	40,00
Bückling m. Kopf	kg	5,12	9,06	2,30	Bohnenkaffee, mittl.				
Fischstäbchen (Tiefkühlkost)	kg	6,32	8,50	3,20	Qualität (DDR: Mona)	kg	17,04	23,60	80,00
Broiler, bratfertig,					Doppelkorn, 38 Prozent				
Handelsklasse A	kg	3,89	4,97	8,40	Vol.	0,7 l	7,05	9,91	15,00
Suppenhuhn,					Weinbrand, gute Qual.				
Handelsklasse A	kg	3,76	4,15	8,60	(DDR: „Edel")	0,7 l	7,81	11,90	27,00
Eier, über 60 g/Stück	10 St.	2,00	2,53	3,90	Sekt	0,75 l	5,70	6,05	15,00
Vollmilch, 3.2 Prozent Fett					Zigaretten, gängige Sorte	Packg.	2,00	2,85	3,20
(BRD 3,5 Prozent Fettgeh.),					Kartoffeln/Handelsklasse 1,				
in standfesten Packg.	l	0,76	1,14	1,00	abgepackt in 5-kg-Beutel				
Edamer Käse, 40 bis 45					(BRD: 2,5-kg-Beutel)	5 kg	1,86	6,60	1,04
Prozent F. i. T.	kg	6,74	11,07	9,60	Deligurken in Gläsern	Glas	1,35	1,89	1,85
Butter, Markenbutter	kg	7,58	9,28	10,00	Spinat, tiefgekühlt	kg	2,26	3,24	1,75

AN LVZ

ANSCHRIFT:
Leipziger Volkszeitung
7010 Leipzig
Peterssteinweg 19
Postschließfach 660

TELEGRAMME:
Elvauzet Leipzig

RUF:
7 15 40

TELEX:
051 495

Wo gibt es denn das?

Text 2

LEIPZIGER VOLKSZEITUNG **LVz**

Hauptredaktion
Abteilung
LB./Vk.

LVZ Hauptredaktion, 7010 Leipzig, Postschließfach 660

An das
Ministerium f. Staatssicherheit
Bezirksverwaltung Leipzig

<u>7010 Leipzig</u>
Dittrichring

Ihre Zeichen	**Ihre Nachricht vom**	**Unsere Zeichen**	**Datum**
Betrifft		MOS	21.10.80

Werte Genossen!

In der Anlage übersenden wir Euch zur weiteren Verfügung
einen anonymen Leserbrief mit einem Zeitungsausschnitt zum
Interview des "Neuen Deutschland" mit dem Minister für
Finanzen der DDR, in dem insbesondere zu den
Preisvergleichen zwischen der BDR, Westberlin und der DDR
auf provokatorische Weise Stellung genommen wird.

Der Eingang wurde von uns nicht bearbeitet.

Mit sozialistischem Gruß

LEIPZIGER VOLKSZEITUNG
-Leserbriefe-

Moschke
Moschke

1 <u>Anlage</u> (BR.m.Zeitungs-
ausschn.u.Umsch.)

Fernruf: 7 15 40   Telex: 051 495 Drahtwort Elvauzet . Bankkonto: Staatsbank
der Deutschen Demokratischen Republik
3611–15–400 . Postscheckkonto Leipzig 238 29

1 Worum handelt es sich bei den beiden Texten? Wer sind die Verfasser?

2 Zu welchem Zweck wurden Text 1 und Text 2 verfasst?

3 Was können Sie aus diesen beiden Texten über die Stasi und ihre Rolle schließen?

Die DDR-Bevölkerung war immer weniger bereit, sich mit den repressiven
Maßnahmen ihrer Regierung abzufinden. Sie forderte – ermutigt durch die
Reformpolitik des sowjetischen Staatsführers Michail Gorbatschow – mehr
Demokratie und Freiheit.

Die nächste Übung befasst sich mit einem Artikel, der die Ereignisse im damaligen
Leipzig beschreibt.

Lesen Sie die folgenden Satzteile aus einem Artikel
des Wochenmagazins „Der Spiegel" und verbinden Sie
sie miteinander.

*In Leipzig und anderen großen
Städten kommt es zu Demonstrationen und Friedensgebeten,
die ab August 1989 immer
bedeutender werden*

I Die Nikolaikirche, in der um 17 Uhr das
traditionelle Friedensgebet beginnt, …

2 Im Fenster über dem Eingang hängt …

3 Vor der Kirche wird …

4 Die Ansammlung wächst auf einige
hundert Meter durch die Grimmaische
Straße …

5 Um fünf sind es einige tausend, um halb
sechs mehr als 10 000, um sechs, als die
Nikolaikirche …

6 Zaghaft ertönen erste Rufe: …

7 Die Menge wartet weiter. Plötzlich, ohne
erkennbare Regie, setzt sich der Zug von
der Nikolaikirche …

8 „Schließt euch an, schließt euch an", …

(a) … skandieren die Marschierer.

(b) … bis hin zum Karl-Marx-Platz, an dem
das Neue Gewandhaus und die Oper
stehen.

(c) … „Gorbi, Gorbi", „Demokratie jetzt",
„Wir sind keine Rowdys".

(d) … die 3000 Frommen und Neugierigen
ausspuckt, die drinnen Platz gefunden
haben, ist der Karl-Marx-Platz schwarz
vor Menschen, 20 000 mindestens.

(e) … in Bewegung, biegt in die
Grimmaische Straße, rollt, sich lawinen-
artig vergrößernd, über den Karl-Marx-
Platz auf den Georgiring Richtung
Bahnhof.

(f) … ein großes Schild „wegen
Überfüllung geschlossen". […]

(g) … die Menge immer dichter. […]

(h) … hat bereits eine halbe Stunde zuvor
keinen Stehplatz mehr frei.

(Ulrich Schwarz, Schließt euch an!, „Der Spiegel", 16.10.1989, S. 24, gekürzt)

Zum Schluss der Lerneinheit betrachten Sie kurz die Ereignisse, die zur Öffnung der Mauer am 9. November 1989 führten.

Übung 8

Sehen Sie sich die Fotos und die Aussagen an und bringen Sie sie in die richtige chronologische Reihenfolge.

(a) 24. August: Ungarn gestattet aus humanitären Gründen die Ausreise von 108 DDR-Bürgern, die sich in der bundesdeutschen Botschaft in Budapest aufhalten.

(e) 11. September: Die ungarisch-österreichische Grenze wird geöffnet. Zahlreiche DDR-Bürger reisen über Österreich in die Bundesrepublik.

(f) Am Hauptbahnhof in Dresden kommt es am 4. Oktober zu Zwischenfällen, als etwa 3 000 Menschen versuchen, sich Zugang zu den durchfahrenden Flüchtlingszügen zu schaffen.

(g) Am 9. November wird die Mauer in Berlin geöffnet.

(h) 23. Oktober: Etwa 500 000 Menschen demonstrieren in zahlreichen Städten der DDR gegen die Wahl von Egon Krenz als Nachfolger Erich Honeckers, der am 18.10. zurücktreten musste. Sie fordern eine demokratische Erneuerung des Landes.

(b) Am 30. September 1989 befinden sich etwa 7 000 Flüchtlinge in der völlig überfüllten bundesrepublikanischen Botschaft in Prag.

(c) Anfang Oktober reisen DDR-Bürger in versiegelten Zügen aus der Tschechoslowakei über die DDR in die Bundesrepublik.

(d) Anfang September halten sich 3 500 DDR-Bürger und Bürgerinnen in Ungarn auf.

(i) 4. November: Eine der größten Demonstrationen in der Geschichte der DDR findet in Ostberlin statt.

(j) 16. Oktober: Etwa 120 000 Menschen demonstrieren in Leipzig unter der Parole „Wir sind das Volk".

 Q2.19, Q2.20, Q2.21, Q2.22, Q2.23, Q2.24

Lerneinheit 14

Zum Schluss konzentrieren Sie sich noch einmal auf Sachsen. Im folgenden geht es um das wieder gegründete Bundesland und seinen Minister-präsidenten Kurt Biedenkopf in den neunziger Jahren.

Study chart

Activity		You will be ...
1	💿	checking you've understood *Teil 1* of the *Hörbericht*
2	💿	identifying sentences from the *Hörbericht*
3	💿	completing sentences from *Teil 2* of the *Hörbericht*
4	💿	talking about Professor Biedenkopf
5		writing sentences using reflexive verbs
6	💿	listing arguments for and against Biedenkopf's action from *Teil 3* of the *Hörbericht*
7		translating English proverbs into German
8	💿	writing a summary about Ingrid Biedenkopf based on *Teil 4* of the *Hörbericht*
9	💿	correcting information about Kurt Biedenkopf given in *Teil 5* of the *Hörbericht*
10		preparing notes for a talk
11	💿	giving a short presentation about Biedenkopf's life

Nach der Wiedervereinigung am 3. Oktober 1990 wurden die Länder, die in der DDR in den fünfziger Jahren abgeschafft worden waren, als „neue Bundesländer" wieder eingeführt. Mecklenburg-Vorpommern, Brandenburg, Sachsen-Anhalt, Thüringen und Sachsen bekamen ihre eigenen Parlamente und Landesregierungen. Sie konzentrieren sich in dieser Lerneinheit auf den Freistaat Sachsen und seine Entwicklung in den neunziger Jahren.

Sie arbeiten mit dem Hörbericht „Kurt Biedenkopf – König der Sachsen?", der aus dem Jahr 1996 stammt. Er beschäftigt sich mit dem westdeutschen Politiker Kurt Biedenkopf, der 1990 Ministerpräsident des Landes Sachsen wurde.

Übung 1 Teil 1

Hören Sie jetzt den ersten Abschnitt des Hörberichts mit dem Titel „Kurt Biedenkopf – Die Person" und beantworten Sie die Fragen.

ausweisen (here) to indicate

einen Nerv treffen (here) to get through to s.o.

1 Wieviel Prozent der Stimmen hat die CDU unter Biedenkopf bei den Wahlen in Sachsen im Jahr 1994 bekommen?

2 In diesem Teil des Hörberichts werden einige Informationen über Biedenkopfs persönlichen Hintergrund erwähnt. Welche?

3 Was wird über seinen beruflichen Werdegang gesagt?

4 Wie zeigte er sein Interesse an Sachsen noch vor der Wiedervereinigung?

5 Woran zeigt sich, dass er an die Geschichte Sachsens anknüpft?

6 Wie groß ist die Regierungsmehrheit in seiner zweiten Amtsperiode?

Übung 2 Teil 1

Lesen Sie die folgenden englischen Sätze und finden Sie im ersten Teil des Hörberichts die deutschen Aussagen mit derselben Bedeutung.

1 We will make sure that things happen here now.

2 The great opportunity provided by this reconstruction is that we can avoid the mistakes which we made in the Federal Republic.

3 I am convinced that with the knowledge and the skill of the CDU we can achieve this aim.

4 After 1990 the people in Saxony wanted a leader in whom they had confidence.

5 He is certainly someone who has got through to the people.

6 I think Kurt Biedenkopf has managed very well indeed to present himself as a champion of East German interests.

Die nächste Übung befasst sich mit Teil 2 des Hörberichts: „Kurt Biedenkopf – Der Politiker".

Übung 3 Teil 2

Hören Sie jetzt den zweiten Teil des Hörberichts und vervollständigen Sie die folgenden Sätze mit den Informationen, die Sie hören.

1 Biedenkopf ist seit 1966 . . . .

2 Er hatte im Westen nicht den Erfolg, ...

3 Biedenkopf hat durch seine Wirtschaftspolitik . . . .

4 Um den ortsansässigen Mittelstand hat er . . . .

5 Er ist in vieler Hinsicht eher ein Bundes- als ein Landespolitiker. Das sieht man daran, dass er . . . .

6 Es wird gesagt, dass Biedenkopfs Verhältnis zu Kohl . . . .

Als nächstes sprechen Sie über Kurt Biedenkopf.

Übung 4 Hörabschnitt 19

Sie reden jetzt mit einem Freund über Kurt Biedenkopf. Hören Sie die Fragen und sprechen Sie in den Pausen.

Übung 5

In Teil 1 und 2 des Hörberichts werden viele reflexive Verben verwendet. Schreiben Sie mithilfe der Satzelemente Sätze, die sich auf Kurt Biedenkopf als Person und als Politiker beziehen.

1 sich für etwas einsetzen – die Belange der Sachsen

2 sich darstellen als – Sachwalter ostdeutscher Interessen

3 sich bekennen zu – das Leben in Ostdeutschland

4 sich bezeichnen als – Sachse

5 sich geben als – monarchischer Herrscher Sachsens

6 sich auskennen mit – die sächsische Geschichte

7 sich wiederfinden in – die historische Figur August des Starken

8 sich unterordnen – die Wünsche der Menschen in Sachsen

9 sich kümmern um – die Anliegen der sächsischen Bürger und Bürgerinnen

Ludwig Erhard, Kurt Biedenkopf und Helmut Kohl auf einem CDU-Parteitag

Was kennzeichnet Biedenkopfs Regierungsstil? Dazu hören Sie mehr in den folgenden Übungen.

Übung 6   Teil 3

In Teil 3 des Hörberichts „Politik im Alleingang" geht es um eine kontroverse Entscheidung, die Biedenkopf gegen den Willen der Kommission der Europäischen Union getroffen hat: Er gewährte dem Volkswagenwerk in Sachsen hohe Staatsbeihilfen. Hören Sie sich diesen Teil des Hörberichts an und schreiben Sie die Argumente für und gegen diese Entscheidung in Stichwörtern in die Tabelle.

Für Biedenkopfs Entscheidung	Gegen Biedenkopfs Entscheidung
20 000 Arbeitsplätze gesichert	Geld kommt nicht aus Sachsen

Manche Ausdrücke oder Redewendungen sind nicht ganz einfach von einer Sprache in eine andere zu übertragen. Vor allem Sprichwörter kann man häufig nicht Wort für Wort übersetzen. In der nächsten Übung lernen Sie mehrere Sprichwörter kennen und arbeiten mit Ihrem Wörterbuch.

Übung 7

1 In Teil 3 des Hörberichts kam ein deutsches Sprichwort vor: „Das Hemd ist mir näher als der Rock".
Falls Sie diesen Satz nicht verstehen, verwenden Sie Ihr Wörterbuch. Unter welchem Wort schlagen Sie nach und wie heißt das Sprichwort auf Englisch?

2 Wie können Sie diese englischen Sprichwörter auf Deutsch ausdrücken? Benutzen Sie Ihr Wörterbuch.

(a) A bird in the hand is worth two in the bush.

(b) To put all one's eggs in one basket.

(c) Birds of a feather flock together.

(d) The proof of the pudding is in the eating.

(e) (Oh well,) beggars can't be choosers.

(f) To make a mountain out of a molehill.

(g) The early bird catches the worm.

Welche Rolle sollte die Ehefrau eines Politikers spielen? Ingrid Biedenkopf spielt in Sachsen eine recht aktive Rolle an der Seite ihres Mannes. Sie erfahren mehr über sie und ihre Rolle in der nächsten Übung.

Übung 8   Teil 4

Hören Sie sich Teil 4 des Hörberichts „Ingrid Biedenkopf, die sächsische ‚First Lady'" an. Schreiben Sie dann eine kurze Zusammenfassung zu ihrer Person und zu ihrer Rolle in Sachsen (etwa 80 Wörter). Benutzen Sie dazu die Informationen aus dem Hörbericht und die folgenden Stichwörter:

- mütterlicher Typ
- Weltgewandtheit
- Landesmutter
- ihr Engagement
- ihre problematische Rolle

die Anlaufstelle (-n)   place to turn to

Im letzten Teil des Hörberichts wird über Kurt Biedenkopfs und Sachsens Zukunft gesprochen.

Übung 9 Teil 5

Hören Sie sich Teil 5 „Ein Blick in die Zukunft" an und korrigieren Sie die folgenden Sätze.

1 Kurt Biedenkopf ist Anfang 60.

2 Er kann sich nicht vorstellen noch eine weitere Amtsperiode zu regieren.

3 Es gibt momentan mehrere mögliche Nachfolger für ihn.

4 Einige Oppositionspolitiker glauben, dass er bald abgewählt werden wird.

5 Biedenkopf hat gute Chancen auf eine Rückkehr in die Bundespolitik.

In den letzten beiden Übungen fassen Sie die Informationen über Kurt Biedenkopf und den Freistaat Sachsen zusammen.

Übung 10

Machen Sie sich zu den folgenden Punkten Notizen um in der nächsten Übung einen kurzen Vortrag über

Kurt Biedenkopf halten zu können:

- Herkunft, Alter, persönlicher Hintergrund

- berufliche Karriere

- politische Karriere im Westen

- politische Karriere im Osten (Beginn – Erfolge)

- Rolle seiner Ehefrau

- Nachteile seiner großen Mehrheit im Landtag

- Ihre persönliche Meinung zu Kurt Biedenkopf als Politiker und als Mensch

Übung 11 Hörabschnitt 20

Ein Freund, der am „Centre of Adult Education" Deutsch für Fortgeschrittene unterrichtet, bittet Sie einen kurzen Vortrag über Kurt Biedenkopf zu halten. Sprechen Sie jetzt mithilfe Ihrer Notizen für etwa zwei Minuten auf eine Leerkassette. Hören Sie dann eine Modellantwort auf der CD.

Fangen Sie so an:

Liebe Zuhörerinnen und Zuhörer,

heute Abend möchte ich einen kurzen Vortrag über den deutschen Politiker Kurt Biedenkopf halten. Biedenkopf wurde am 28. Januar 1930 …

C h e c k l i s t e

In *Teil 4* you have worked on

- East German history up to the end of the GDR;

- events that led to the collapse of the Wall;

- the political system in Saxony in the 1990s;

- an example of a successful German *Ministerpräsident*, Kurt Biedenkopf.

You have also

- practised past tenses;

- prepared and given a talk;

- practised reflexive verbs.

C h e c k l i s t e

Lösungen

Lerneinheit 1

Übung 1

1 (e), 2 (c), 3 (d), 4 (a), 5 (b)

Übung 2

Model answers to this activity are given on the CD and in the transcript.

Übung 3

1 (f), 2 (k), 3 (h), 4 (e), 5 (i), 6 (j), 7 (a), 8 (b), 9 (c), 10 (d), 11 (g)

Übung 4

1 The following words and phrases were used on the CD, all of which are useful if you want to describe a picture:
   - im Hintergrund
   - im Vordergrund
   - davor
   - in der Mitte

2 Model answers to this part of the activity are given on the CD and in the transcript.

Übung 5

1 Es befindet sich zwischen der Nord- und Ostseeküste im Norden und dem Rand der Mittelgebirge im Süden.

2 Die Ost- und Nordfriesischen Inseln sind vor allem für Touristen attraktiv.

3 Sie heißt Rügen und liegt in der Ostsee.

4 Sie hat Mittelgebirge, Hochebenen, vulkanische Formationen, Täler und Becken.

5 Das Rheinische Schiefergebirge liegt im Westen dieses Gebiets.

   (This is a range of mountains composed of slate in the Rhineland area.)

6 Es ist 780 km lang, schmal und hügelig mit Bergketten, malerischen Seen und Mooren und liegt nördlich der Alpen.

7 Es sind Berge in den Alpen. Die Mädelegabel ist im Allgäu, der Watzmann liegt in den Berchtesgardener Alpen und die Zugspitze in den Bayerischen Alpen.

Übung 6

1 Das Weser-Ems-Gebiet liegt zwischen den Flüssen Weser und Ems in Niedersachsen, im Nordwesten Deutschlands. Aachen liegt im Westen Deutschlands, in Nordrhein-Westfalen an der Grenze zu Belgien und den Niederlanden. Die Bodenseeregion liegt in Baden-Württemberg/ Bayern im Südwesten, an der Grenze zur Schweiz und zu Österreich. Dresden, Meißen und Annaberg-Buchholz liegen in Sachsen im Osten des Landes, an der Grenze zu Tschechien und Polen.

2 Am Bodensee findet man solche Zeugnisse.

3 Karl der Große hat in der Gegend um Aachen eine besonders wichtige Rolle gespielt.

4 Die Region zwischen Dresden, Meißen und Annaberg-Buchholz in Sachsen war Sitz der Wettiner.

5 Das Weser-Ems-Gebiet gehört zum Norddeutschen Tiefland. Aachen liegt am Rande des Mittelgebirges; die Gegend um Dresden, Meißen und Annaberg-Buchholz ebenfalls; und der Bodensee liegt im Alpenvorland am Rande der Alpen.

6 Alle vier Regionen sind Grenzregionen:
   - das Weser-Ems-Gebiet grenzt an die Niederlande (und die Nordsee);
   - Aachen grenzt an Belgien und die Niederlande;
   - der Bodensee grenzt an Österreich und die Schweiz;
   - Dresden, Meißen und Annaberg-Buchholz liegen an der Grenze zu Tschechien/zur Tschechischen Republik und zu Polen.

Abschnitt 1: die Römer am Bodensee

Abschnitt 2: die Zeit nach den Römern

Abschnitt 3: das Mittelalter am Bodensee

Abschnitt 4: die frühe Neuzeit

Abschnitt 5: der Beginn der Industrialisierung

Abschnitt 6: Zeppeline in Friedrichshafen

Abschnitt 7: die Nazizeit am Bodensee

Übung 8

Daten/Zeiträume	Ereignisse
15 v. Chr.	Kaiser Augustus befiehlt die Unterwerfung der Völker, die die Alpentäler bis zum Ostufer des Bodensees bewohnen.
um 260 n. Chr.	Die Römer verlieren den nördlichen Teil des Bodensees.
Ende des 8. Jahrhunderts	Karl der Große reist an den Bodensee und fördert die wirtschaftlichen Aktivitäten der Klöster.
1183	Friede von Konstanz zwischen Friedrich I. und den oberitalienischen Städten: Konstanz, St. Gallen, Lindau u.a. werden zu wichtigen Handelsplätzen.
1546–1547	Konstanz wird habsburgisch.
1618–1648	Der langjährige Krieg bringt viel Elend in die Region und ruiniert die Wirtschaft.
1850	Friedrichshafen bekommt einen Eisenbahnanschluss.
1875	Ein umfassendes Eisenbahnnetz wird fertig gestellt.
1914–1918	Erster Weltkrieg: Der Rüstungskonzern Zeppelin hat hohe Umsätze.
1944–1945	450 000 Bomben fallen auf Friedrichshafen.
Frühjahr 1945	Französische Truppen befreien den Bodensee.

Übung 9

Your summary might look like this.

> Der Bodensee liegt im Südwesten Deutschlands, in Österreich und der Schweiz. Der größte See Deutschlands ist 571 km^2 groß und liegt im Alpenvorland am Rande der Alpen. Diese Gegend hat eine lange geschichtliche Tradition, die schon in der Steinzeit beginnt. Die Römer beherrschten dieses Gebiet von etwa 15 v. Chr. bis etwa 260 n. Chr. Im Mittelalter entwickelten sich die Städte am Bodensee zu wichtigen Handelsplätzen. Mehrere Jahrhunderte später brachte der Dreißigjährige Krieg aber viel Elend in diese Gegend. Ein Ergebnis des Krieges war, dass die Wirtschaft völlig ruiniert war. Außerdem lagen die Bodenseestädte nun nicht mehr an den wichtigen Handelswegen, weil sich der Handel aufs Meer verlagert hatte.
>
> Im 19. Jahrhundert begann die Industrialisierung in dieser Region relativ spät, u.a. weil es erst 1875 ein vollständiges Eisenbahnnetz gab. In Friedrichshafen wurden Zeppeline hergestellt, dadurch entstand hier zu Beginn des 20. Jahrhunderts eine wichtige Rüstungsindustrie, die im Ersten Weltkrieg große Umsätze machte.

Lerneinheit 2

Übung 1

1 (c), **2** (b) **3** (a), **4** (b), **5** (c)

Übung 2

The following line numbers indicate where each idea occurs in the article.

1 (4–8), **2** (9–14), **3** (18–24), **4** (24–29), **5** (30–31), **6** (37–38), **7** (47–49), **8** (55–58), **9** (59–64), **10** (77–79)

Note that the term *Flurbereinigung* is used ironically in this article to refer to the consolidation of small territories. The word *Gemengelage* is used in an abstract sense to reflect the very multi-layered nature of regional consciousness or sense of belonging in Germany.

Übung 3

1 Richtig.

2 Falsch. Die politische Kultur der Bundesrepublik ist sehr vielfältig.

3 Richtig.

4 Richtig.

5 Falsch. Das regionale Bewusstsein ist in Ländern wie Hamburg, Bremen und Bayern am stärksten.

6 Richtig.

7 Richtig.

Übung 4

This is how you might have summarized the election results.

> Bei den Landtagswahlen in Brandenburg 1994 hat die SPD die meisten Stimmen bekommen. Sie erhielt 54,1%, die CDU und die PDS haben jeweils gleich viele Wähler gehabt (18,7%). Bei den Wahlen in Bremen im Jahre 1995 hatten die CDU und die SPD fast gleich viele Wähler. Die drittgrößte Partei wurde Bündnis 90/Die Grünen mit 13,1% und eine andere Partei, Arbeit für Bremen, hat 10,7% der Stimmen erhalten. In Bayern hat 1994 die CSU mit 52,8% die Wahlen gewonnen, die SPD erzielte 30% der Stimmen und Bündnis 90/Die Grünen erhielt 6,1%.
>
> Die Mehrheiten sind also sehr verschieden: In Bayern hat die CSU eine große/absolute Mehrheit, in Brandenburg die SPD, während in Bremen die beiden großen Parteien (fast) gleich stark sind. Die Grünen sind in Bremen viel stärker als in Bayern, und in Brandenburg sind sie überhaupt nicht im Landtag (vertreten). Daran erkennt man, dass das politische Verhalten der Bremer, Brandenburger und Bayern unterschiedlich ist. Das ist ein Beweis für die vielfältige politische Kultur Deutschlands und zeigt, dass es große regionale Unterschiede im Wahlverhalten gibt. Das kann man auch daran sehen, dass in Bremen eine wahrscheinlich rein örtliche Partei (Arbeit für Bremen) in den Landtag kam.

Please note that the *Landtag* in Bremen is called the *Bürgerschaft*.

Übung 5

1 Mehrere Sprecher erwähnen die Weite der Landschaft.

2 (a) Wenn eine Kuh im Nachbardorf den Schwanz hebt, dann sieht man das.

   (b) Die Leute wissen immer schon am Freitag, wer am Sonntag zu Besuch kommt, da man so weit sehen kann.

3 Sehgeschädigte fühlen sich im Winter einsam, weil sie den Horizont nicht sehen können.

4 In den Bergen fühlt er sich beengt, in Ostfriesland dagegen hat er das Gefühl, dass er jederzeit weg könnte und dass ihm die ganze Welt offen steht.

5 Sie ist trügerisch und nicht verlässlich, sie ist lieblich aber auch rau und dunkel und manchmal grausam.

Übung 6

As well as helping you to record important information, note-taking under specific headings as in this activity is a useful technique that will help you check your understanding of the main points.

- Dyke-building over the centuries:
  - crucial activity throughout the centuries, was always a matter of life or death;
  - oldest dykes date from eleventh century;
  - those dykes provided protection only in summer;
  - in winter they could not contain the floods;
  - from thirteenth century onwards so-called winter dykes were built;
  - these protected larger areas all year round.

- Heathen customs:
  - animals and humans were sacrificed to protect dykes;
  - example of baby that was sacrificed can be seen in museum.

- Flood of 1962:
  - dyke gave way;
  - debris from dyke was slung against house walls, walls gave way;
  - whole row of houses had to be cleared to shore up dyke;
  - children were sent home from school;
  - situation was very threatening.

- East Frisian character:
  - home-loving people ('rooted in the soil'), don't like to be moved;
  - rather cold and distant but with dry sense of humour (rather like English sense of humour);
  - local communities very important to them, like to celebrate and keep local customs alive.
- Interrelationship between landscape and the East Frisian character:
  - very distinct group of people with their own way of life, result of barren landscape;
  - large meadows, open landscape, causing solitary/isolated existence with little communication and some loss of social skills.

Übung 7

Your list will probably contain some of the following words.

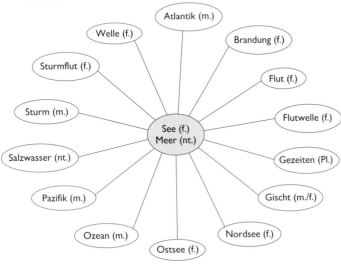

When learning new vocabulary you may find it helpful to write lists of words that you associate with a particular topic or subject area. Many students find this easier because it involves learning a group of words in context.

Übung 8

- Land: fruchtbar, jetzt vom Dollart überflutet.
- Torumer: stolz, hoffärtig/hochmütig, reich, feierten gern.
- Ort: Marktflecken (kleiner Ort), sehr wohlhabend.

- Sturm: Meer fraß sich durch Deich, Flut brach über Torum herein, Menschen hatten Angst, flohen in Kirche, konnten aber nicht mehr beten.
- Fazit/Ergebnis: Torum mit allen Torumern versank im Meer – Strafgericht Gottes.

Übung 9

- Daniel Knappe und seine Familie: fromm und brav, sieben Kinder, kranke Frau, hatte kein Geld, war ziemlich verzweifelt.
- Traum: Engel sagte, er solle in den Wald zu einer bestimmten Tanne gehen, da sei ein Nest mit goldenen Eiern zu finden.
- Reaktion am folgenden Tag: ging in Wald, fand Tanne, kletterte auf Baum, fand keine Eier, war traurig und enttäuscht; setzte sich unter Baum um auszuruhen, überlegte und hatte einen Einfall: Goldene Eier könnten auch bei den Wurzeln sein; grub, fand Silbergänge.
- Ergebnis/Fazit: viele Menschen aus anderen Regionen kamen in die Gegend, Herzog gründete Stadt.

Übung 10

Model answers to this activity are given on the CD and in the transcript.

Lerneinheit 3

Übung 1

Ausschnitt 1: Alemannisch

Ausschnitt 2: Plattdeutsch

Ausschnitt 3: Bairisch

Note that *bairisch* is used to describe the dialect, while *bayrisch* or *bayerisch* is the term used in geography and politics.

Übung 2

1 (g), **2** (a), **3** (e), **4** (i), **5** (b), **6** (c), **7** (d), **8** (f), **9** (h)

Übung 3

1. (a) Ich verstehe nicht alles.

   (b) Ich habe nicht viel Zeit.

   (c) Ich lerne Bairisch.

   (d) Ich bin schon fast ein echter Bayer.

2. (a) Man ersetzt „ich" durch „i".

   (b) Man lässt das „-e" am Ende des Verbs in der ersten Person Singular weg, wie z.B. in „möchte" („möcht").

   (c) Man ersetzt „nicht" durch „ned".

   (d) Man ersetzt „ein" oder „eine" durch „a".

3. Sowohl im Bairischen als auch in der norddeutschen Umgangssprache fällt das „-e" am Ende der ersten Person Singular des Verbs weg.

4. „Nich" sollte man auf jeden Fall vermeiden, weil es im Bairischen unpassend ist.

Übung 4

You may find that your wording differs slightly from these model answers, but the content should be the same.

1. Man definiert Trachten als **landestypische Kleidung**.

2. Durch das Tragen einer Tracht bekennt man sich sichtbar zu **seiner engeren Heimat**.

3. „Heimat" wird in diesem Zusammenhang definiert als **der Ort, an dem man lebt, oder der Ort, an dem man geboren wurde**.

4. Der Höhepunkt der Trachten lag in der Zeit direkt nach der Französischen Revolution, weil die Revolution **größere Freiheit und wirtschaftliche Verbesserungen brachte**.

5. Typische Trachten verschwanden schon ab etwa 1850, weil **die Mode mehr Einfluss gewann**.

6. In der heutigen Zeit werden Trachten vor allem noch aus **folkloristischen Gründen** getragen.

Übung 5

Model answers to this activity are given on the CD and in the transcript.

Übung 6

1. Sie müssen die Treppenstufen des Bremer Doms fegen als Strafe dafür, dass sie noch nicht verheiratet sind.

2. Die Freunde setzen eine Anzeige in die Zeitung, so dass alle Freunde und Bekannten davon wissen.

3. Sie dürfen nur dann aufhören zu fegen, wenn sie von einer „Bremer Jungfrau" geküsst werden.

4. Bei einer Kohlfahrt treffen sich Kollegen und/oder Freunde und machen zunächst eine Wanderung/ einen Spaziergang, bei der/dem viel Schnaps getrunken wird. Zum Schluss gehen sie in eine Gaststätte, in der sie Grünkohl essen.

5. Man isst Grünkohl mit Pinkel, Kochwurst und Kasseler und man trinkt viel Schnaps und Bier dazu.

Übung 7

1. Bremer Junggesellen müssen an ihrem 30. Geburtstag die Domtreppen fegen, **weil sie noch nicht verheiratet sind**.

2. Die Freunde des Junggesellen setzen eine Anzeige in die Zeitung, **um alle Bekannten zu informieren**.

3. Es müssen unbedingt „Jungfrauen" anwesend sein, **weil nur sie den Junggesellen vom Fegen erlösen können**.

4. Bei einer Kohlfahrt trifft man sich mit den Kollegen und Kolleginnen, **um anschließend eine Wanderung zu machen**.

5. Die Teilnehmer der Kohlfahrt gehen zu Fuß, **damit sie mehr Appetit bekommen und mehr Schnaps trinken können**.

6. Man trinkt viel Schnaps beim Kohlessen, **weil es sehr fett und schwer verdaulich ist**.

Übung 8

This is one way of presenting key information about the *Seehasenfest*.

- 1948 ins Leben gerufen;

- zwei Grundbestandteile: ausgedehntes Kinderprogramm, sportlicher Teil;

- findet im Juli statt;
- viertägiges Festprogramm (Freitag–Montag):
  - wird freitags eröffnet: festliches Programm am Abend;
  - Samstag: Schülergottesdienst, anschließend am Schiffshafen wird „Seehase" aus dem Bodensee eingeholt, Festzug zum Rathaus, Bürgermeister hält Ansprache;
  - Samstagabend: Feuerwerk, Bodenseeflotte illuminiert;
  - Sonntag: Musikkapellen, nachmittags ziehen etwa viertausend Kinder in bunten Kostümen durch die Stadt;
  - Montag: Frühschoppenkonzert; andere sportliche und unterhaltende Darbietungen; am Hafenbahnhof wird „Seehase" bis zum kommenden Jahr verabschiedet.
- Gründe für Seehasenfest:
  - folkloristische Attraktion für Kurgäste und Einheimische;
  - Fremdenverkehrswerbung;
  - Unterhaltung der Einwohnerschaft.

Übung 9

Model answers to this activity are given on the CD and in the transcript.

Lerneinheit 4

Übung 1

1. Das Norddeutsche Tiefland liegt zwischen der Nord- und Ostseeküste und dem Rand der Mittelgebirge, es ist flach und hat (im Norden) viele Inseln.

   In der Mitte gibt es Mittelgebirge, Hochebenen, vulkanische Formationen, Täler und Becken. Die Mitte Deutschlands geht vom Rheinischen Schiefergebirge im Westen über den Harz, den Thüringer Wald bis zum Frankenwald (an der Grenze zu Tschechien).

   Im Süden befindet sich das hügelige Alpenvorland, an das sich die Alpen anschließen. Die Landschaft zeichnet sich durch Bergketten, Seen, kleine Dörfer und Moore aus.

2. - Weser-Ems-Gebiet: liegt im Nordwesten, zwischen den Flüssen Weser und Ems, an der Grenze zu den Niederlanden.
   - Aachener Raum: ist im Westen, an der Grenze zu Belgien und den Niederlanden.
   - Bodensee: befindet sich im Südwesten Deutschlands, an der Grenze zur Schweiz und zu Österreich.
   - Raum Dresden-Annaberg-Meißen: liegt im Osten, an der Grenze zu Tschechien.

3. Alle vier Regionen sind Grenzregionen und liegen am Rande Deutschlands.

4. Karl der Große spielte eine wichtige Rolle für Aachen und für den Bodensee-Raum. Er legte den Grundstein für die Entwicklung Aachens. Er besuchte auch die Klöster am Bodensee, dadurch entwickelten diese ihren Handel.

5. - Weser-Ems-Gebiet: Niedersachsen.
   - Aachen: Nordrhein-Westfalen.
   - Bodensee: Baden-Württemberg, Bayern.
   - Dresden, Meißen, Annaberg-Buchholz: Sachsen.

6. Sowohl im Aachener Raum als auch am Bodensee begann die Industrialisierung durch den Bau von Eisenbahnstrecken. Das geschah in Aachen 1841, während die erste Eisenbahnverbindung am Bodensee 1850 eingeweiht wurde (obwohl ein umfassendes Bahnnetz erst 1875 vorlag).

7. Zu dieser Zeit konnten viele Flüchtlinge den Nazis über den Bodensee in die Schweiz entkommen.

Übung 2

This is how your description might look.

> Im Vordergrund liegt ein See, der sehr ruhig aussieht. In der Mitte sieht man Häuser, im Hintergrund steht eine Kirche und rechts davon befindet sich eine Windmühle. Man kann viele Bäume sehen, die am Seeufer stehen. Die Landschaft ist sehr flach. Das Bild wirkt sehr ruhig und idyllisch.

Übung 3

1. In Germany there is no centrally orientated, unifying bureaucracy; instead there are many politico-administrative, economic and cultural centres spread across the country.

2 The article compares a north German Hanseatic city and an old Bavarian provincial town, where there are differences in language, behaviour, clothing, food and architecture. People also have different political opinions and vote differently.

3 Reasons for the regional structure of Germany are historic: the old German Reich consisted of 460 small territorial units, out of which Napolean created 38 states (later reduced to 25 in the Reich of 1871).

4 Germany's regional borders overlap both in reality and in people's consciousness. There are historic reasons for this too: territorial borders were changed after the Congress of Vienna in 1815, and then again after 1945.

5 Hamburg, Bremen and Bavaria have retained their identity, resulting in a strong sense of regional identity in these states. The size of Hamburg and Bremen remained the same; Bavaria lost some of its former territory.

6 You may have given any of the groupings supposedly descended from ancient tribes, for example *Bayern, Alemannen, Schwaben,* or else one of those belonging to more heterogenous territorial units but whose language was very similar, for example people from the *Rheinland, Westfalen, Hanseaten* or *Franken.*

7 It's not possible to draw such a map because of the lack of distinct regions.

8 'Concentric loyalties' refers to the hierarchical nature of a German's loyalty: first to the local community or town, then to the region, then to the *Land* and finally to Germany itself.

Übung 4

In the following answers the corrections are shown in bold, the relative pronouns in bold and underlined.

I Eine Region ist ein Gebiet, **dessen** Traditionen das Verhalten der **Bewohner** prägen.

2 Die Menschen, **die** in einer bestimmten Region leben, identifizieren sich mit ihrer **Region**.

3 Die Eigentümlichkeiten, **die** die Regionen voneinander unterscheiden, sind historisch **begründet**.

4 Die politischen Verhältnisse, **denen** die Menschen einer Region früher ausgesetzt waren, hatten einen **großen** Einfluss auf ihr Leben.

5 Die früheren Machtverhältnisse, **die** die Bewohner als gemeinsames Schicksal erfuhren, verschafften ihnen gemeinsame **einschneidende** Erlebnisse.

6 Die früheren politischen Herrschaftsverhältnisse bildeten den Rahmen, in **dem** sich die Bewohner religiös, kulturell und **wirtschaftlich** betätigten.

Übung 5

Here is a model answer. Did yours cover all the points given here? Read this model and go back over your own version to see whether you can improve it.

Die ostfriesische Landschaft ist flach und auch sehr karg, und häufig weht ein starker Wind durch Ostfriesland. Die Ostfriesen mussten schon immer das Land vor dem Meer schützen, denn die Fluten überschwemmten das flache Land. Deshalb haben sie ihre Häuser und Dörfer auf künstlichen Hügeln gebaut, und schon im 11. Jahrhundert fingen sie an Deiche zu errichten.

Den Ostfriesen gefällt die Weite und die Flachheit ihrer Landschaft, die ihnen ein Gefühl der Freiheit vermittelt. Sie sind in der Regel bodenständig und verlassen nur ungern ihre Heimat, weil es ihnen zu Hause am besten gefällt. Sie sind eher schweigsam und wirken anfangs etwas distanziert, haben aber einen gewissen, trockenen Humor. Sie sind auch sehr akkurat und genau, bilden eine eigene Gruppe und hängen an ihren Dorfgemeinschaften und ihren Bräuchen und Sitten.

Man kann sagen, dass die Landschaft auf Grund ihrer Kargheit und Weite sicher einen Einfluss auf den Charakter der Ostfriesen gehabt hat.

Übung 6

- Geschichte und Entwicklung des Bremer Freimarkts:
  - Gründung 16.10.1035 – Erzbischof von Bremen erhielt das Recht, zwei Jahrmärkte pro Jahr abzuhalten, verbunden mit Kirchenfesten;

– Herbstmarkt wurde immer wichtiger, Bauern kamen im Herbst nach der Ernte zum Einkaufen in die Stadt;

– Entwicklung zum Volksfest, 1809 erstes Karussell.

• Veranstaltungsort:

– Eröffnung am Marktplatz;

– sonst auf der Bürgerweide und in Innenstadt.

• heutige Funktion:

– großes Volksfest, über zwei Millionen Besucher pro Jahr.

Übung 7

Here is our version. Go through this model answer and check whether you can improve your own.

> Der Bremer Freimarkt ist viel älter als das Seehasenfest: Er wurde im Jahre 1035 gegründet, während das Seehasenfest erst 1948 entstand. Das Seehasenfest findet jedes Jahr im Juli statt und dauert vier Tage. Der Bremer Freimarkt ist im Oktober und dauert 16 Tage.
>
> Der Freimarkt war ursprünglich ein Verkaufsmarkt und entwickelte sich immer mehr zu einem Volksfest. Das Seehasenfest diente hingegen schon immer nur der Unterhaltung der Einwohner und Touristen. Es hat zwei Grundbestandteile: ein Kinderprogramm und einen sportlichen Teil.
>
> Bei beiden Festen gibt es einen Festzug. In Bremen geht er vom Marktplatz auf den Festplatz, in Friedrichshafen vom Bodensee zum Rathaus.
>
> Der Freimarkt dauert also viel länger und hat eine längere Tradition. Er zieht etwa zwei Millionen Menschen an. Ich weiß nicht, wie viele Leute zum Seehasenfest kommen, aber ich vermute, dass es wesentlich weniger Besucher anzieht.

Übung 8

Model answers to this activity are given on the CD and in the transcript.

Lerneinheit 5

Übung 1

• Jever: brewery, dairy and cheese-making plus other, smaller industries.

• Wilhelmshaven: transshipment of crude oil and petrochemical products, also chemical, metalworking, mechanical engineering and textile industries.

The word *Umschlag* occurs here in an unusual meaning ('transshipment'); you will probably be more accustomed to seeing it used to mean 'envelope'.

Übung 2

Here is one possible brief description of the two towns.

> Jever is a town of some historical interest and with a few small industries, which include brewing. Wilhelmshaven was primarily a marine base until 1945 and still has an important port, alongside a wider range of industries.

Übung 3

The topics appear in the following order.

1 die Geschichte Wilhelmshavens

2 gigantische Projekte

3 der Mangel an Arbeitsplätzen[1]

4 Vorteile, am Meer zu leben

5 Stadt, Landkreis, Land

6 Bürgernähe in der Lokalpolitik

7 die Zukunft Wilhelmshavens

8 ein neues Einkaufszentrum

9 Wilhelmshaven als Fremdenverkehrsort

[1] For the purposes of this gist comprehension exercise, the main section on unemployment on the video comes after that on large projects, although the topic is briefly mentioned earlier.

Übung 4

Possible answers are as follows.

- Jever is a small town, Wilhelmshaven much larger;

- Jever is a lot older (1536), Wilhelmshaven was founded only in the nineteenth century;

- Jever has evolved (*gewachsen*), whereas Wilhelmshaven was a planned town (*eine geplante Stadt*);

- Jever has two main industries, brewing and tourism. Wilhelmshaven was over-dependent on the navy (*die Marine*) until the Second World War. Introducing new industries in the sixties and seventies has not resolved the fundamental structural problems.

Übung 5

1 You should have identified the following adjectives and adverbs (shown in bold); your thoughts may have run along the lines of the comments made here.

- *junge [...] Stadt* it obviously depends on how you define 'young' in this context as to whether you consider this to be factual (as you heard on the video, Wilhelmshaven was founded in 1869);

- *dynamische Stadt* is definitely not factual, but a word used to describe the town in a particularly positive way;

- *an der **deutschen** Nordseeküste* factual;

- *kreisfreie Stadt* factual, as you heard on the video;

- *mit **nahezu** 97.000 Einwohnern* factual;

- *Deutschlands **einziger** Tiefwasserhafen* probably a true statement (the *Tiefwasserhafen* was mentioned in a later section of the video);

- *hervorragende Einkaufsmöglichkeiten* an emphatically positive statement;

- *des **Großen** Hafens* (the name of the port)

- *Bau eines **neuen** Stadtkerns* the adjective here is factual (although you may query the use of the word *Stadtkern*);

- *vielfältiges Kulturangebot* it's difficult to judge whether this is a fact or not because no specific information has been provided (but see comment below);

- *Industrie, Freizeit und Tourismus ergänzen sich **beispielhaft*** you might have some doubt about the accuracy of this statement in the light of the town's unemployment rate of 19%;

- *gutes Angebot von **ausgebildeten** Arbeitskräften* probably a fact – if unemployment is high, it is very likely that there will be a lot of (trained) workers available;

- *großzügig angelegt* certainly factually correct if you look at the large area the town occupies (10 337 hectares) and its number of inhabitants (97 000);

- *mit **ausgezeichneten** Freizeitmöglichkeiten* this is subjective and could be fact or hyberbole, depending on what you define as 'excellent leisure activities';

- *mit einem **anspruchsvollen** Kulturangebot* culture is emphasized twice on the home page (see above); you may doubt this statement considering the town's substantial social problems and very small catchment area (although Herr Westerhoff also spoke of this on the video);

- *alle Sportarten [...] sind **möglich*** on its own a neutral adjective, but used in conjunction with *alle Sportarten* this is a claim that could prove to be untrue;

- *besonders alle Wassersportarten* factual;

- all adjectives used in the section about the Reha-Klinik are factual, describing the different ailments the hospital can treat;

- *einziger Südstrand an der **deutschen** Nordseeküste* factual;

- *28 km Deichlinie [...] **direkt** am Meer* another factual statement.

2 Im Videoabschnitt werden auch die Probleme der Stadt (vor allem die Arbeitslosigkeit) besprochen, auf der Internet-Homepage werden diese Probleme nicht genannt. Im Video wird auch viel über die Geschichte und die Entwicklung der Stadt gesagt, auf der Homepage nichts.

Lösungen Thema 1

Übung 6

Your notes should read something like this.

- Fehler:
  - man hat nur gigantisch geplant/Stadt ist auf Größe angelegt.
- Probleme:
  - Arbeitslosigkeit;
  - Ausbildungsplätze;
  - städtischer Haushalt, hohe Kosten der Sozialhilfe;
  - Abwanderung von Arbeitskräften.
- Gründe, in Wilhelmshaven zu bleiben:
  - Lebensqualität: nah am Meer, gute Luft, kulturelles Angebot;
  - Familie und Freunde wohnen dort.

Übung 7

Model answers to this activity are given on the CD and in the transcript, although your version may be different (for instance in vocabulary or word order).

Übung 8

1. Jever belongs to a district (*Kreis*), namely *Kreis Friesland*, whereas Wilhelmshaven is a *kreisfreie Stadt*, that is, it doesn't belong to a district.

    You will learn more about these definitions in *Lerneinheit 6*.

2. The federal government, the *Land* (*Niedersachsen*, or Lower Saxony) and the town each control a part of the port.

3. It must attract new businesses.

4. The port could play a large part in the town's future development. It already has the second highest turnover of any German port. It is easily accessible for large ships, and unlike the other ports is able to meet increased shipping demands.

5. A new shopping centre is being built. This could attract people who currently shop in Oldenburg and Bremen. The drawback is that there may be insufficient purchasing power in and around Wilhelmshaven to support such a large centre.

6. Day-tripper tourism is seen as appropriate.

Übung 9

Possible answers include the following points.

Problem	Lösung
eine sehr einseitige Ausrichtung auf die Marine	mehr zivile Industrie ansiedeln um Abhängigkeit von der Marine zu verringern
zu viele gigantische Projekte	sich auf kleinere Projekte konzentrieren
hohe Arbeitslosigkeit	mehr Betriebe nach Wilhelmshaven holen
hohe Sozialausgaben der Stadt	mehr Betriebe nach Wilhelmshaven holen, dann hat die Stadt mehr Einnahmen und weniger Ausgaben
möglicherweise zu wenige Ausbildungsplätze	mehr Firmen in Wilhelmshaven ansiedeln, die junge Leute ausbilden
Firmen wandern ab	Wilhelmshaven muss für die Betriebe attraktiver werden
Politiker haben nicht viel Bürgernähe gezeigt	Politiker müssen die Bürger aktiv in die Entscheidungen einbeziehen
Wilhelmshaven wird zunehmend eine Stadt für ältere Leute, junge Menschen wandern ab	Arbeitsplätze erhalten und neue Arbeitsplätze schaffen
zu wenig Kaufkraft	mehr Arbeitsplätze schaffen

As you can see, most of Wilhelmshaven's problems revolve around its lack of jobs. This creates a vicious circle because the council has to pay more benefits, so can't balance its books and has limited resources with which to attract new businesses.

Übung 10

Here is a model answer. How many of these points did you include in your own?

Wilhelmshaven enjoys a unique position as Germany's only deep-water harbour. The town was founded by Prussia as a naval port; after 1945, however, its importance diminished and it has been difficult to bring in new industries to replace the naval dockyards. Today the town faces various problems including unemployment and financial constraints. Most of its problems are linked to the lack of jobs. There is a need to attract more industry, especially small firms, in order to create more jobs and provide training opportunities, and also to improve the town's finances. But people enjoy living there and are reluctant to leave because of the quality of life it offers. It is very close to the sea and has a variety of leisure and sports facilities. The town has some tourist potential, especially for day-trippers. A new shopping centre is under construction, but some have doubts as to whether Wilhelmshaven has the consumer spending power or the catchment area necessary to support it.

Lerneinheit 6

Übung 1

Here are the translations of the words as given in the set dictionary.

1 Here you should have noted that the verb *einbetten* means 'to embed'. Looking up only the past participle form (*eingebettet*) would have given an inappropriate definition in this context.

2 The nearest translation of this word is 'region', i.e. the primary administrative division of a *Land*.

3 The quite straightforward translation of this word in the dictionary is 'local government reform'. This compound was presumably included in the dictionary because its meaning is more than the sum of the two parts, which would have produced only 'area/region reform'.

4 The dictionary gives three forms of the verb *unterstehen* (two inseparable – one of them reflexive – and one separable). Given its use in the quoted sentence, where it appears as an inseparable non-reflexive verb, clearly the first form given is appropriate. Of the definitions given there, 'to come under (the jurisdiction of)' fits the context best.

5 A *kreisfreie Stadt* is a town which is an administrative centre in its own right.

6 The first definition in the dictionary – 'authority' or *Behörde* – makes the most sense in this context.

7 This compound is not given in the dictionary, so you will have had to look up the component parts.

These are *kommunal* ('local' or 'municipal'), *Verfassung* ('constitution') and of course 'system'. It is fairly safe to assume that this compound noun means 'local/municipal constitutional system'.

8 Another compound noun that is not given in the dictionary. *Doppel-* usually translates as 'double', or sometimes 'dual' or 'twin'. *Spitze* has quite a few different meanings, most of which relate to the top of something, the peak, the point or the front, or it can mean 'lead(ing)'. So the compound means a dual leadership system in which the responsibilities are split between the mayor and the chief executive.

Übung 2

1 Die Besatzungsmächte wollten, dass die Entscheidungen nicht nur vom Bund allein getroffen werden, das heißt von einer zentralen Institution. Deshalb hat man das föderative System eingeführt.

2 Es werden insgesamt fünf Ebenen genannt: Bund, Land, Regierungsbezirk, (Land-)Kreis, Gemeinde beziehungsweise Stadt.

(As seen in *Übung 1*, the *Regierungsbezirk* is the primary administrative division of the *Land*; in some German *Länder* there are no *Regierungsbezirke*.)

3 In den siebziger Jahren gab es eine Gebietsreform. Jetzt gibt es deshalb meist nur noch größere Gemeinden, das heißt, mehrere kleine Gemeinden wurden zu einer größeren Gemeinde zusammengeschlossen.

4 Jever gehört zu einem Kreis; Wilhelmshaven ist eine kreisfreie Stadt, untersteht also direkt dem Regierungsbezirk.

5 In einer kreisfreien Stadt wie Wilhelmshaven kann man alle Entscheidungen, die das Leben der Bürgerinnen und Bürger der Stadt betreffen, selbstständig treffen. Man braucht keine Genehmigung einer höheren Instanz.

6 Er meint, dass es sowohl einen Oberbürgermeister als auch einen Oberstadtdirektor gibt.

7 Der Oberbürgermeister wird vom Rat der Stadt gewählt. Er arbeitet ehrenamtlich (das heißt, er wird nicht bezahlt).

8 Der Oberstadtdirektor wird auch vom Rat der Stadt gewählt und leitet die Verwaltung.

(It's not mentioned on the video that the *Oberstadtdirektor* is a paid official.)

Übung 3

1 *Gemeinde.*

2 Because it was part of the British occupation zone from 1945.

3 *Stadtdirektor* or *Oberstadtdirektor.*

4 They can raise *Grundsteuer* (land tax/local rates) and *Gewerbesteuer* (trade tax), and also taxes such as dog licence fees and drinks tax.

5 They receive monies from their own financial activities (for example entry fees, course fees) along with subsidies from the *Land* and *Bund.*

Übung 4

Model answers to this activity are given on the CD and in the transcript.

Übung 5

1 Die Bürgerinnen und Bürger wählen den Bürgermeister direkt.

(You heard on the video that the Lord Mayor of Wilhelmshaven is elected by the town council. Here you have a ballot paper for the election of the mayor of Löhnberg that demonstrates that this mayor is elected by the voters.)

2 Es musste zweimal gewählt werden.

3 Frank Schmidt ist SPD-Mitglied. Die beiden anderen sind unabhängig/gehören keiner Partei an.

4 Jörg Sauer.

(You can see this on the second ballot paper where he is the only candidate. The only way he could **not** be elected would be to get more 'no' votes than 'yes' votes.)

5 Sie sind zwischen 30 und 36 Jahre alt. Frank Schmidt ist Historiker, Wolfgang Grün Landwirtschaftsmeister und Jörg Sauer Verwaltungswirt.

6 Ja, die Wahlzettel sollten diese Informationen enthalten, weil sie den Wählern bei der Entscheidung helfen können und sie dadurch ein genaueres Bild von den Kandidaten und Kandidatinnen bekommen.

oder:

Nein, die Wahlzettel sollten diese Informationen nicht enthalten, denn das Alter und der Beruf eines Kandidaten sind irrelevant. Die Programme der Kandidaten sind viel wichtiger.

Obviously your answer here will reflect your personal opinion.

Übung 6

1 Jörg Sauer ist der neue **Bürgermeister von Löhnberg/der neue Chef im Löhnberger Rathaus**.

2 In der Stichwahl erhielt er **84,6% der Ja-Stimmen**.

3 Im zweiten Wahlgang lag die Wahlbeteiligung **bei 54,1%**.

4 Sauer musste in die Stichwahl, obwohl er **der einzige Kandidat war/keinen Konkurrenten hatte**.

5 Am 1. Mai wird er sein **neues Amt antreten**.

6 Die Gemeindeordnung in Hessen besagt, dass ein direkt gewählter Bürgermeister mehr als **50% der abgegebenen gültigen Stimmen bekommen muss**.

Übung 7

direkte Wahl	indirekte Wahl
Die Bürger und Bürgerinnen wählen eine Person direkt; eine einzige Person und ihre Popularität stehen im Vordergrund (Persönlichkeitskult).	Der Stadt- oder Gemeinderat wählt eine Person aus seiner Mitte; ihre Popularität steht nicht im Vordergrund.
Die Partei bzw. das politische Programm der Partei verliert an Bedeutung.	Die politischen Ziele der einzelnen Parteien sind die Grundlage für die Entscheidung der Bürger und Bürgerinnen.
Die Beziehung des Kandidaten bzw. der Kandidatin zur Presse spielt eine wichtige Rolle.	Die Presse kann keinen direkten Einfluss nehmen.
Bürgerinnen und Bürger können die Entscheidung direkt beeinflussen.	Bürgerinnen und Bürger können nur durch ihre Entscheidung für eine Partei Einfluss ausüben.
Parteiunabhängige Kandidaten und Kandidatinnen haben größere Chancen.	Unabhängige können nur durch die Wähler in den Gemeinderat kommen[1] und dann vom Rat zum Bürgermeister bzw. zur Bürgermeisterin gewählt werden.
Die finanzielle Situation des Kandidaten oder der Kandidatin kann im Wahlkampf eine Rolle spielen.	Die finanzielle Situation eines Kandidaten bzw. einer Kandidatin kann auch seine bzw. ihre Position in der Gruppe beeinflussen.

[1] This is quite a common feature in local politics in Germany. Tanja Blankenhagen for instance, who you saw on the video, was a councillor (*Ratsfrau*) in the Wilhelmshaven town council for a group called the Unabhängige Wilhelmshavener Bürger.

Übung 8

Model answers to this activity are given on the CD and in the transcript.

Lerneinheit 7

Übung 1

	Verb	Subject	Number of words before verb
1	(sich) befinden	die ausgedehnten Hafenanlagen	3
2	(sich) befinden	die Meereskundliche Forschungsanstalt der Senckenberg-Gesellschaft und ein Institut für Vogelforschung	2
3	war	die an der Westseite des 5 km breiten Meeresarms der Jade gelegene Stadt Wilhelmshaven	14
4	spielen	der Umschlag von Rohöl und petrochemischen Produkten sowie die vielseitige Industrie	1

Übung 2

In each of the following answers the *Vorfeld* is shown in bold.

1 **In dieser Gegend** liegt auch die Kleinstadt Jever.

2 **Daher** trägt die Stadt seinen Namen.

3 **Jedes Jahr** zieht die Nordseeküste hunderttausende Touristen an.

4 **Das** ist aber in der Wilhelmshavener Geschichte verwurzelt.

5 **Trotz der hohen Arbeitslosigkeit und der Probleme der Stadt** ziehen die Menschen nicht gern weg von hier.

6 **Hier** werden zur Zeit 550 Mitarbeiter beschäftigt.

Übung 3

1 (d), 2 (e), 3 (g), 4 (b), 5 (c), 6 (a), 7 (f)

Übung 4

Model answers to this activity are given on the CD and in the transcript.

Übung 5

1 Die Preußen kauften 313 Hektar Land.

2 Die Olympia-Werke waren einer der größten Arbeitgeber.

3 Wir leben vom Fremdenverkehr.

4 Hafenangelegenheiten sind Ländersache.

5 Wilhelmshaven war Reichskriegshafen.

6 Die Menschen bauten Deiche und Wurten.

7 Der Verein bietet Arbeitsplätze.

8 In Wilhelmshaven fehlen Arbeitsplätze.

Übung 6

This activity demonstrates the flexibility of German word order. Here are several possible versions of each sentence, each with its own particular emphasis.

1 (a) Er kauft heute in der Marktstraße einen neuen Anzug.

   (b) Heute kauft er in der Marktstraße einen neuen Anzug.

   (c) In der Marktstraße kauft er heute einen neuen Anzug.

   (d) Einen neuen Anzug kauft er heute in der Marktstraße.

2 (a) Man will in Wilhelmshaven bei einer Arbeitslosigkeit von fast 20% besonders für junge Leute Ausbildungsplätze schaffen.

   (b) Man will bei einer Arbeitslosigkeit von fast 20% in Wilhelmshaven besonders für junge Leute Ausbildungsplätze schaffen.

   (c) Man will bei einer Arbeitslosigkeit von fast 20% besonders für junge Leute in Wilhelmshaven Ausbildungsplätze schaffen.

   (d) In Wilhelmshaven will man bei einer Arbeitslosigkeit von fast 20% besonders für junge Leute Ausbildungsplätze schaffen.

(e) Bei einer Arbeitslosigkeit von fast 20% will man in Wilhelmshaven besonders für junge Leute Ausbildungsplätze schaffen.

(f) Bei einer Arbeitslosigkeit von fast 20% will man besonders für junge Leute in Wilhelmshaven Ausbildungsplätze schaffen.

(g) Bei einer Arbeitslosigkeit von fast 20% will man besonders für junge Leute Ausbildungsplätze in Wilhelmshaven schaffen.

(h) Besonders für junge Leute will man in Wilhelmshaven bei einer Arbeitslosigkeit von fast 20% Ausbildungsplätze schaffen.

(i) Besonders für junge Leute will man bei einer Arbeitslosigkeit von fast 20% in Wilhelmshaven Ausbildungsplätze schaffen.

3 (a) Ich gehe abends mit meinem Hund gern am Meer spazieren.

(b) Ich gehe abends gern mit meinem Hund am Meer spazieren.

(c) Ich gehe gern abends mit meinem Hund am Meer spazieren.

(d) Abends gehe ich gern mit meinem Hund am Meer spazieren.

(e) Mit meinem Hund gehe ich gern abends am Meer spazieren.

(f) Mit meinem Hund gehe ich abends gern am Meer spazieren.

(In these sentences *abends* and *mit meinem Hund* are of equal importance; what may be new to the listener is that the walk is by the sea, hence this is best delayed.)

4 (a) Die Höhe der Zuweisungen für die Gemeinden wird jedes Jahr neu diskutiert.

(b) Jedes Jahr wird die Höhe der Zuweisungen für die Gemeinden neu diskutiert.

5 (a) Der Bürgermeister wird in Hessen seit 1993 direkt von den Bürgerinnen und Bürgern gewählt.

(b) Der Bürgermeister wird seit 1993 in Hessen direkt von den Bürgerinnen und Bürgern gewählt.

(c) Seit 1993 wird der Bürgermeister in Hessen direkt von den Bürgerinnen und Bürgern gewählt.

(d) In Hessen wird der Bürgermeister seit 1993 direkt von den Bürgerinnen und Bürgern gewählt.

(e) Von den Bürgerinnen und Bürgern wird in Hessen seit 1993 der Bürgermeister direkt gewählt.

6 (a) Er hat ihnen gestern in der Ratssitzung die Höhe des Haushaltsdefizits offen gelegt.

(b) Gestern hat er ihnen in der Ratssitzung die Höhe des Haushaltsdefizits offen gelegt.

(c) In der Ratssitzung hat er ihnen gestern die Höhe des Haushaltsdefizits offen gelegt.

(d) Die Höhe des Haushaltsdefizits hat er ihnen gestern in der Ratssitzung offen gelegt.

Übung 7

These are model answers for your analyses, based on the example given for this activity.

1   The *Vorfeld* here is the phrase *durch die Ansiedlung neuer Betriebe. Ergreift* is the verb, taking second position. The subject, *die Stadt Wilhelmshaven,* immediately follows the verb. The essential new information (the direct object) is *Initiativen zur Schaffung von Arbeitsplätzen,* which is delayed until the end of the sentence.

2   The long phrase ending *finanzierte* and the phrase *in der Restaurierungswerkstatt für historische Fahrzeuge* are both linked to *Projekt* and form the *Vorfeld* of the sentence. The verb is *gibt,* which requires two objects: what is given (direct object, accusative) and to whom (indirect object, dative). Here they are in the usual sequence for noun objects: dative (*Langzeitarbeitslosen*) then accusative (*einen Job*). *Einen Job* takes final position, being the main emphasis of the sentence.

3   The subject *wir* takes the *Vorfeld* and the verb is *haben (uns) … hochgearbeitet,* which forms a verbal bracket around the rest of the clause, the *Mittelfeld.* The reflexive pronoun *uns* follows the finite verb, taking initial position in the *Mittelfeld.* The last five words of the sentence are outside the verbal bracket.

Lerneinheit 8

Übung 1

1.
   - Jever: Kleinstadt, gehört zu Landkreis Friesland; Wilhelmshaven: viel größer, ist kreisfreie Stadt;
   - Jever: historisch gewachsen; Wilhelmshaven erst im 19. Jahrhundert als preußischer Marinehafen gegründet, ist geplante Stadt;
   - Industrie in Jever: Brauerei und Tourismus; Wilhelmshaven: bis 1945 Marine- bzw. Kriegshafen, sonst wenig Industrie.

2. Auf einer föderativen Struktur haben die Besatzungsmächte bestanden, damit die Macht nicht allein beim Bund liegt.

3. Der Bürgermeister ist der gewählte Vorsitzende des Stadt- beziehungsweise Gemeinderates. Er wurde bisher in Niedersachsen vom Rat gewählt und ist ehrenamtlich tätig. Der Stadtdirektor leitet die Verwaltung der Stadt und wird dafür bezahlt. Der Bürgermeister einer kreisfreien Stadt (mit mehr als 100 000 Einwohnern) heißt Oberbürgermeister.

4. In einigen Bundesländern wird der Bürgermeister vom Gemeinde- beziehungsweise Stadtrat gewählt, in anderen wird er direkt gewählt. Ein Vorteil der Direktwahl ist, dass die Menschen in einer Gemeinde diese Entscheidung direkt beeinflussen können; ein Nachteil kann sein, dass die Person zu sehr im Vordergrund steht und das Programm der Partei weniger wichtig wird.

   (Obviously you may have mentioned other advantages and disadvantages covered in this *Teil*.)

5. Aufgaben der Gemeinden: Sozialhilfe, Erwachsenenbildung, Versorgung mit Strom, Wasser und Gas, öffentliche Verkehrsmittel, Straßenbau, Planung (Schulen usw.).

   Finanzielle Mittel: z.T. von Bundesregierung und Landesregierung, auch eigene Steuern (Gewerbesteuer usw.) und eigene Einnahmen (Eintrittsgelder usw.).

Übung 2

1. Falsch. Preußen kaufte 1853 das Land vom Großherzogtum Oldenburg.

2. Richtig.

3. Falsch. Erst nach dem Zweiten Weltkrieg hat man versucht Industriebetriebe anzusiedeln.

4. Richtig.

5. Falsch. Ein Drittel des Verwaltungshaushalts wird für Sozialhilfe ausgegeben.

6. Falsch. In erster Linie sind Frauen von der Arbeitslosigkeit in Wilhelmshaven betroffen.

7. Falsch. Niedersachsen hat vier Regierungsbezirke.

8. Falsch. Immer mehr junge Menschen gehen aus der Stadt weg, weil sie keine Arbeit finden.

9. Richtig.

10. Falsch. Bisher fahren viele Wilhelmshavener nach Oldenburg oder Bremen zum Einkaufen.

Übung 3

Check how many of these points you included in your answer.

Probleme	Ursache(n)
hohe Arbeitslosigkeit	• vor dem Zweiten Weltkrieg: nur Marine, kaum Industrie und Gewerbe • nach dem Zweiten Weltkrieg: Niedergang der Marine; Versuch, Gewerbe und Industrie nach Wilhelmshaven zu holen • man hat die Zeit verschlafen • in den sechziger und siebziger Jahren: Ansiedlung von Großindustrie – nicht ausreichend um Probleme der Stadt zu lösen • zu viele gigantische Projekte, die untergegangen sind • Olympia-Werke haben viele Arbeitsplätze abgebaut
Probleme im städtischen Haushalt	Arbeitslosigkeit: hohe Sozialhilfekosten, wenig Gewerbesteuer, Investitionen fast unmöglich
niedrige Kaufkraft	Arbeitslosigkeit
junge Menschen wandern ab, zunehmend eine Stadt für ältere Leute	Arbeitslosigkeit
zu wenig Bürgernähe	(keine Ursache erwähnt)

Übung 4

1 Herr Konken sagt, dass die Stadt in allen möglichen Bereichen, aber vor allem im mittelständischen Gewerbe Arbeitsplätze schaffen muss.

2 Arbeitsplätze sind sicherer im mittelständischen Gewerbe.

3 Neue Firmen bringen mehr Gewerbesteuer für die Stadt und reduzieren auch die Kosten der Sozialhilfe.

4 Wenn es mehr Arbeitsplätze gibt, sind wahrscheinlich weniger Leute auf Sozialhilfe angewiesen. Dadurch sinken dann die Sozialhilfeausgaben der Stadt.

Übung 5

Your key points might look like this.

- 95% der Firmen in Baden-Württemberg sind mittelständisch;

- erwirtschaften 50% des Sozialproduktes des Bundeslandes;

- entwickeln Qualitätsprodukte mit hohem technologischen Niveau;

- können nur so auf dem Weltmarkt bestehen;

- kleinere Firmen entwickeln sich zu internationalen Unternehmen (Beispiel: INDEX-Werke Hahn & Tessky).

Obviously this brochure was written for promotional purposes. Nevertheless, it does highlight Baden-Württemberg's strengths and the basis for its industrial success.

Übung 6

Your comparison might read like this.

> Wilhelmshaven hat eine hohe Arbeitslosigkeit und im Gegensatz zu Baden-Württemberg zu wenig mittelständische Industrie. Das liegt in der Geschichte der Stadt begründet und in der früheren Dominanz des Hafens. In Wilhelmshaven hat man in den sechziger und siebziger Jahren Großbetriebe angesiedelt, die aber nicht genügend (sichere) Arbeitsplätze geschaffen haben.

In Baden-Württemberg haben kleine und mittelständische Betriebe eine lange Tradition. Heutzutage sind 95% aller Firmen mittelständisch. Sie sind ein wichtiger Wirtschaftsfaktor in diesem Bundesland, denn sie erwirtschaften 50% des Sozialprodukts.

In Baden-Württemberg ist es gelungen, erfolgreiche mittelständische Betriebe aufzubauen, die zu internationalen Firmen geworden sind. Wilhelmshaven hat diese Entwicklung zum Teil verschlafen und versucht momentan die Ansiedlung von mittelständischem Gewerbe zu fördern. Ob diese Strategie Erfolg haben wird, wird sich zeigen.

Übung 7

Your definitions may look different from the following suggested answers, but check that you got the main information right.

- **kreisfreie Stadt**   eine Stadt, die zu keinem Landkreis gehört (normalerweise eine Großstadt)

- **Kreisstadt**   die Stadt, in der die Verwaltung eines Landkreises sitzt

- **Hauptstadt**   der Regierungssitz (eines Bundeslandes oder eines Staates)

- **Landeshauptstadt**   die Hauptstadt eines Bundeslandes

- **Großstadt**   eine Stadt mit mehr als 100 000 Einwohnern

- **Stadtstaat**   eine Großstadt, die zugleich Bundesland ist (wie Berlin, Bremen und Hamburg)

Übung 8

These sentences are taken from a book about Germany's political system. This is how they read originally. These are not, of course, the only ways in which the sentences could have been constructed and you may find that your word order varies in places.

1 Erst durch die Finanzreform von 1969 ist die finanzielle Situation der Gemeinden etwas befriedigender geregelt worden.

2 Auch die Bürgerinitiativen verdanken dem Kampf gegen bürgerfremde Planungen wesentliche Impulse.

3 Nur in bestimmten Fällen ist das Interesse der Bürger an kommunalpolitischen Entscheidungen noch auf breiter Basis mobilisierbar.

4 Die sich auch in den alten Bundesländern verbreiternde Kluft zwischen den Erwartungen der Bürger an die kommunalen Dienstleistungen und den Möglichkeiten der Kommunen ist in den neuen Bundesländern besonders groß.

(Kurt Sontheimer und Wilhelm Bleek, „Grundzüge der politischen Systems der Bundesrepublik Deutschland", 1997, S. 356–359)

Übung 9

1 Here are the main facts from the text.

> After Germany's reconstruction, increasing industrialization highlighted the need for local government reform. This was carried out in the 1970s, and the number of districts was drastically reduced. These reforms did not always take into account the interests of ordinary people, nor the structures which had evolved over time, and were strongly contested.
>
> Although in theory all local authorities are autonomous, their field of action has been restricted because of the country-wide policy of providing comparable living conditions for all citizens. The local authorities have become much more closely linked with national administrative structures, and this has impinged on their right to make decisions locally.

2 On the video Herr Hashagen mentions the local government reform as dating 'from 1972 onwards'. It is also said on the video that the local government of Wilhelmshaven has not always demonstrated sensitivity to the wishes of the citizens, which again ties in with what is said here.

Übung 10

Model answers to this activity are given on the CD and in the transcript.

Lerneinheit 9

Übung 1

This is the order in which the topics appear in the *Hörbericht*.

1 das Land: weit und flach

2 die trügerische Nordsee

3 das Land am Rand – dem Meer abgerungen

4 heidnische Bräuche beim Deichbau

5 die Legende über die Stadt Torum

6 die Sturmflut von 1962

7 die Ostfriesen: ein bodenständiges und auf den ersten Blick kühles Volk

Übung 2

1 Der Verein wurde 1906 gegründet, weil sich die Ostfriesen, die nach Wilhelmshaven gekommen waren, in einer Gaststätte getroffen (haben) und Platt gesprochen haben.

2 Sie sehen sich primär als Ostfriesen und haben sich früher nicht als Deutsche verstanden.

3 Die Ostfriesen hatten ihre eigene Sprache, die mit Altenglisch verwandt ist.

4 Plattdeutsch ist seine Muttersprache. Er findet es einfacher, sich auf Plattdeutsch auszudrücken, und meint, dass Plattdeutsch lyrischer als Hochdeutsch ist/sei.

5 Plattdeutsch wird immer weniger gesprochen wegen der Medien, in denen nur Hochdeutsch gesprochen wird. Er möchte dazu beitragen, dass sich auch die Kinder wieder damit beschäftigen.

6 Das Boßeln wird im Herbst auf der Landstraße betrieben.

7 Tee wurde zu jeder Tageszeit getrunken: morgens im Bett, dann zum Frühstück, im Büro, um 12 Uhr (wenn man Besuch bekam), nach der Mittagspause, um 5 Uhr, zum Abendessen und um 10 Uhr vor dem Schlafen-Gehen.

8 Alle fünf Sinne sollen angeregt werden: das Hören, das Riechen, das Sehen, das Tasten und das Schmecken.

Übung 3

Your version will probably look a bit different from this model, but make sure that you have used the correct forms of the passive and the impersonal construction with *man*.

> In Ostfriesland trinkt man viel Tee. Der Tee wird in dieser Gegend folgendermaßen aufgebrüht. Zuerst kocht man das Wasser. Mit dem heißen Wasser wird die Teekanne ausgespült. Dann wird pro Tasse, die auf dem Tisch steht, ein Teelöffel Tee in die Kanne gegeben. Außerdem fügt man immer einen Löffel Tee extra für die Kanne hinzu. Danach wird so viel Wasser auf die Teeblätter gegeben, dass sie schwimmen. Den Tee lässt man dann ungefähr vier Minuten ziehen. In der Zeit wird schon der Kandiszucker (die Kluntjes) verteilt. Es wird dabei pro Tasse ein Stück Kandiszucker genommen. Wenn der Tee lange genug gezogen hat, wird er in die Tasse gegossen. Zum Schluss gibt man vorsichtig die Sahne hinzu.

Übung 4

1 Richtig.

2 Falsch. In der Gegend gibt es vor allem Landwirtschaft, Schifffahrt, Fischerei und Tourismus.

3 Falsch. Volker Husmann macht eine Ausbildung zum Krankenpfleger.

   Note that Sande (where Volker Husmann is training) is a small town just outside Wilhelmshaven.

4 Richtig.

5 Richtig.

6 Falsch. Das Freizeitangebot für junge Leute ist schlecht.

7 Richtig.

Übung 5

1 Heimat ist

   • das Land, in dem man geboren ist;

   • das Land, in dem man seine Kindheit und Jugendzeit verlebte;

   • der Ort, an dem man sein Haus (Heim) hat;

   • das Vaterland, der Staat.

2 Schiller beschreibt ein Gefühl und auch das Bilder-Conversations-Lexikon erwähnt Emotionen, während die beiden anderen Einträge sachliche Definitionen beinhalten.

3 Es scheint, dass die ursprüngliche Bedeutung des Wortes nicht unbedingt als Synonym für „Staat" und „Vaterland" benutzt wurde, sondern dass sich diese Bedeutung erst später entwickelt hat (obwohl Schiller den Begriff „Vaterland" schon 1780 verwendete).

Übung 6

Model answers to this activity are given on the CD and in the transcript.

Übung 7

These are the key points you might have noted.

• *Heimat* – no simple definition, but:

   – is where home is;

   – feelings of safety and security;

   – place where born;

   – place where moved to and feel good;

   – Germans uneasy with concept: term abused by Nazis for political purposes, made into ideology;

   – an apolitical concept: can be manipulated because of emotional connotations;

   – unclear concept: contains values relating to both meaning and emotions.

Übung 8

1 The industrial revolution hardly affected this sense of belonging somewhere.

2 These terms refer to a sense of being settled in one place, of being inward-looking or firmly rooted somewhere.

3 The authors suggest the reason to be the *Kleinstaaterei* that existed in Germany before 1871, where the country was divided up into many small states.

4 In the nineteenth century *Heimat* represented an environment in which the bourgeoisie took refuge to forget about social tensions and the changes taking place in society. This was later extended to the concept of a united Germany and then abused and distorted (myths of blood and earth). Germans still feel uneasy talking about *Heimat* because of the implications of these historical concepts.

5 In the early seventies the modernization fever subsided and people realized that growth has its limits.

6 Regional identity has put a curb on national exuberance following reunification of the two Germanies.

Übung 9

Obviously your own summary will look different from this model. Make sure though that you have covered at least three different definitions of the term *Heimat*, and that you have included your own personal definition.

> „Heimat" ist ein Begriff, den man unterschiedlich definieren kann. Es ist kein präziser Begriff: Er kann sowohl eine inhaltliche als auch eine emotionale Bedeutung haben. Das kann der Ort oder das Land sein, wo man geboren ist. Man kann „Heimat" aber auch definieren als die Umgebung, in der man lebt und in der man sich wohl fühlt.
>
> Im 19. Jahrhundert wurde das Wort oft als Synonym für eine heile Welt verwendet. Das Wort bedeutete ursprünglich nicht „Vaterland" oder „Staat", sondern diese Definition hat sich erst später entwickelt. Vor allem im Dritten Reich wurde der Begriff missbraucht: „Heimat" als Konzept ist apolitisch, deshalb konnten die Nazis es leicht in ihre Ideologie einbauen. Die Tradition dieses Begriffs bedeutet, dass viele Deutsche auch heute noch Probleme mit dem Konzept „Heimat" haben.
>
> Für mich ist Heimat der Ort und die Gegend, wo ich aufgewachsen bin, weil ich mich dort daheim fühle.

Lerneinheit 10

Übung 1

Gemeinde	Land	Bund
Nahverkehr	Kultur	Außenpolitik
Versorgung mit Strom, Wasser und Gas	Schulwesen	Verteidigung
Städtebauliche Planung	Kommunal-verfassung	Luftverkehr
Sozialhilfe	Polizei	Geld und Währung
Abwasser-beseitigung		Zollwesen

(Stand 1998)

Übung 2

Here are some possible answers; obviously you may have come up with other ideas.

1 Vorteile: auf lokaler Ebene ist man den Problemen näher, kann die Schwierigkeiten vor Ort lösen und Lösungen finden, die für den Ort relevant sind (zum Beispiel im Nahverkehr).

Nachteile: Gemeinden mit einem hohen Anteil an Sozialhilfeempfängern müssen viel Geld für Sozialhilfe ausgeben, zum Beispiel wird in Wilhelmshaven ein Drittel des Verwaltungshaushalts für Sozialhilfe ausgegeben; die Gemeinde hat dadurch weniger Geld für ihre anderen Ausgaben (wie zum Beispiel Büchereien und Schwimmbädern). Es kann auch billiger und effizienter sein, wenn mehrere Gemeinden gemeinsam planen (zum Beispiel bei der Versorgung mit Strom oder Gas).

2 Wenn jedes Land seine eigenen Entscheidungen treffen kann, dann können große Unterschiede zum Beispiel im Schulwesen oder bei der Polizei zwischen den einzelnen Ländern entstehen.

(Problems can of course arise for instance in education. However, although the education system is the responsibility of the *Länder*, this is within a federal framework in which the *Ständige Konferenz der Kultusminister der Länder* lays down guidelines governing the way each *Land* organizes its education system. This itself is criticized by some politicians as not allowing the *Länder* sufficient initiative.)

3 Aufgaben wie Verteidigung betreffen das ganze Land. Auch das Geld und die Währung sind Bundesaufgaben, damit es eine einheitliche Währung beziehungsweise Währungspolitik gibt.

(Of course, areas of responsibility are changing in the light of European integration.)

Übung 3

Checking the meaning of these words should have highlighted some of the problems of translating words that mean different things in different contexts into English.

- The words *Landeshauptstadt* (capital of a *Land* or province), *Landesregierung* (government of a *Land*) and *Landeszentralbank* (State Central Bank) are all closely linked with *Land* in its political sense, referring to a *Bundesland*. (Incidentally, a *Landeszentralbank* is a main administration centre of the *Bundesbank*; there are nine of these in Germany.)

- *Landesverrat* (treason), *Landestracht* (national costume), *Landesgrenze* (national or provincial boundary) and *Landsleute* (fellow countrymen or -women) all relate to *Land* in the political sense of 'country' or 'state'.

- *Landleben* means 'country life' and *Land-gewinnung* means 'land reclamation'; these words have nothing to do with *Land* in its political sense.

- Likewise the word *Landebahn* is not political, as it is derived from the verb *landen* and means 'runway'.

Übung 4

I Im horizontalen Finanzausgleich zahlen die reicheren Bundesländer an die ärmeren/finanzschwachen Länder. Im vertikalen Finanzausgleich zahlt der Bund/die Bundesregierung Geld an Bundesländer, die weniger Geld haben.

2 Hessen, Bayern, Baden-Württemberg, Nordrhein-Westfalen, Schleswig-Holstein und Hamburg zahlen an die anderen Bundesländer.

3 (Positiv) Es sorgt dafür, dass auch die ärmeren Länder genügend finanzielle Mittel für ihre Aufgaben haben. Das Grundgesetz fordert vergleichbare Lebensbedingungen für alle Bürger und Bürgerinnen, deshalb ist der Finanzausgleich wichtig.

oder:

(Negativ) Es trägt dazu bei, dass die ärmeren Länder nicht versuchen zu sparen und mehr eigenes Einkommen zu schaffen. Es ist unfair gegenüber den reicheren Ländern, die die ärmeren Länder mitfinanzieren müssen.

Your answer here obviously depends on your own views.

Übung 5

Model answers to this activity are given on the CD and in the transcript.

Übung 6

Your summary might read like this.

Dr Konrads explains that the *Länder* are the second level down in German political structures. They play an important role in maintaining the stability of the German democratic system, and their constitutions must all reflect the republican and democratic principles laid down in the *Grundgesetz*. The *Bund* passes laws on the larger issues with international implications. The *Länder* may introduce their own legislation in areas where it does not conflict with laws passed by the *Bund*. In other areas the *Bund* may impose overall frameworks, only, for *Land* legislation, and in still others the two share legislative responsibility. The power of the *Bund* is increasing, and the scope for independent action by the *Länder* getting smaller.

The regulation of finances between *Bund* and *Land* is fairly complex. There are fixed quotas for the allocation of some taxes, for example income tax; the *Länder* also receive money from the *Bund* via the redistribution of income, and they raise their own taxes as well.

People seem reasonably happy with this system, as the outcome of the debate about the amalgamation of Berlin and Brandenburg seems to indicate.

Übung 7

- Funktion: Mitwirkung an Gesetzen und Verwaltung des Bundes; Kontrolle des Bundes.
- Zusammensetzung: Entsendung von Regierungsmitgliedern aus jedem Bundesland (mindestens drei, höchstens sechs).
- potenzielle Probleme:
  - Länder erhalten sehr viel Einfluss auf Bund;
  - kleine Länder haben prozentual mehr Einfluss als große Länder.

Übung 8

- Vorteile:
  - Macht zwischen Bund und Ländern ist geteilt und beschränkt;
  - bewahrt regionale Vielfalt;
  - bindet Menschen an ihr Gemeinwesen;
  - regionale Einheiten mit Rechten werden wichtiger (auf Grund der Globalisierung und Europäisierung).
- Probleme:
  - Interessen sind nicht mehr länderspezifisch;
  - Länder haben kaum Macht im Land, keine eigenen Steuern, wenig Spielraum;
  - horizontaler Finanzausgleich bestraft sparsame Länder;
  - Bund gewinnt immer mehr Einfluss auf die Länder, Länder haben immer mehr Einfluss auf Bundespolitik.

Übung 9

Model answers to this activity are given on the CD and in the transcript.

Lerneinheit 11

Übung 1

In the following answers the subjects are shown in bold, the verbs in bold and underlined.

1 **Ostfriesen sind** ein bodenständiges Volk und den Ostfriesen **verpflanzt man** nicht so gern.

2 **Viele junge Leute finden** das Leben in Ostfriesland langweilig, aber **sie hängen** an ihren Freunden und der Landschaft.

3 **Jüngere und gut ausgebildete Menschen verlassen** die Region, denn **sie sehen** für sich dort keine Zukunft.

4 **Sie können** die Gegend **verlassen** oder arbeitslos **bleiben**.

5 **Die Ostfriesen betrachteten** sich traditionell nicht als Deutsche, sondern **sahen** sich primär als Ostfriesen.

Übung 2

1 Viele Besucher kommen nach Ostfriesland **und** unterstützen die Wirtschaft in der Gegend.

(same subject, *viele Besucher/sie*, in initial position in second clause after *und*, therefore omitted)

2 Die Stadt Wilhelmshaven zieht immer mehr Tagestouristen an, **aber** sie kann dadurch ihre wirtschaftlichen Probleme nicht lösen.

(same subject, *die Stadt/sie*, but clauses linked by *aber* therefore *sie* cannot be omitted in the second)

3 Viele Besucher kommen nach Ostfriesland **und** dadurch unterstützen sie die Wirtschaft in der Gegend.

(same subject, *viele Besucher/sie*, clauses linked by *und* but *sie* not in initial position in the second clause therefore cannot be omitted; compare this with sentence [1] above)

4 Beim Ostfriesentee wird die Sahne zuletzt aufgelegt, **denn** sie soll oben auf dem Tee liegen bleiben.

(same subject, *die Sahne/sie*, but clauses linked by *denn* therefore *sie* cannot be omitted in the second)

5 Ältere Menschen gehen nicht aus Ostfriesland weg, **sondern** bleiben in der Gegend.

(same subject, *ältere Menschen/sie*, in initial position in second clause after *sondern*, therefore omitted)

Übung 3

1 The first clause is the main clause, with the finite verb in second position. This is followed by the subordinate clause starting with *weil*, where all parts of the verb go to the end.

2 The first clause is the subordinate clause, starting with *wenn* and with the finite verb at the end. The second clause is the main clause, starting with the verb followed by the subject.

3 The first clause is the main clause, with the finite verb in second position. The subordinate clause introduced by *dass* is effectively the object of the main clause and the finite verb *mitwirken* is at the very end. (You will see that the grammar book calls clauses like this 'complement clauses').

Übung 4

Each of these sentences could start with its main or its subordinate clause; however just one version of each is given here. The conjunctions are shown in bold.

I Es gibt den so genannten horizontalen Finanzausgleich zwischen den Ländern, **weil** nicht alle Länder gleich finanzstark sind.

2 **Damit** die Länder ihre Aufgaben wahrnehmen können, zahlt der Bund zusätzliche Mittel an finanzschwache Länder.

3 Das föderative System bietet viele Vorteile, **weil** die Länder die Macht des Bundes bis zu einem gewissen Grad ausgleichen können.

4 Die Bürger und Bürgerinnen von Brandenburg und Berlin haben sich gegen eine Fusion der beiden Länder ausgesprochen, **obwohl** man viel Geld hätte sparen können.

5 **Weil** sie in der Regel von den Länderverwaltungen durchgeführt werden müssen, hat der Bundesrat fast alle wichtigen Gesetzeswerke von seiner Zustimmung abhängig gemacht.

Übung 5

I Ich habe gelernt, dass es einen Finanzausgleich zwischen den Ländern gibt.

2 Ich habe gelesen, dass der Bund den finanzschwachen Ländern zusätzliche Mittel zur Verfügung stellt.

3 Ich habe gehört, dass die Brandenburger und Berliner gegen eine Fusion ihrer Länder gestimmt haben.

4 Es wird gesagt, dass der Bundesrat fast allen wichtigen Gesetzen zustimmen muss.

5 Es heißt, dass das föderative System viele Vorteile hat.

Übung 6

Model answers to this activity are given on the CD and in the transcript.

Note that in sentences where the main clause contains an impersonal construction (for example *Es blieb die Norm, dass Deutsche …*), you omit the *es* when inverting the two clauses to start with the subordinate clause. This is because the subordinate clause then occupies initial position of the sentence (the *Vorfeld*) and effectively acts as its subject.

Übung 7

These answers obviously don't cover the whole range of possibilities. You may have used the phrases in the box differently, but in each of your sentences the subordinate clause should read the same as these.

I Es stellt sich die Frage, ob der Länderfinanzausgleich wirklich sinnvoll ist.

2 Es geht darum, wie viel Macht die Länder wirklich haben.

3 Es fragt sich, ob der Bund nicht zu viel Einfluss auf die Länder hat.

4 Es ist fraglich, wie die Steuern zwischen dem Bund und den Ländern verteilt werden.

5 Es stellt sich die Frage, ob der Föderalismus in Deutschland eine Zukunft hat.

6 Es geht darum, wer für die Polizei zuständig ist.

7 Es fragt sich, welche Aufgaben der Bund haben sollte.

8 Es ist fraglich, ob das System reformierbar ist.

Übung 8

I (b) das

(c) die

(d) weil

(e) indem

(f) die

(g) daß (dass)

2

Sentence	Analysis
Einerseits … Vorschriften machen.	main clause with embedded subordinate clause (introduced by *soweit*) and with the verbal bracket *darf … machen*
Andererseits … mit.	main clause with verbal bracket *wirken … mit*
Normalerweise … kann.	main clause followed by subordinate relative clause (*das der Bundestag … kann*)
Die Verschränkung … verstärkt.	main clause with verbal bracket (*hat … verstärkt*)
Den Anstoß … Umweltbelastung.	main clause followed by subordinate relative clause (*die … konnten*) and subordinate clause introduced by *weil*; comparison with *wie* as *Nachfeld* of the main clause
Der Bund … ausschöpfte.	main clause followed by subordinate clause introduced by *indem* (*indem … voll ausschöpfte*) in which another subordinate (relative) clause is embedded (*die … offenstehen*), itself followed by a subordinate clause introduced by *wie* (*wie … zugegriffen hat*). Note that *voll ausschöpfte* belongs to the first subordinate clause.
Für … ließen.	main clause with verbal bracket (*ist … geworden*) and followed by subordinate clause introduced by *dass* (*dass … ließen*)

Lerneinheit 12

Übung I

In the following answers the corrections are shown in bold, the conjunctions and relative pronouns in bold and underlined.

1 Der Ostfriesenverein Eala Frya Fresena wurde **1906** in Wilhelmshaven gegründet, **denn** damals kamen viele **Ostfriesen** auf der Suche nach Arbeit nach Wilhelmshaven.

2 Die **Ostfriesen, die auf der Werft** arbeiteten, trafen sich regelmäßig in einer Kneipe.

3 Das Regionalgefühl der Friesen drückte sich darin aus, **dass** sie sich zunächst als **Friesen** und dann als **Deutsche** betrachteten.

4 Jan Cornelius ist ein **Liedermacher, der** auf **Plattdeutsch** singt, **weil** er so seine Gefühle besser ausdrücken kann.

5 Seine auf **Plattdeutsch** geschriebenen Kinderlieder sollen einen Beitrag dazu leisten, **dass** sich auch Kinder wieder mit dem **Plattdeutschen** beschäftigen.

6 Boßeln und **Klootschießen** sind zwei traditionelle Sportarten, **die** vor allem im **Winter, wenn** die Weiden gefroren sind, betrieben werden.

7 Eine weitere **Tradition, die** seit mehr als zweihundert Jahren gepflegt wird, ist der ostfriesische **Tee, den** man auf bestimmte Art und Weise zubereitet.

8 Der Mangel an **Industrie/Arbeitsplätzen** in der Region führt dazu, **dass** vor allem **jüngere** und gut ausgebildete Menschen abwandern.

Übung 2

You should have included most of the following points.

- Heimat ist
  - das Land, in dem man geboren und aufgewachsen ist;
  - der Ort, an dem man sein Haus hat;
  - ein Gefühl des Daheim-geborgen-Seins;
  - der Ort, wo man sich wohl fühlt;
  - die Umwelt, mit der der Einzelne durch Geburt oder Lebensumstände verwachsen ist;

- im 19. Jahrhundert für das Bürgertum das scheinbar sichere Refugium gewesen, in dem man die sozialen Spannungen und Umwälzungen des Jahrhunderts vergessen konnte;
- das Vaterland, der Staat;
- ein unklares/neutrales/apolitisches Konzept mit sowohl emotionalen als auch inhaltlichen Komponenten;
- deshalb leicht zu manipulieren; wurde vor allem in Dritten Reich missbraucht und zur Weltanschauung gemacht;
- für viele Deutsche noch ein problematischer Begriff.

Übung 3

Your answer might read something like this.

> This quotation starts with a straightforward definition of *Heimat* as the place where someone is born, grows up, lives or chooses to live. It then touches on the more intangible and irrational aspects of *Heimat*: that long-standing inner relationship that is to do with feelings and emotions. Bülow doesn't mention the idea of the fatherland or the state in his definition and gives the impression that he sees it as a smaller entity. He also adds aspects like landscape and above all the people who live there, with their traditions, customs and dialect.

Übung 4

1 Sie sind u.a. für Kultur, Schulwesen, Kommunalverfassung und Polizei zuständig.

2 Der Bund ist für Außenpolitik, Verteidigung, Geld und Währung, Luftverkehr sowie für das Zollwesen verantwortlich.

3 Horizontaler Finanzausgleich: Einige (wohlhabende) Bundesländer zahlen Gelder an die ärmeren Bundesländer; damit soll ein Ausgleich der Finanzkraft zwischen den Ländern erreicht werden.

Vertikaler Finanzausgleich: Der Bund zahlt zusätzliche Mittel an finanzschwache Länder.

4 Die Vorteile des Finanzausgleiches sind, dass auch die ärmeren Länder genügend finanzielle Mittel für ihre Aufgaben haben und dass es weniger Ungleichheit zwischen den Bundesländern gibt.

Die Nachteile sind, dass einige Länder die anderen mitfinanzieren müssen und dass es nicht dazu beiträgt, dass die finanzschwachen Länder sparsamer werden.

5 Alle Verfassungen müssen den Grundsätzen eines republikanischen, demokratischen Rechtsstaats entsprechen, wie es im Grundgesetz festgelegt ist.

6 Unter „konkurrierender Gesetzgebung" versteht man Bereiche, in denen die Länder eigene Gesetze schaffen, wenn es kein entsprechendes Gesetz des Bundes gibt.

7 Der Bundesrat setzt sich aus Mitgliedern der 16 Länderregierungen zusammen, die von den jeweiligen Regierungen entsendet werden.

8 Die Länder haben wenig Einfluss bei sich zu Hause, weil sie kaum eigene Steuern einnehmen. Sie haben nicht sehr viel Spielraum. Der Bund hat immer mehr Macht über die Länder erhalten und die Länder erweitern ihren Einfluss auf die Bundespolitik.

Übung 5

1 Die Bundesländer Bayern und Baden-Württemberg wollen weniger Geld an die finanzschwachen Länder zahlen.

2 Für ihn liegt das grundsätzliche Problem darin, dass der Bund zu viel Einfluss auf die Länder hat und dass die Finanzen (sowie auch die Aufgaben) zu sehr miteinander verflochten sind.

3 Um im geeinten Europa eine Rolle spielen zu können, müssen die Bundesländer neu gegliedert werden, weil zum Beispiel die Unterschiede bei der Einwohnerzahl zu groß sind. Und auch die Finanzverfassung muss regionalisiert werden.

4 Eine größere Ungleichheit zwischen den Ländern wäre akzeptabel, weil es dazu auf Dauer keine Alternative gibt.

5 Sachsen ist bereit eine größere Ungleichheit hinzunehmen, wenn es mehr Einfluss auf seine eigenen Verhältnisse erhält.

Übung 6

First sentence	• main clause: subject *Bayern und Baden-Württemberg*, verbal bracket *haben … losgetreten*, object *einen heftigen Streit*; • subordinate clause introduced by conjunction *weil*, subject *sie*, verb *abgeben wollen*, object *weniger Geld*.
Second sentence	• main clause: subject *Sie*, verbal bracket *haben … beigepflichtet*, object *dem*; • subordinate clause introduced by conjunction *obwohl*, subject *Sachsen*, verb *angewiesen bleibt*.

Übung 7

Model answers to this activity are given on the CD and in the transcript.

Lerneinheit 13

Übung 1

1 (b) + (d), **2** (a), **3** (c) + (j), **4** (h) + (l), **5** (f), **6** (k), **7** (e) + (i), **8** (g)

Übung 2

1 föderative

2 Republik

3 Bundesverfassung

4 Bundesverwaltung

5 Kantonen

6 Selbständigkeit

7 Bundes

8 Tendenzen

Übung 3

1 Ein Kanton ist das, was ein Bundesland in Deutschland ist.

2 Die Verfassung besteht seit 1874.

3 Die Kantone haben bestimmte Rechte an den Bund übertragen, der Bund darf nur in diesem Rahmen handeln; theoretisch sind die Kantone also wesentlich einflussreicher als der Bund. Es gibt jedoch eine Tendenz zur Zentralisierung, das heißt, der Bund bekommt mehr Einfluss.

4 Obwohl die beiden politischen Systeme unterschiedlich sind, scheinen sie ähnliche Probleme zu haben. Auch in Deutschland besteht die Tendenz, dass der Bund mehr Einfluss auf die Länder gewinnt.

Übung 4

1 Falsch. Der Bundestag wird alle vier Jahre gewählt.

2 Richtig.

3 Falsch. Er wählt den Bundeskanzler; der Bundespräsident wird von der Bundes- versammlung und den Ländern gewählt.

4 Richtig.

5 Richtig.

6 Falsch. Er ist gemeinsam mit den Ländern (durch den Bundesrat) für die Gesetzgebung verantwortlich.

Übung 5

1 Konrad Adenauer

2 Ludwig Erhard

3 Kurt-Georg Kiesinger

4 Willy Brandt

5 Helmut Schmidt

6 Helmut Kohl

7 Gerhard Schröder

Übung 6

1 • Adenauer: unbestrittener Chef der Regierung, außer in den letzten Jahren als Kanzler.

   • Erhard: führungsschwach, konnte sich nicht durchsetzen.

   • Kiesinger: eingeschränkt in seiner Leitungsfunktion auf Grund der SPD als Koalitionspartner.

   • Brandt: wollte mit Worten überzeugen, war aber im politischen Alltag überfordert.

- Schmidt: ökonomischer und politischer Krisenmanager, schließlich keine Unterstützung von der eigenen Partei und der FDP als Koalitionspartner.

- Kohl: hatte Kontrolle über CDU, Gegner in der Partei wurden in die Schranken gewiesen, großer Staatsmann auf Grund der Wiedervereinigung.

2   Richtlinienkompetenz hängt von der Persönlichkeit des Bundeskanzlers, der Zusammensetzung der Regierung und der Konstellation der Parteien ab. Verfassung erlaubt starken Kanzler, aber macht Kanzler nicht automatisch stark.

Übung 7

This is how the jumbled clauses read in the original extract. In some cases you may have come up with alternatives that are also grammatically correct.

1   … die den Inhalt der Gesetzgebung am nachhaltigsten beeinflussen können …

2   … wenn zwischen den beiden gesetzgebenden Kammern kein Konsens erreicht wurde.

3   … einen für beide Seiten tragfähigen Kompromiß zu finden.

4   … denn im Bundesrat verfügte die parlamentarische Opposition der CDU/CSU von 1969 bis 1983 über eine Mehrheit.

5   … als die SPD-geführten Länder die Mehrheit im Bundesrat errangen …

6   … die sie dort bisher haben verteidigen können.

7   … weil sich die Regierungsmehrheit doch zumeist bewußt ist …

8   … deren Zustimmung bei vielen Bundesgesetzen erforderlich ist.

Übung 8

Model answers to this activity are given on the CD and in the transcript.

Übung 9

Obviously your summary may look different from this model, but check that you have covered the main points.

Auf Grund der Erfahrungen der Weimarer Republik ist das Präsidentenamt in seiner Funktion eingeschränkt worden. Der Bundespräsident hat in Deutschland eine repräsentative Funktion, er vertritt Deutschland nach innen und nach außen. Er kann kaum politisch handeln und aktiv in das politische Leben eingreifen. Obwohl alle bisherigen Präsidenten vor ihrem Amtsantritt aktive Politiker waren, mussten sie während ihrer Amtszeit ihre Parteimitgliedschaft ruhen lassen. Sie spielen jedoch eine Rolle als Integrationsfigur und können Ratschläge geben und Warnungen aussprechen. Richard von Weizsäcker, der CDU-Politiker war, ist ein Beispiel eines sehr beliebten und erfolgreichen Bundespräsidenten, weil er es verstanden hat, selbstständig und unabhängig zu urteilen und Probleme, die die Menschen in Deutschland angingen, anzusprechen. Er hatte ein sicheres Gespür für die Probleme der Zeit und hat sie auch dann angesprochen, wenn das für die damalige konservative Bundesregierung unbequem war.

Lerneinheit 14

Übung 1

1 (f), 2 (a), 3 (g), 4 (c), 5 (e), 6 (d), 7 (b)

Übung 2

1   Because it has frequently been part of coalitions with other parties. In this way it brought about a change of government in 1969 and again in 1982.

2   The CDU and CSU.

3   The PDS wants to retain as many aspects of socialism as possible within a pluralistic, democratic system.

4   While there are many possible reasons for this, the most obvious one is the fact that the PDS is the successor of the East German SED (Sozialistische Einheitspartei Deutschlands). It protests against the perceived take-over of former East Germany by West Germany.

(The former SED had a large membership, and many of its supporters have become members of the PDS. Many East Germans are disenchanted with the politics of the other – western – parties and feel that the PDS represents their views much better.)

5 The oldest party is the SPD, whereas the alliance Bündnis 90/Die Grünen formed in 1993 (although as a separate party Die Grünen date back to 1980 in West Germany).

6 The CDU is supra-denominational and supports parliamentary democracy, federalism and a public role for the Christian Church.

Übung 3

1 Richtig.

2 Falsch. Mit der Erststimme wählt man einen Wahlkreisabgeordneten beziehungsweise eine Wahlkreisabgeordnete.

3 Falsch. Die Zweitstimme ist für die Verteilung der Bundestagsmandate entscheidend.

4 Falsch. Der Wahlzettel stammt aus Bonn.

5 Falsch. In diesem Wahlkreis kandidieren sechs Politikerinnen und Politiker für ein Direktmandat.

6 Falsch. Die CDU führt die Liste für diesen Wahlkreis an.

Übung 4

1 (a), 2 (a) + (d), 3 (b), 4 (c), 5 (b)

Übung 5

Here are some arguments for and against the two systems; you may have noted others too. (Whether each argument is for or against a particular system is of course in some cases a matter of personal judgement.)

Mehrheitswahlrecht

- macht eine Regierungsbildung einfacher;
- kleine Parteien wie die FDP spielen eine weniger zentrale Rolle bei der Regierungsbildung;
- Wähler können einen Kandidaten beziehungsweise eine Kandidatin direkt wählen;
- Mehrheiten im Bundestag sind klarer;
- Wählerstimmen für unterlegene Kandidaten gehen verloren;

- kann zu einem Zweiparteiensystem führen;
- kann zu schnellerem Regierungwechsel führen.

Verhältniswahlrecht

- kleinere Parteien erhalten überhaupt erst eine Chance in den Bundestag einzuziehen;
- auch Minderheiten haben eine Chance ins Parlament zu kommen;
- fairere Repräsentation des „Volkswillens";
- Wähler können nur eine von den Parteien aufgestellte Liste wählen;
- Regierungsbildung kann schwieriger werden;
- weniger klare Mehrheiten im Bundestag;
- kann zur Zersplitterung des Parlaments führen, wenn zu viele Parteien gewählt werden;
- kann zu Regierungsunfähigkeit führen (wie in der Weimarer Republik).

Übung 6

Model answers to this activity are given on the CD and in the transcript. No answer is given to the final question, where your response should reflect your personal view.

Übung 7

All conjunctions are shown in bold in the following reconstructed sentences.

1 Bei der Aufstellung der Kandidaten und Kandidatinnen für den Bundestag fällt auf, **dass** örtliche Parteigremien eine wichtige Rolle spielen.

2 Man kann davon ausgehen, **dass** sich die meisten Kandidatinnen und Kandidaten um ein Bundestagsmandat schon in der Parteiarbeit bewährt haben.

3 **Wenn** eine Partei viele Direktmandate erhält, bedeutet das, **dass** nur wenige Bewerber über die Landeslisten in den Bundestag einziehen.

4 Die Landeslisten sind aber trotzdem für alle Parteien wichtig, **weil** auf ihnen in der Regel prominente Politiker und Politikerinnen aufgestellt werden/**denn** auf ihnen werden in der Regel prominente Politiker und Politikerinnen aufgestellt.

5 Die ersten Plätze der Liste werden in der Regel mit bekannten Politikerinnen und Politikern besetzt, **denn** es erscheinen nur einige Namen auf den Stimmzetteln.

Here is a model answer. You may have included different advantages and disadvantages of each system in your version.

In Deutschland gibt es ein relativ kompliziertes Wahlsystem, das sich „personalisiertes Verhältniswahlrecht" nennt. Es enthält Elemente des Mehrheits- und des Verhältniswahlrechts. Jeder Wähler und jede Wählerin hat zwei Stimmen: eine Erststimme für einen Kandidaten oder eine Kandidatin in dem jeweiligen Wahlkreis und eine Zweitstimme für eine Landesliste der Parteien. Die Erststimme orientiert sich an der Mehrheitswahl, denn der Kandidat oder die Kandidatin mit den meisten Stimmen gewinnt den Wahlkreis. Die Zweitstimme ist jedoch die entscheidende Stimme, sie orientiert sich am Verhältniswahlrecht: Die Parlamentssitze werden nach dem Stimmenanteil der Zweitstimmen verteilt. Dabei werden die Direktmandate auf diesen Anteil verrechnet.

Wenn eine Partei mehr Wahlkreise direkt gewonnen hat, als ihr nach den Zweitstimmen zustehen, gibt es so genannte Überhangmandate. Für kleinere Parteien ist weiterhin wichtig, dass sie mindestens 5% der Zweitstimmen bekommen müssen. Wenn das nicht der Fall ist, dann kommen sie nicht in den Bundestag (es sei denn, sie haben mindestens drei Wahlkreise direkt gewonnen).

Ich glaube, dass dieses System kleinere Parteien begünstigt. Sie benötigen nur 5% der Stimmen und müssen keinen einzigen Wahlkreis direkt gewinnen um ins Parlament zu kommen. Das System hat den Vorteil, dass die Wähler mehr Wahlmöglichkeiten haben. Ihre Stimmen zählen auch dann, wenn sie keine der beiden großen Parteien (SPD und CDU) wählen.

Ein klarer Nachteil ist aber, dass es keine so eindeutigen Mehrheiten im Bundestag gibt. Das kann die Regierungsbildung sehr schwierig machen. Auf der anderen Seite sind die beiden großen Parteien auf diese Weise gezwungen, mit den kleineren Parteien (wie zum Beispiel der FDP oder den Grünen) zusammenzuarbeiten und Kompromisse zu schließen.

Lösungen Thema 2

Lerneinheit 1

Übung 1

Mentioned in the video, although not always in chronological order are 3, 4, 5, 7 (the video doesn't specify the dates for Friedrich August I., it just says *Ende des 17., Anfang des 18. Jahrhunderts*), 8, 11, 12 (at the beginning of the video, Herr Fuhrmann mentions the end of the monarchy in 1918) and 15 (Frau Löser mentions *DDR-Zeiten* towards the end).

Übung 2

1 Im Video werden Meißen, Annaberg-Buchholz und Dresden genannt.

- Dresden ist die Landeshauptstadt Sachsens und außerdem eine berühmte Barockstadt.

- Annaberg-Buchholz ist eine Stadt im Erzgebirge direkt an der Grenze zur Tschechischen Republik, die durch den Bergbau und als Silberstadt bekannt ist.

- Meißen liegt in der Nähe von Dresden und wird oft als Wiege Sachsens bezeichnet.

2 Konrad der Große, Friedrich der Sanftmütige, August der Starke.

Übung 3

1 Falsch. Sie siedelten nördlich der Elbe.

2 Richtig.

3 Richtig.

4 Falsch. Kerngebiet Sachsens war die Mark Meißen.

5 Falsch. 1485 wurde Dresden die neue Residenz der Albertiner.

6 Falsch. 1806 wurden die Albertinischen Wettiner Könige von Sachsen.

Übung 4

1 *stammen.* Under *stammen* the dictionary lists: to come (*von, aus* from); (*zeitlich*) to date (*von, aus* from); (*Gram. auch*) to be derived (*von, aus* from)

2 The dictionary lists the four different meanings of *Stamm* as:

(a) (*Baum~*) trunk

(b) (*Ling.*) stem

(c) (*Volks~*) tribe; (*Abstammung*) line

(d) (*Kern, fester Bestand*) regulars (pl.)

3 *Stammvokal* – radical or root vowel (meaning (b))

Stammgast – regular customers (meaning (d))

Stammbaum – family or genealogical tree (meaning (c))

Übung 5

1 Die Wettiner Herrscher/Sie lebten in Meißen.

2 Das Wandbild stellt den Fürstenzug dar, der unter anderem eine Dreiergruppe zeigt, die aus Friedrich dem Sanftmütigen und seinen beiden Söhnen Ernst und Albrecht besteht.

3 Ernst und Albrecht regierten zuerst gemeinsam, dann wurde Sachsen zwischen den beiden aufgeteilt.

4 August der Starke war für seinen Prunk am Hofe/ seine Prunksucht am Hofe/seine Prunkentfaltung am Hofe bekannt.

5 Dresden erhielt viele Barockbauten, die die Stadt berühmt machten.

6 Er finanzierte seine Pläne mithilfe des Geldes aus dem Silberbergbau, aus der Porzellanmanufaktur und aus Steuern.

Übung 6

1 Die Renaissance und der Humanismus nahmen ihren Ausgang im **14. Jahrhundert** in Italien.

2 Im 15. und 16. Jahrhundert wirkten sich diese **Bewegungen** auch auf Deutschland aus.

3 Nach dem Dreißigjährigen Krieg war die Wiederherstellung der **Ordnungsfunktion** (*or* **staatlichen Ordnung**) zentral.

4 Die **Monarchen** garantierten die Wiederherstellung der staatlichen Ordnung.

5 Im Absolutismus war der Monarch der **alleinige Herrscher/alleinige Inhaber der Herrschaftsgewalt**.

6 Die absolutistischen Herrscher mussten sich nicht an die **bestehenden Gesetze** halten.

7 Staat und **Herrscher** wurden gleichgesetzt.

Übung 7

This is how your notes might look.

- sein Regierungsantritt als junger Mann
  - wenig vorbereitet
  - Interesse an kriegerischem Ruhm
- seine Außenpolitik
  - wollte seine Position ausbauen
  - bewarb sich um Königskrone in Polen
  - wechselte zum katholischen Glauben über
  - benutzte Bestechungsgelder um König von Polen zu werden
  - 1697: Wahl zum König von Polen
  - Teilnahme am zweiten Nordischen Krieg (1700–1721)
  - Verlust der Königswürde von Polen (1706)
  - gewann polnische Krone 1709 zurück
- seine Innenpolitik
  - förderte Handel und Gewerbe
  - modernisierte Armee
  - ruinierte die sächsischen Finanzen
- sein Privatleben
  - sehr ausschweifend
  - hatte angeblich viele Mätressen
  - hatte angeblich viele Kinder

As you can read here, August managed to ruin the finances of Saxony despite the income from taxes, the silver mines and the porcelain factory, which were mentioned in the video.

Übung 8

Here is a model answer – how similar is yours? Check that you have included the main points.

August bekam 1694 die Macht in Sachsen. Er wollte seine Position als Herrscher ausbauen und bewarb sich um die polnische Königskrone. Deshalb nahm er auch den katholischen Glauben an. Mithilfe von Bestechungsgeldern wurde er schließlich im Jahre 1697 König von Polen.

Er wollte kriegerischen Ruhm erlangen, war aber nicht sehr erfolgreich. Als Folge des zweiten Nordischen Krieges verlor August die polnische Krone und bekam sie erst 1709 mithilfe Russlands zurück.

Innenpolitisch war er erfolgreicher, er förderte den Handel und das Gewerbe und gründete die Meißener Porzellanmanufaktur. Er ließ viele prunkvolle Gebäude in Dresden bauen. Seine Prunkentfaltung ruinierte jedoch schließlich die Finanzen Sachsens.

Ich denke, er war ein typischer Herrscher der damaligen Zeit, der absolute Macht haben wollte. Aber das hat er offensichtlich außenpolitisch nicht geschafft. Die Prunkentfaltung war ebenfalls typisch für die damalige Zeit. In diesem Punkt unterscheidet sich August der Starke zum Beispiel nicht von dem französischen König Ludwig XIV.

Übung 9

Model answers to this activity are given on the CD and in the transcript.

Lerneinheit 2

Übung 1

1 Richtig.

2 Falsch. Die Gründung Annabergs erfolgte 1496.

3 Falsch. „Berggeschrei" bedeutete, dass viele Bergleute aus verschiedenen Teilen Deutschlands ins Erzgebirge kamen um dort nach Silber zu schürfen.

4 Falsch. Bergleute, speziell aus Goslar und Franken, kamen ins Erzgebirge um nach Silber zu schürfen.

5 Richtig.

6 Richtig.

7 Falsch. Das Schnitzhandwerk entstand aufgrund des Bergbaus.

8 Richtig.

1 Sie besuchten einen Gottesdienst, danach gab der Steiger dem Erzähler eine Lampe sowie ein kleines hölzernes Kruzifix. Er erklärte ihm den Abstieg in den Schacht, erläuterte die Vorsichtsmaßnahmen und die verschiedenen Gegenstände.

2 Ihm war seltsam feierlich zumute/zu Mute.

3 Wie ein Labyrinth/Irrgarten.

Übung 3

	Romanausschnitt	Video
Beschreibung des Einfahrens	auf einem runden Balken in die Grube hinunterfahren; mit einer Hand an einem Seil halten; mit der anderen Hand die Lampe tragen	
Beschreibung der Bergleute	schwarzgekleidete Männer mit Lampen	Alter der Bergleute: 30 Jahre; maximales Alter: 40 Jahre wegen der Verhältnisse in der Grube
Beschreibung der Grube	beträchtliche Tiefe; Irrgarten von Gängen	Erzgang hat hohen Arsengehalt; sehr eng
Beschreibung der Arbeitsbedingungen der Bergarbeiter		schwierige Bedingungen; nur wenig Raum, in dem man sich bewegen konnte. Bergarbeiter mussten halb liegend oder halb kniend arbeiten, sowohl hauen als auch fördern
Stil der beiden Beschreibungen	literarisch, poetisch, positiv; aus der Perspektive eines Erzählers	faktisch, allgemein

Übung 4

Model answers to this activity are given on the CD and in the transcript.

Übung 5

This is how your summary might look. Check that you have included the main points.

Friedrich Wilhelm IV. und Preußen spielten eine zentrale Rolle in der Revolution von 1848. Zunächst schien es, als ob er in Reformen einwilligte. Im März 1848 verneigte er sich vor den Toten des Aufstands in Berlin und ordnete die Bildung einer Preußischen Nationalversammlung an. Im Laufe des Jahres 1848 zeigte sich aber, dass er nicht an Reformen interessiert war. Er ließ seine Truppen zusammen mit den österreichischen Streitkräften im September 1848 den Volksaufstand in Frankfurt niederschlagen. Im November wurde Berlin von seinen Truppen besetzt und am 5. Dezember löste Friedrich Wilhelm IV. die Preußische Nationalversammlung auf. Zugleich schuf er eine Verfassung und setzte sie in Preußen durch. Im April 1849 lehnte er die Kaiserkrone ab, die ihm von der Frankfurter Nationalversammlung angeboten wurde. Und schließlich ordnete er an, dass die preußischen Abgeordneten nicht länger an der Frankfurter Nationalversammlung teilnehmen sollten. Im Juli 1849 war die Revolution in Deutschland beendet. Preußen und die Haltung Friedrich Wilhelms IV. hatten maßgeblich dazu beigetragen, dass die Revolution nicht erfolgreich verlief.

Übung 6

1 Die Liberalen wollten keine Revolution, sie versuchten nach ihrem Ausbruch Reformen durchzusetzen.

2 Das Volk – Handwerker, Studenten, Arbeiter und Dienstmädchen – waren aktiv an der Revolution beteiligt.

3 Die Liberalen entschieden sich für Eigentum und Ordnung und gaben den Kampf gegen ihre alten Gegner auf.

   (The 'old opponents' were mainly the aristocracy and the ruling monarchs in the various countries of the *Deutsche Bund*.)

4 Auch in Deutschland begann das bürgerliche Zeitalter, es kam zu mehr Kommunikation innerhalb ganz Deutschlands, die Arbeiterbewegung trat zum ersten Mal hervor und insgesamt veränderte sich die Gesellschaft in Deutschland.

5 Sie hält die Revolution von 1848 nicht für gescheitert, sondern nur für unvollendet.

Übung 7

1 (e), 2 (c), 3 (d), 4 (b), 5 (f), 6 (k), 7 (g), 8 (a), 9 (i), 10 (j), 11 (h)

Writing the sentences out as a complete paragraph will help you with the next exercise.

Übung 8

Model answers to this activity are given on the CD and in the transcript.

Lerneinheit 3

Übung 1

Model answers to this activity are given on the CD and in the transcript.

Übung 2

This is how your summary might look. Check that you have included the main points.

Die erste Phase der Weimarer Republik nach Abdankung des Kaisers dauerte von 1918 bis 1923. Sie begann mit dem Matrosenaufstand in Wilhelmshaven und dem Ende des Ersten Weltkriegs. Die Republik war instabil, weil sie viele Gegner hatte.

Der Kapp-Putsch im Jahre 1920 und der Hitler-Putsch 1923 sind zwei Beispiele für diese Situation.

Von 1923 bis 1929 spricht man von der zweiten Phase der Weimarer Republik. Das war eine Phase der Erholung und Stabilität, aber sie ging mit der Weltwirtschaftskrise zu Ende.

In der dritten Phase von 1929 bis 1933 wurde die wirtschaftliche Situation immer schlechter und es gab keine beschlussfähige Regierung mehr. Das parlamentarisch-demokratische System war also schon vor dem 30. Januar 1933 beendet, als Hitler Reichskanzler wurde.

Übung 3

1 Richtig.

2 Falsch. Sachsens Regierung wurde zunehmend linksradikal.

3 Falsch. Die sächsische Regierung bestand aus der SPD und der KPD.

4 Richtig.

5 Falsch. Die Regierung schickte Truppen der Reichswehr nach Sachsen.

6 Richtig.

Übung 4

1 Die Republik wurde von rechts und links bedroht.

2 Scheidemann verhinderte die Anarchie und die Auflösung der Nation.

3 Französische und belgische Truppen besetzten das Ruhrgebiet.

4 Rechtsradikale Gruppen versuchten Bayern abzuspalten.

5 Proletarische Hundertschaften schützten die sächsische Regierung.

6 Im Januar 1933 ergriff Hitler die Macht.

Please note that the term *Machtergreifung* is actually misleading, although it is used frequently. Hitler was asked by the then President Hindenburg to form a government.

Übung 5

1 Ende der Arbeitslosigkeit für die Bevölkerung

2 Geringer Wahlerfolg der NSDAP

3 Rolle der Industriellen in Sachsen

4 Absetzung des Oberhaupts der Landesregierung

5 Eingliederung in das nationalsozialistische Deutschland

6 Ein neuer Gauleiter und seine Persönlichkeit

Übung 6

Your notes may differ from those below, but make sure that you have covered the main points.

Mutschmann:

• der verhassteste Mann in Dresden (auch bei Ariern und Nazis)

• seine Villa unter besonderem Schutz

• habe sich unsichtbar gemacht

• habe in großem Maßstab schwarz schlachten lassen

• werde von Hitler gedeckt

Übung 7

Model answers to this activity are given on the CD and in the transcript.

Übung 8

1 Er erhält die Nachricht, dass feindliche Flugzeuge den nördlichen Rand Dresdens erreicht haben.

2 Ihm war beklommen zumute/zu Mute (das heißt, er hatte Angst).

3 Es wird gesagt, dass Dresden von den Bomben verschont bleibe, weil dort Churchills Großmutter begraben liege oder weil dort Churchills Tante wohne.

Obviously, Klemperer wrote this in his diary before Dresden was eventually bombed in February 1945.

Lerneinheit 4

Übung 1

1 Der erste Wettiner, der auf den Meißner Burgberg einzog, war **Konrad der Große**.

2 Nach der Wettiner Teilung verlegte **Herzog Albrecht** seine Residenz nach Dresden.

3 Kurfürst Friedrich August I. ist in die Geschichte unter dem Namen **August der Starke** eingegangen.

4 In Meißen wurde die erste **Porzellanmanufaktur** errichtet.

5 Im Erzgebirge wurde in der Nähe von Annaberg **Silber** gefunden.

6 Das **Schnitzen/Schnitzhandwerk** ist eine Tradition im Erzgebirge, die sich aus dem Silberbergbau entwickelt hat.

7 Auch die Tradition des Klöppelns steht im Zusammenhang mit dem Bergbau, denn die Leute wollten ihren **Wohlstand/Reichtum** zeigen und trugen deshalb viele Spitzen an ihrer Kleidung.

8 Im Erzgebirge waren zu **DDR-Zeiten/Zeiten der DDR** viele Frauen im Textilbereich beschäftigt.

9 Nach dem Ende der DDR gingen viele **Arbeitsplätze** in der Textilindustrie verloren.

Übung 2

1 Im 15. und 16. Jahrhundert.

2 Es gab ein Verlangen nach Wiederherstellung der Ordnung und nach einem funktionierenden Staat. Dieses Verlangen erschien am ehesten durch die Person des Monarchen erreichbar zu sein.

3 Der Monarch hat allein die Herrschergewalt, er ist nicht an die bestehenden Gesetze gebunden, sondern nur dem göttlichen Recht verpflichtet.

4 Er betrachtete sich als sanftmütig und hatte großes Interesse an kriegerischem Ruhm.

5 Er versuchte seine Machtposition auszubauen und wurde zum König von Polen. Er nahm am zweiten Nordischen Krieg teil, ging aber aus ihm ohne Gewinn hervor. Er förderte Handel und Gewerbe und modernisierte die Armee. Er baute seine Residenzen aus, aber ruinierte die Finanzen Sachsens.

Übung 3

1   Am 18. März 1848 kam es zu Barrikadenkämpfen in Berlin.

2   Am Anfang schien er zu akzeptieren, dass es zu Reformen kommen würde. Später ließ er seine Truppen Berlin besetzen und löste das preußische Parlament auf.

3   Ein wichtiges Ereignis war die Verkündung der Reichsverfassung am 28. März 1849. Das zweite Ereignis war die Ablehnung der deutschen Kaiserkrone durch Friedrich Wilhelm IV., die ihm von den Abgeordneten der Nationalversammlung am 3. April 1849 angeboten worden war.

4   Er wollte die Reichsverfassung nicht ohne weiteres akzeptieren, deshalb löste er die sächsischen Kammern auf. Er bat Preußen um militärische Hilfe und floh aus Sachsen.

5   Der Aufstand in Dresden endete nach vier Tagen mit der Niederlage der Revolutionäre. Die Kräfte, die (wie Friedrich August II.) gegen die Revolution waren, hatten gesiegt.

Übung 4

This is how your summary might look. Check that you have included the main points.

Schieder betrachtet die Revolution von 1848 als gescheitert, während Grebing von einer unvollendeten Revolution spricht.

Beide Autoren sagen, dass die Revolution die deutsche Geschichte entscheidend beeinflusst hat. Schieder argumentiert, dass diese Wirkung vor allem negativ war. Seiner Meinung nach erzeugte das Scheitern der Revolution eine tiefe Resignation. Er schreibt, dass sich das Bürgertum nie ganz von dieser Niederlage erholte und nicht mehr daran glaubte, dass es einen Nationalstaat schaffen könnte. Grebing dagegen betont die positiven Auswirkungen. Sie schreibt, dass mit ihr das bürgerliche Zeitalter in Deutschland begann. Es kam zu mehr Kommunikation auf nationaler Ebene und zur Bildung der Arbeiterbewegung. Das waren positive Ergebnisse der Revolution.

Übung 5

1   Richtig.

2   Falsch. Die zweite Phase der Weimarer Republik ist gekennzeichnet durch wirtschaftliche Erholung und Stabilität, die durch die Weltwirtschaftskrise beendet wurde.

3   Richtig.

4   Falsch. Bayern war rechtsradikal, während Sachsen linksradikal/marxistisch war.

5   Richtig.

6   Falsch. Er war sehr verhasst.

7   Falsch. Klemperer lebte weiterhin mit seiner Frau zusammen, jüdische Eltern und ihre Kinder wurden im Januar 1942 rücksichtslos voneinander getrennt.

Übung 6

Model answers to this activity are given on the CD and in the transcript.

Übung 7

This is how your notes might look.

- Sonderweg – entwickelt von deutschem Historiker Wehler

- erklärt Aufstieg des Nationalsozialismus

- beginnt mit Scheitern der Revolution von 1848

- Unfähigkeit des Bürgertums der Aristokratie Macht zu entreißen (wie in England 1640 oder Frankreich 1789)

- Ergebnis: preußische Aristokratie behält Schlüsselpositionen im Staat

- soziale Hierarchien und Werte im Reich bleiben unverändert

- während der Weimarer Republik: alte Eliten zunehmend verzweifelt

- unterstützen rechtsgerichtete Kräfte

- Hitler schließlich zum Reichskanzler ernannt

Übung 8

Here are some notes. Compare them with what you have written. Did you include most of the key points?

- Ausgangspunkt der Debatte
  - Frage: Warum gab Deutschland als einziges westeuropäisches Land sein demokratisches System zugunsten einer rechten Diktatur auf?
  - Grund: vorindustrielle Eliten beherrschten Deutschland vor 1918

- der deutsche Sonderweg in der neueren Diskussion

- komplexeres Bild: autoritäre Traditionen und frühe Demokratisierung von Teilbereichen
- Hitler appellierte an Ressentiments gegenüber Parlamentarismus und Anspruch des Volkes auf politische Mitbestimmung
- Grund für Scheitern der Weimarer Republik: war nicht in der Lage, diese beiden gegensätzlichen Aspekte zu verbinden, scheiterte an der Hinterlassenschaft des Kaiserreichs

Übung 9

Model answers to this activity are given on the CD and in the transcript. Obviously, you might have expressed yourself differently.

Lerneinheit 5

Übung 1

1 (b), **2** (a), **3** (e), **4** (f), **5** (d), **6** (c), **7** (i), **8** (g), **9** (h), **10** (k), **11** (j)

Please note that the Berlin blockade (7(i)) began partially on 20 June 1948 and was fully enforced as from 24 June 1948.

Übung 2

Here is the chronology rewritten using nouns rather than verbs.

Kriegsende

8. Mai 1945 – Kapitulation der deutschen Wehrmacht

17. Juli–2. August 1945 – Potsdamer Konferenz: Teilung Deutschlands in vier Besatzungszonen

Westliche Besatzungszonen

1. Januar 1947 – Zusammenschluss der amerikanischen und britischen Zone zur Bizone

3. April 1948 – Beginn der finanziellen Hilfe zum Wiederaufbau im Rahmen des Marshall-Plans

20. Juni 1948 – Einführung der D-Mark

8. Mai 1949 – Gründung der Bundesrepublik Deutschland

Sowjetische Besatzungszone

1945–1946 – Enteignung der Großgrundbesitzer und der Großindustrie

21.–22. April 1946 – Zusammenschluss der KPD und der SPD zur Sozialistischen Einheitspartei Deutschlands (SED)

20. Juni 1948 – Beginn der Blockade Berlins

23. Juni 1948 – Einführung einer eigenen Währung (in der sowjetischen Besatzungszone)

7. Oktober 1949 – Gründung der Deutschen Demokratischen Republik (DDR)

Übung 3

1 Zeilen 1–2

2 Zeilen 6–15

3 Zeile 22–23

4 Zeilen 23–26

5 Zeilen 27–36

Übung 4

1 Er war im Exil politisch aktiv und konnte aus diesen Ländern direkt nach Deutschland hineinwirken.

2 Er ging das Risiko ein, in der Tschechoslowakei oder in Belgien festgenommen zu werden, nachdem deutsche Truppen in diese Länder einmarschiert waren.

3 Er betrachtete das Exil nicht als Auswanderung oder als Suche nach einer neuen Heimat, sondern als zeitlich begrenzt.

4 Köln war nach dem Ende des Krieges ein Trümmerhaufen, in dem es nur wenige unzerstörte Wohnungen gab.

Übung 5

These are the German words you should have found in the extract.

over-supply of money   *Geldüberhang*

supply of goods   *Warenangebot*

rationing   *Bewirtschaftung*

allocation   *Zuteilung*

consumer   *Verbraucher*

foraging trip   *Hamsterfahrt*

valuables   *Wertgegenstände* (pl.)

barter economy   *Tauschwirtschaft*

substitute currency   *Ersatzwährung*

Übung 6

Here are some possible ways to complete the sentences.

1. Mit der Reichsmark konnte man zu dieser Zeit **kaum etwas kaufen**.

2. Der „Normalverbraucher" bekam nach dem Krieg **weniger zu essen** als in den letzten Kriegsmonaten.

3. Es war gang und gäbe vor den Geschäften **Schlange zu stehen**.

4. Manche Leute fuhren aufs Land um **Nahrungsmittel zu bekommen**.

5. Viele Waren wurden zu dieser Zeit mit **Wertgegenständen** oder **Zigaretten** bezahlt.

Übung 7

1. Sie hielten ihre Waren zurück und wollten sie nicht mehr verkaufen, weil die Reichsmark/die alte Währung wertlos war und sie ihre Waren für die neue Währung verkaufen wollten.

2. Sie kauften alles, was man noch kaufen konnte, um ihr Geld loszuwerden, und bezahlten sogar ihre Schulden.

3. Als „Schaufenstereffekt" bezeichnet man das plötzliche Erscheinen von Waren in den Schaufenstern nach der Währungsreform.

4. Es gab keinen Schwarzmarkt mehr und die Zigarettenwährung verschwand.

5. Die Bauern, Fabrikbesitzer und Kaufleute waren die Gewinner der Währungsreform, weil sie für den Verkauf ihrer Produkte nun DM bekamen. Die „kleinen Leute" mit Sparguthaben waren die Verlierer der Währungsreform, weil ihr erspartes Geld praktisch wertlos wurde.

6. Sie reagierten verbittert und vor allem alte Leute, die verarmt waren, waren so verzweifelt, dass sich manche umbrachten.

Übung 8

Model answers to this activity are given on the CD and in the transcript.

Übung 1

The correct order is:

1. Die Bundesrepublik ist jetzt ein gleichberechtigtes Mitglied der westlichen Völkergemeinschaft.

2. Wir denken heute an die Deutschen in der DDR.

3. Wir können uns erst über unsere Souveränität wirklich freuen, wenn auch die Deutschen der DDR frei sind.

4. Wir werden alles tun um die verbleibenden deutschen Kriegsgefangenen aus der Gefangenschaft freizubekommen.

5. Wir werden alles tun um Deutschland in einem freien Europa wieder zu vereinigen.

Übung 2

You might have written something like this:

- zehn Jahre nach Ende des Dritten Reichs – Ende der Besatzung in Deutschland

- Bundesrepublik jetzt ein freier und unabhängiger Staat – echter Partner der bisherigen Besatzungsmächte

- Deutsche in der DDR haben diese Freiheit und Rechte nicht

- Deutsche beider Staaten gehören zusammen

- Bundesrepublik wird auf Wiedervereinigung Deutschlands hinwirken

- Befreiung der Deutschen aus Kriegsgefangenschaft

- Bundesrepublik ist Rechtsstaat

- Bundesrepublik will Grundsätze der Demokratie und der sozialen Gerechtigkeit beachten

- Ziel: freies und geeintes Deutschland in einem freien und geeinten Europa

Übung 3

1. (a) Betrieb(s)/ordnung

2. (e) Arbeit/nehmer

3. (d) Arbeit/geber

4 (j) Beschäftigung(s)/politik

5 (f) Einkommen(s)/ausgleich

6 (i) Krisen/rückschläge

7 (c) Macht/missbrauch

8 (b) Mit/gestaltung(s)/recht

9 (h) Siedlung(s)/politik

10 (g) Tarif/vereinbarungen

Übung 4

1 (k), **2** (c), **3** (i), **4** (e), **5** (b), **6** (a), **7** (d)

Übung 5

1 Die Verwirklichung einer Wettbewerbsordnung, einer Antimonopolpolitik, eines Programms staatlicher Investitionen bei konjunkturellen Krisen sind die Punkte, die sich direkt auf die Unternehmer beziehen.

2 Einkommensausgleich durch die Besteuerung, Siedlungspolitik und sozialer Wohnungsbau sowie die Sozialversicherung beziehen sich auf die Arbeitnehmer.

3 Die soziale Betriebsordnung sowie Minimallöhne und Sicherung der Einzellöhne durch Tarifvereinbarungen beziehen sich auf Arbeitnehmer und Unternehmer.

Übung 6

1 einen Versuch **unternehmen**

2 zur Einsicht **bewegen**

3 einer Generation **angehören**

4 wider alle Vernunft **handeln**

5 ein Amt **wahrnehmen**/ein Amt **verwalten**

6 Widerstand **bieten**/Widerstand **leisten**

7 Einspruch **erheben**

Übung 7

1 Er will Kiesinger davon überzeugen, dass Kiesinger nicht Bundeskanzler werden darf.

2 Nein, der Vater von Grass gehört der gleichen Generation wie Kiesinger an.

3 12 Jahre lang, von 1933 bis 1945.

4 Er hat Verständnis dafür, denn Kiesinger hat das getan, was viele seiner Generation getan haben.

5 Politik interessiert ihn leidenschaftlich. Er hat schon immer außenpolitische Ambitionen gehabt. Er war in Baden-Württemberg sehr erfolgreich. Die Leute mögen ihn.

6 Wegen seiner Vergangenheit; weil er Hitler unterstützt hat und auf diese Weise zu den Verbrechen der Nazis beigetragen hat.

7 Wenn Kiesinger Kanzler wird, kann die Jugend nicht gegen die NPD argumentieren, die Opfer der Nazis können nicht angemessen geehrt werden. Außerdem wird es schwierig werden, die Geschichte der Nazizeit in den Schulen zu unterrichten.

8 Ja, weil Schriftsteller die gleichen Rechte haben, sich zu politischen Themen zu äußern wie jeder andere Bürger.

Nein, weil sie aufgrund ihrer Bücher einen zu großen Einfluss auf die Öffentlichkeit haben können und nicht unbedingt die politischen Realitäten sehen. Sie nutzen ihre Position aus um sich zu Themen zu äußern, von denen sie nicht unbedingt etwas verstehen.

(The answers for 8 are, of course, just two possibilities: you may well have come up with quite different arguments.)

Übung 8

1 Grass **unternahm den Versuch** Kiesinger klar zu machen, dass er nicht Kanzler werden sollte.

2 Konrad Adenauer **verwaltete das Amt** des Bundeskanzlers von 1949 bis 1963/Konrad Adenauer **nahm das Amt** des Bundeskanzlers von 1949 bis 1963 **wahr**.

3 Nicht viele **leisteten/boten** den Verbrechen der Nazis **Widerstand**.

4 Die SPD **erhob keinen Einspruch** gegen die Kandidatur Kiesingers.

Übung 9

Model answers to this activity are given on the CD and in the transcript.

Despite Grass's efforts, Kiesinger became Chancellor of a CDU/CSU-SPD coalition government.

Lerneinheit 7

Übung 1

bevor Sie … gewählt werden: subordinate clause, introduced by a conjunction

Sie zur Einsicht zu bewegen: infinitive clause

deren Väter … unterstützt haben: relative clause

daß in vielen deutschen Familien … geheilt werden konnte: subordinate clause introduced by a conjunction

Übung 2

1 Der Sozialdemokrat Heinz Kühn, **der** emigriert war, kam 1945 nach Köln zurück. *(nominative)*

2 Er fand eine Stadt vor, von **der** nur noch ein Trümmerhaufen übrig geblieben war. *(dative)*

3 Die unmittelbare Nachkriegszeit war durch Probleme bei der Lebensmittelversorgung geprägt, unter **denen** die Menschen zu leiden hatten. *(dative)*

4 Die Bewirtschaftung durch Lebensmittelkarten, auf **denen** die jeweiligen Mengen festgelegt waren, funktionierte nur schlecht. *(dative)*

5 Die Währungsreform, **deren** Vorbereitung zum größten Teil in den Händen der westlichen Alliierten lag, wurde am 20. Juni 1948 durchgeführt. *(genitive)*

Übung 3

Es wurde wahllos <u>alles</u> gekauft, <u>was</u> noch auf dem Markt war … Am ersten Tag der neuen Währung trat <u>das</u> ein, <u>was</u> man später den „Schaufenstereffekt" genannt hat: …

Übung 4

1 Das ist <u>alles</u>, **was** ich Ihnen zu sagen habe.

2 Das ist <u>ein Buch</u>, **das** ich sehr gern gelesen habe.

3 Es ist <u>etwas</u> geschehen, **was** niemand voraussehen konnte.

4 <u>Sie haben das Spiel verloren</u>, **was** mich überrascht hat.

5 Es gibt <u>nichts</u>, **was** es nicht gibt.

6 Natürlich ist <u>das</u>, **was** ich dir gerade gesagt habe, streng vertraulich.

7 Ich habe <u>das Bild</u>, **das** über dem Sofa hängt, auf dem Flohmarkt gekauft.

8 Einiges von <u>dem</u>, **was** sie gesagt hat, ist richtig.

9 <u>Das</u>, **was** mich am meisten ärgert, ist, dass du mich angelogen hast.

Übung 5

Model answers to this activity are given on the CD and in the transcript.

Übung 6

1 (d) "He who dares, wins."

2 (e) Literally: "He who is too late life will punish." The German version is an interpreter's translation of a remark made by Mikhail Gorbachev when he visited the GDR for its 40th anniversary in October 1989.

3 (c) "Let him who is without sin cast the first stone."

4 (b) "Sow the wind, and reap the whirlwind."

5 (h) "Take care that you do not hoist yourself with your own petard." More literally: "He who digs a pit for others will fall in himself."

6 (g) Literally: "He who whispers, lies."

7 (a) Literally: "He who says A must also say B", meaning that if you start something, you must go through with it.

8 (f) Literally: "He who puts himself in danger will perish therein", meaning that people who take a lot of risks will come to grief eventually.

Übung 7

Obviously, your answers will vary depending on whether you started with a *während* clause or the main clause. Did you get your word order right?

1 Die Stadt Meißen hat sich aus einem Handelsplatz an einer Elbfurt entwickelt, während Annaberg-Buchholz seine Gründung einem Silberfund verdankt.

2 Während durch das Silber im Erzgebirge viele Leute zu Geld kamen, brachte es für andere unmenschliche Arbeitsbedingungen.

3 Die Meißener Porzellanmanufaktur wurde schon im Jahre 1710 eingerichtet, während die Manufaktur im Triebischtal erst seit 1864/1865 arbeitet.

4 Während zu DDR-Zeiten viele Frauen im Erzgebirge in der Textilindustrie arbeiteten, ist seit der Wende ein großer Teil von ihnen arbeitslos geworden.

5 Friedrich II. von Sachsen wurde auch Friedrich der Sanftmütige genannt, während Friedrich August I. den Beinamen August der Starke hatte.

Übung 8

1 **Als/Da** sich die Gerüchte um eine bevorstehende Währungsreform verdichteten, begannen Hersteller und Händler ihre Waren zu horten, **damit** sie sie nicht für Geld verkaufen mussten, das bald wertlos sein würde.

2 **Bevor** das neue Geld eingeführt wurde, stiegen auf dem Schwarzmarkt noch einmal die Preise.

3 **Obwohl** nach der Währungsreform die Schaufenster wieder voll waren, war ihr Nutzen für den „kleinen Mann" zunächst nicht erkennbar, **da** es zunächst zu Preissteigerungen kam und die Arbeitslosigkeit zunahm.

4 **Wenn** Sparer keine Sachwerte besaßen, wurden sie durch die Währungsreform praktisch enteignet.

5 **Nachdem/Als/Da** sie das Ergebnis ihrer Lebensarbeit verloren hatten, sahen vor allem viele alte Leute keinen Ausweg mehr.

Übung 9

1 Sie glaubt(,) nicht zuständig zu sein.

2 Er gibt zu(,) keine Ahnung zu haben.

3 Ich verspreche(,) dich sofort anzurufen, wenn ich etwas erfahre.

4 Sie behauptet(,) nicht zu wissen, wer er ist.

5 Erwarten Sie(,) pünktlich anzukommen?

6 Ich hoffe(,) bald wieder von dir zu hören.

7 Sie schwört(,) schon volljährig zu sein.

Note: In all of these sentences, you could have included additional commas to clarify the meaning and avoid misinterpretation.

Übung 10

1 Wir hoffen(,) Sie wieder einmal bei uns begrüßen zu dürfen.

2 Er glaubt(,) hier schon einmal gewesen zu sein.

3 Ich freue mich(,) wieder einmal von ihnen gehört zu haben.

4 Wollen Sie wirklich behaupten(,) gar keinen Verdacht gehabt zu haben?

5 Er gibt zu(,) mich mit einer anderen betrogen zu haben.

6 Sie schwört(,) das Geld nicht gestohlen zu haben.

7 Ich erinnere mich nicht(,) hier schon einmal gewesen zu sein.

(See note to *Übung 9*.)

Lerneinheit 8

Übung 1

This is how your summary might look. Check that you have included the main points.

Heinz Kühn spent the Nazi period in exile in various countries, close to the German border. He was politically active and felt it his duty to give freedom a voice, both in Germany and in the rest of the world. He saw his exile not as emigration or a search for a new *Heimat*, but as a waiting room for his return to Germany. This is why he did not feel at home in other countries.

He worried whether he would find on his return that his homeland might have become alien to him, or worse, whether he and other emigrants would be perceived as aliens.

Whenever he met his old friends who had been imprisoned or exiled, either physically or mentally, they were overjoyed to see each other again.

He writes about the Germans, who instead of being proud to be the best soldiers in Europe, should try to be proud of being the best citizens, now awakening from their apathy and rediscovering their old virtues of application and discipline.

Übung 2

1 Während die KPD und die SPD sich in der sowjetischen Besatzungszone zur SED zusammenschlossen, entwickelten sich die SPD und die KPD im Westen unterschiedlich.

2 Während die Sowjetunion im Rahmen der Reparationen viele Industriebetriebe demontierte, stellten die westlichen Alliierten die Demontage von Industriebetrieben im Westen schon bald ein.

3 Während Westdeutschland Hilfe im Rahmen des Marshall-Plans in Höhe von 1,7 Milliarden Dollar bekam, lehnte die UdSSR diese Marshall-Plan-Hilfe für die sowjetische Besatzungszone ab.

4 Während die Bundesrepublik Deutschland bereits im Mai 1949 gegründet wurde, fand die Gründung der Deutschen Demokratischen Republik erst im Oktober 1949 statt.

Übung 3

1 Der Zweite Weltkrieg war durch das Drucken von Geld finanziert worden, deshalb stand nach dem Krieg dem vorhandenen Geld kein ausreichendes Angebot an Waren gegenüber.

2 Die Heimatvertriebenen, die Evakuierten und die Rentner und Pensionäre waren besonders benachteiligt.

3 Bei einer „Hamsterfahrt" fuhren Städter aufs Land um Wertgegenstände gegen Nahrungsmittel zu tauschen.

4 Am 20. Juni 1948.

5 Die Staatsschulden verfielen, das heißt, sie existierten nicht mehr.

6 Sie hatte zunächst negative Auswirkungen, weil die Preise stiegen und auch die Arbeitslosigkeit zunahm. Die Leute verloren ihre Ersparnisse.

7 Sie waren verbittert, weil sie zum Teil zum zweiten Mal im 20. Jahrhundert ihre Ersparnisse verloren hatten.

Übung 4

1 Sie wurden im Verhältnis 1:1 umgestellt, das heißt, man bekam für eine „Mark der DDR" eine D-Mark.

2 Sie wurden im Verhältnis 2:1 umgestellt, das heißt, das zum Beispiel aus Schulden in Höhe von 10 000 „Mark der DDR" 5 000 DM Schulden wurden.

3 Sparguthaben zwischen 2 000 und 6 000 „Mark der DDR" wurden je nach Alter 1:1 umgestellt, höhere Beträge im Verhältnis 2:1.

4 Die Preise von Lebensmitteln stiegen. Konsumgüter wie Fernseher und Kühlschränke wurden billiger.

5 Konsumgüter kauft man nur einmal und zwar mit gespartem Geld, während die höheren Lebensmittelpreise immer wieder bezahlt werden müssen.

6 Sie konnten ihre Produkte nicht mehr an den Handel verkaufen, weil exotische Früchte in den Markt drängten, deshalb mussten sie zum Beispiel ihre Erdbeeren direkt vor dem Leipziger Hauptbahnhof verkaufen.

7 Zum einen sind die Preise gestiegen und dadurch trinken die Leute weniger Milch, zum anderen gibt es auch hier die Konkurrenz aus dem Westen.

Übung 5

Here is one possible comparison. Yours will certainly differ, but make sure that you have covered the main points.

Sowohl nach der Währungsreform 1948 als auch nach der Einführung der D-Mark in der DDR im Jahre 1990 stiegen die Preise und es gab ein größeres Warenangebot.

Das Umtauschverhältnis im Jahre 1948 war für alle gleich und betrug 10:1, das heißt, man bekam für zehn Reichsmark eine D-Mark. 1990 wurden bei der Einführung der D-Mark in der DDR Löhne und Ersparnisse zwischen 2 000 und 6 000 Mark je nach Alter im Verhältnis 1:1 getauscht, höhere Sparbeträge und die Forderungen und Verbindlichkeiten von Firmen wurden im Verhältnis 2:1 umgestellt.

Die Währungsreform war wesentlich radikaler und die Sparer verloren ihr Vermögen, während bei der Einführung der D-Mark in der DDR die „kleinen Leute" ihre Ersparnisse behielten. Ihre Ersparnisse verloren 50% ihres Werts, wenn sie mehr als 6 000 Mark gespart hatten.

Vermutlich war es 1990 für die ostdeutsche Wirtschaft schlecht, dass ihre Schulden und ihr Besitz im Verhältnis 2:1 umgestellt wurden, weil sie dadurch nicht wie 1948 bei der Währungsreform ihre Schulden auf einmal loswerden konnten.

Note: Whereas the currency reforms of 1948 led to a significant increase in unemployment, the introduction of the D-Mark did not have the same effect initially, since all jobs in the GDR were state-guaranteed. Obviously, this changed after October 1990.

Übung 6

Here are some possible ways to complete the sentences.

1　Man hatte nicht erwartet höhere Preise als im Westen bezahlen zu müssen.

2　Die Leipziger waren nicht darauf vorbereitet höhere Preise als im Westen zu zahlen.

3　Es war jetzt möglich Konsumgüter billiger zu kaufen.

4　Es war von einigen Händlern unverantwortlich ihre Preise so stark zu erhöhen.

5　Angestellte von Obstbetrieben waren gezwungen ihr Obst vor dem (Leipziger) Hauptbahnhof zu verkaufen.

Übung 7

1 (a), (c), 2 (a), 3 (b), 4 (a), (c), 5 (a), (b)

Übung 8

Model answers to this activity are given on the CD and in the transcript.

Lerneinheit 9

Übung 1

1　Die DDR wurde am 7. Oktober 1949 gegründet.

2　Es bedeutete, dass nun die Spaltung Deutschlands in zwei Staaten vollzogen war.

3　Weil der Kalte Krieg dazu geführt hatte, dass die beiden Teile Deutschlands sich schrittweise auseinander entwickelt hatten.

4　Wilhelm Pieck wurde von der Provisorischen Volkskammer und der Länderkammer zum Präsidenten der DDR gewählt.

5　Otto Grotewohl wurde Ministerpräsident und Walter Ulbricht wurde stellvertretender Ministerpräsident.

Übung 2

1　Gründung　gründen
　　Konstituierung　konstituieren
　　Spaltung　spalten
　　Schaffung　schaffen
　　Entstehung　entstehen
　　Bildung　bilden

Note: Although *verfassen* can be derived from *Verfassung*, it has not been included here as the verb does not have the same meaning as the noun, unlike the other examples in the activity.

2　Here are some possible sentences.
　(a)　Die DDR wurde im Oktober 1949 gegründet.
　(b)　Die Bundesrepublik hatte sich bereits konstituiert.
　(c)　Deutschland war damit endgültig gespalten.
　(d)　Ein zweiter deutscher Staat wurde geschaffen.
　(e)　Aus der sowjetischen Besatzungszone war die DDR entstanden.
　(f)　Zwei deutsche Staaten wurden gebildet.

Übung 3

The three parts are:

1　Zum erstenmal … seiner Regierung bekennen.

2　In diesen … kämpften und starben.

3　Wir … hergestellt sein wird.

Übung 4

This is what you might have written. Obviously, your analysis might contain other points as well.

1　Honecker's listeners had become disillusioned and given up all their ideals because of the Third Reich and World War II. The pledge offered a new destiny, particularly for young people in the new state. It gave them a sense of direction and something to believe in. Honecker quoted heroic aspects of German history like the Peasants' War and the resistance against Nazi Germany.

2　Looking back over 40 years of GDR history and the lack of freedom people suffered under the GDR regime, the pledge comes across as hollow and hypocritical. Considering that Honecker clung onto his role as leader of the GDR to the very end, you have to treat his words with caution or suspicion. The hollow rhetoric of the pledge is easy to see through.

Übung 5

This is how your summary might look. Have you included the main points?

Die Demonstration begann am 16. Juni, als eine Gruppe von Bauarbeitern mit Transparenten loszog. Die Demonstration wurde immer größer, zum Schluss demonstrierten mindestens 10 000 Menschen. Die Arbeiter forderten zuerst nur die Rücknahme der Erhöhung der Normen, dann aber auch freie Wahlen. Am nächsten Tag, dem 17. Juni, sollte ein General-streik stattfinden. Als Günter Sandow am 17. Juni morgens aufwachte, hörte er Panzerlärm. Er ging zum Strausberger Platz und sah Menschen mit blutig geschlagenen Köpfen und hörte auch die ersten Schüsse.

Der Aufstand wurde von sowjetischen Panzern niedergeschlagen.

Günter Sandow wollte nichts mehr mit der DDR zu tun haben und floh im September 1953 in den Westen.

Übung 6

Der Journalist:

1 spricht von den wirtschaftlichen Folgen des Mauerbaus für die DDR.

2 beschreibt die Folgen, die der Mauerbau auf die Regierung der DDR hat.

3 beschreibt das entstehende Staatsbewusstsein der DDR-Bürger.

4 versucht eine psychologische Erklärung des neuen Staatsbewusstseins der DDR-Bürger zu geben.

5 spricht davon, wie sich die Einstellung der DDR-Bürger zum Westen geändert hat.

6 zitiert die Kritik eines DDR-Bürgers an der Bundesrepublik.

Übung 7

1 Falsch. Das Regime ist heute toleranter gegenüber der Bevölkerung, aber nicht gegenüber Dissidenten innerhalb der Partei.

2 Falsch. Der DDR geht es heute wegen des Mauerbaus wirtschaftlich besser.

3 Richtig.

4 Falsch. Das Staatsbewusstsein ist noch zaghaft.

5 Richtig.

6 Richtig.

7 Falsch. Viele stehen der Bundesrepublik kritisch gegenüber, obwohl sie keine Kommunisten sind.

8 Falsch. Er kritisiert die sozialen Zustände in der Bundesrepublik.

Übung 8

Model answers to this activity are given on the CD and in the transcript.

Lerneinheit 10

Übung 1

1 Zeilen 10–13, 19–20, 28–30, 43–44, 52–53

2 Zeilen 46–47, 77–81

3 Zeilen 34–36

4 Zeilen 61–67

Übung 2

1 die Demonstranten (Zeile 3)

2 die Schaulustigen (Zeile 11)

3 die Rädelsführer (Zeilen 5–46)

4 die Augenzeugen (Zeile 64)

Übung 3

Model answers to this activity are given on the CD and in the transcript.

Übung 4

In addition to *Lümmel*, the following expressions are used to describe the students.

• die jungen Herren mit ein paar anstudierten Kenntnissen, verquollenen Philosophien, ohne Lebenserfahrung und ohne Verantwortung

• wahre Genies

• diese Typen

• Intelligenz-Rocker

Übung 5

1   Clearly ironic are:

- Es weiß ja auch niemand so gut wie sie, alles, aber auch alles zu beurteilen.

- … den jungen Herren … ist selbstverständlich alles klar!

- Man braucht sich ja diese Typen nur anzusehen, um das zu erkennen!

2   This is what the author criticizes the students for:

- Sie glauben, dass sie alles besser wissen.

- Sie haben vor nichts Respekt.

- Sie erkennen nicht, dass die bestehende politische Ordnung die beste ist, die Deutschland jemals hatte.

Übung 6

This is what you might have written.

Sehr geehrte Redaktion!

Als Antwort auf Ihren Artikel über die Studenten in Heft 41 möchte ich die folgenden Anmerkungen machen: Ich denke, die Studenten haben ein Recht zu demonstrieren und kritische Fragen an die Gesell-schaft zu stellen. Die Tatsache, dass sie weniger Erfahrung haben, bedeutet nicht automatisch, dass alles, was sie sagen, Unsinn ist. Wenn man sie als „Lümmel" oder „Typen" beschreibt, greift man sie als Gruppe oder als Person an, man setzt sich aber nicht mit ihren Argumenten auseinander. Diese Art von Polemik kann dazu führen, dass es zu noch mehr Gewalt zwischen Polizei und Studenten kommt.

Ich hoffe, dass Ihre Berichterstattung in Zukunft weniger polemisch sein wird und sich mit den Argumenten der Studenten sachlich auseinander setzt.

Hochachtungsvoll

Übung 7

Here is a possible translation.

It is terrible to kill.
But it is not only others we kill, but ourselves, too, if necessary
Since only through violence can this murderous
World be changed, as
Every living person knows.

Übung 8

1   Amerikanische Armeeangehörige, Polizeibeamte und Wirtschaftsführer.

2   Die Mitglieder der RAF, die noch im Gefängnis saßen, sagten sich vom „bewaffneten Kampf" los.

3   Der RAF-Terrorismus begann am 14. August 1970, als Andreas Baader aus dem Gefängnis befreit wurde.

Übung 9

Here is a model answer.

The members of the RAF saw themselves as 'urban guerillas' and wanted to fight the 'imperialist system'. The presence of the US Army in Germany was for them a symbol of this imperialism, so the army was an appropriate target for terrorist attacks. Members of the police force were another target because they represented the 'terrorism of the state'. Leading businessmen were targeted because they were symbols of the capitalist system, which the RAF and other terrorist organizations wanted to destroy.

Despite the deaths of the first generation of leaders (Meinhof in 1976 and Baader, Ensslin and Raspe in 1977), the depth of belief in their idea was such that a second generation of RAF members continued the 'armed struggle'.

Lerneinheit 11

Übung 1

1   August war **ja** bekannt, berühmt, berüchtigt für seine äußerste Prunkentfaltung am Hof.

2   Sie wissen **ja**, dass es seit 1710 die Porzellanmanufaktur gab …

3   Man musste **ja** zum Förderschacht das ganze Erz bringen, dass man es rausbringen konnte.

4   Ja, das ist **ja** der sächsische Silberbergbau gewesen, der oberste Bergherr war also auch jeweils der Landesfürst, zum Beispiel August der Starke.

5   Ja, zu DDR-Zeiten waren **ja** sehr viele Frauen hier in der Region im Textilbereich beschäftigt.

Übung 2

In nearly all these sentences *ja* can only go in one place. There are two possible places in 4 only.

1   Diese Lümmel schwingen sich **ja** über jeden und jedes zu Richtern auf.

2   Es weiß **ja** auch niemand so gut wie sie, alles zu beurteilen.

3   Den jungen Herren ist **ja** alles klar.

4   Man braucht sich **ja** diese Typen nur anzusehen, um das zu erkennen! *or*

Man braucht sich diese Typen **ja** nur anzusehen, um das zu erkennen!

5   Anstand, Würde, Ordnung – das sind **ja** unbekannte Begriffe für sie.

6   Sie lehnen **ja** jede Ordnung ab.

7   Sie respektieren **ja** nichts, gar nichts.

Übung 3

1 (d), 2 (c), 3 (d), 4 (a), 5 (e), 6 (f), 7 (b)

Übung 4

Model answers to this activity are given on the CD and in the transcript.

Übung 5

1   Die Polizei hatte Absperrgitter aufgestellt um die Demonstranten zurückzuhalten.

2   Hinter dem Gitter standen Polizisten um den Schah zu schützen.

3   Die Demonstranten rannten in panischer Angst davon um sich in Sicherheit zu bringen.

4   Der Kriminalbeamte stürzte auf den Studenten los um den vermeintlichen Rädelsführer zu verhaften.

5   Andere Kollegen folgten ihm um ihm zu helfen.

6   Die Kriminalbeamten stellten den Verdächtigen um ihn zu verhaften.

Übung 6

1   Zur Verhinderung weiterer wilder Ansiedlungen (*or* von weiteren wilden Ansiedlungen) im Erzgebirge wurde 1496 die Stadt Annaberg gegründet.

2   Zur Erweiterung des Silberbergbaus wurden immer tiefere Schächte gegraben.

3   Zur Herstellung von ein paar Zentimetern Spitze braucht selbst eine geübte Klöpplerin viele Stunden.

4   Zur Darstellung von 1 000 Jahren sächsischer Geschichte wurde ein riesiges Wandbild aus Meißener Porzellan geschaffen.

5   Zur Erinnerung an die Opfer des Ersten Weltkriegs wurde eine Gedenkstätte aus Porzellan errichtet.

6   Das Denkmal wurde jedoch nicht zur Verehrung von Helden (*or, more idiomatically,* zur Heldenverehrung) angefertigt.

Note that the genitive cannot be used with words or phrases that do not decline, such as *ein paar* or *1 000* in sentences 3 and 4. In these cases you have to use *von*.

 G **13.2.7 (b)–(d)** Neither can you use the genitive if the verb you are transforming takes not an accusative but a prepositional object (e.g. *sich erinnern **an***), in which case the preposition must be retained: *Zur Erinnerung **an** die Opfer …*

Übung 7

1   Sie gingen (weg) ohne sich zu verabschieden (*or* ohne auf Wiedersehen zu sagen).

2   Was konnte ich tun außer mich zu beschweren?

3   Statt mit ihren Freunden zu sprechen ging sie zu einem Priester.

4   Er arbeitete den ganzen Tag ohne eine Pause zu machen.

5   Statt bar zu bezahlen benutzte sie ihre Kreditkarte.

6   Wir taten die ganze Woche nichts außer einzukaufen.

Übung 8

1 Wir sagen, dass alles vom Bergbau oder vom Bergwerk herkommt.

2 Sie sehen, dass man mit allem, was lang und reißfest ist, klöppeln kann.

3 Aber nicht, dass Sie jetzt denken, dass das was ganz Neues ist.

4 Ich möchte sagen, dass der überwiegende Teil der Frauen, die in der Produktion beschäftigt waren, in der Textilindustrie beschäftigt waren.

 G 3.6.2(d)

Note that the 'dummy subject' *es* is dropped in sentence 1, since there is no first position to fill any more.

Lerneinheit 12

Übung 1

1 Richtig.

2 Falsch. Wilhelm Pieck wurde zum ersten Präsidenten der DDR gewählt. Erich Honecker war damals der Vorsitzende der Freien Deutschen Jugend (FDJ).

3 Falsch. Der Arbeiteraufstand begann mit einer Demonstration in Ostberlin.

4 Richtig.

5 Falsch. Die DDR baute am 13. August 1961 die Mauer um Westberlin.

6 Richtig.

Übung 2

1 die Feinde des Sozialismus; imperialistische Geheimdienste und Agentenzentralen; konterrevolutionäre Provokateure; Aufwiegler

2 Honecker beschreibt den Aufstand als einen „Putschversuch", der von „imperialistischen", das heißt, westlichen „Geheimdiensten und Agentenzentralen" gesteuert worden sei.

Übung 3

This is one possible version of notes about the uprising in the GDR on 17 June 1953.

- Ausgangsort des Aufstands
  - Ostberlin, Baubaracke in der Stalinallee
- genauer Zeitpunkt des Beginns
  - 16. Juni, morgens (um 7.00 Uhr)
- Verlauf der Ereignisse
  - Demonstration beginnt mit zunächst 40 Bauarbeitern
  - Demonstration wächst schnell, zum Schluss mindestens 10 000 Menschen
- Forderungen der Arbeiter
  - zuerst Rücknahme der Normerhöhung
  - anschließend Forderung nach freien Wahlen
  - Aufruf zum Generalstreik
- Reaktion der Staatsmacht
  - reagiert mit Gewalt
  - russische Besatzungsmacht greift ein
  - Ausnahmezustand in Ostberlin
- Ergebnis des Aufstands
  - Aufstand wird niedergeschlagen

Übung 4

Model answers to this acitivity are given on the CD and in the transcript.

Übung 5

This is just an example of what you could have written.

Auf dem Foto sieht man einen jungen Mann auf der Erde liegen. Der Schauplatz ist eine Straße in Westberlin, in der Nähe der Deutschen Oper. Der Mann ist schwer verletzt, möglicherweise ist er schon tot. Eine Frau, die elegant gekleidet ist, kniet hinter ihm und hält seinen Kopf.

Der junge Mann ist der 26-jährige Romanistik-Student Benno Ohnesorg.

Das Foto ist am Abend des 2. Juni 1967 in Westberlin entstanden. An diesem Abend fand vor der Deutschen Oper eine Protestdemonstration gegen den Besuch des Schahs von Persien statt. Plötzlich hatten Polizeibeamte ohne Warnung auf Demonstranten und Schaulustige losgeprügelt.

Benno Ohnesorg wurde gegen 20.30 Uhr tödlich verletzt. Als eine Kette von Polizisten mit Steinen beworfen wurde, wurde Ohnesorg als Rädelsführer verdächtigt. Er wurde von Polizisten gestellt und zu Boden gerissen.

Aus der Pistole des Kriminalobermeisters Kurras löste sich ein Schuss, der die Schädeldecke des Studenten zertrümmerte.

Übung 6

1 In der „Bild-Zeitung" wurden die Demonstranten als „Radikalinskis, Studenten, junge Leute ohne Verantwortung" dargestellt. „Bernd S." sah einen nicht mehr jungen, seriös wirkenden Demonstranten, der sein Kind an der Hand hatte. Das war das Gegenteil dessen, was die „Bild-Zeitung" schrieb.

2 In der „Bild-Zeitung" wurden die Teilnehmer an Protestveranstaltungen als „Radikalinskis", „Studenten" und „junge Leute ohne Verantwortung" bezeichnet. In dem „Bunte"-Artikel wurden sie als „(diese) Lümmel" und „die jungen Herren mit ein paar anstudierten Kenntnissen" bezeichnet, die keine Lebenserfahrung hätten, sondern nur über „anstudierte Kenntnisse" verfügten. Ihnen wurde unterstellt, sie lehnten jede Ordnung ab und hätten vor nichts Respekt.

Übung 7

1 Um ihre Ziele durchzusetzen verübte die Rote Armee Fraktion unter anderem Anschläge auf amerikanische Militärbasen.

2 Zur Finanzierung ihrer Aktionen und ihres Lebens im Untergrund überfiel die RAF Banken.

3 Um den Terrorismus zu bekämpfen erließ die Bundesregierung neue Gesetze.

4 Zur Befreiung inhaftierter Terroristen aus dem Gefängnis entführte die RAF Hanns-Martin Schleyer.

5 Um Zeitverluste bei der Kommunikation zwischen der Bundesregierung und den Schleyer-Entführern zu vermeiden wurde eine Kontaktperson eingeschaltet.

Übung 8

Here is one way of summarizing the aims of the RAF.

Die RAF-Terroristen wollten das von ihnen so genannte „imperialistische System" zerstören. Sie bezeichneten sich als „Stadtguerilla" und verübten vor allem Anschläge auf Polizeibeamte, Angehörige der US-Armee und Wirtschaftsführer, weil sie diese Gruppen als Symbole des Systems, das sie bekämpfen wollten, ansahen.

Nach dem Tod von Baader, Ensslin und Raspe bestand die RAF weiter. Eine neue Generation von Terroristen war nachgewachsen, die weitere Anschläge verübte. Es sieht jedoch so aus, als ob die RAF seit 1996/1997 aufgehört hat, weitere Terroranschläge zu verüben. Die überlebenden Mitglieder der RAF, die im Gefängnis sitzen, haben sich von dem so genannten „bewaffneten Kampf" gegen das „imperialistische System" losgesagt.

Lerneinheit 13

Übung 1

The correct order is:

1 In den sechziger Jahren war der Aufbau des Sozialismus in der DDR beendet worden.

2 Die DDR sah sich nach dem Ende dieser Aufbauphase als sozialistischer Staat.

3 Während dieser Entwicklungen in der DDR blieben die Beziehungen zwischen den beiden deutschen Staaten weiterhin problematisch.

4 Erst durch einen Regierungswechsel in der Bundesrepublik im Jahre 1969 veränderten sich die deutsch-deutschen Beziehungen.

5 Der Sozialdemokrat Willy Brandt wurde Bundeskanzler in Westdeutschland.

6 Durch seine „Ostpolitik" kam es zwischen beiden deutschen Staaten zu einer Annäherung.

7 1972 wurde zwischen Ost- und Westdeutschland der Grundlagenvertrag abgeschlossen, in dem die DDR von der westdeutschen Regierung als Staat anerkannt wurde.

8 Er war ein wichtiger Meilenstein bei der Verbesserung der deutsch-deutschen Beziehungen.

Übung 2

I Falsch. Die Fortschritte im Außenhandel haben durch das damit verbundene Prestige zu einem neuen Gefühl der Zufriedenheit bei den DDR-Bürgern beigetragen.

2 Richtig.

3 Falsch. Der Anteil der Haushalte im Besitz eines Personenkraftwagens stieg von 1960 bis 1972 um 16,2%.

4 Falsch. Es ist schwierig einen direkten Vergleich zwischen den beiden deutschen Staaten zu ziehen. Im Osten gibt es statistische Tricks und im Westen wird versäumt die Gemeinschaftseinrichtungen zu berücksichtigen.

5 Falsch. Das Angebot von öffentlichen Einrichtungen und Sozialleistungen sollte auch berücksichtigt werden.

6 Richtig.

Übung 3

früher	jetzt
Stagnation	Bewegung
Zaghaftigkeit	selbstbewusste Gelassenheit
Grau	freundlichere Farben
niederdrückende Trübsal	fröhlicher
plumpe Agitation	keine plumpe Agitation
es lässt sich schlecht miteinander reden	es lässt sich besser miteinander reden
viele Plakate, Transparente, Propagandabanner	viel weniger Plakate, Transparente, Propagandabanner

Übung 4

I Sie haben nur eine begrenzte Wirkung. Die DDR-Bürger lassen sich von ihnen nicht beeindrucken.

2 Die Jugendlichen in der DDR unterscheiden sich nur wenig von ihren Altersgenossen im Westen. Sie sehen genauso aus wie die Jugendlichen im Westen. Sie tragen Levis Jeans und T-Shirts, die häufig aus dem westlichen Ausland stammen.

3 „Nischengesellschaft" bedeutet, dass man sich nicht für Politik interessiert, sich in seine Privatsphäre zurückzieht und in dieser Nische lebt.

4 Die materiellen Bedürfnisse werden besser befriedigt, die Menschen haben weniger Angst, das Angebot ist besser und es gibt neue Freiräume für die Kunst und Künstler.

5 Der Autor lebt in der Bundesrepublik.

The most obvious clue is the sentence: „*Es ist nicht anders als bei uns.*" Also: „*Die Menschen drüben …*" Another clue is: „*Die DDR-Bürger lassen sie noch unbeeindruckter an sich abrieseln als der durchschnittliche Bundesbürger die Fernsehwerbespots*". This sentence states that propaganda has had even less effect on GDR citizens than TV commercials have had on the average citizen of the Federal Republic of Germany.

Übung 5

Model answers to this activity are given on the CD and in the transcript.

Übung 6

I Bei Text 1 handelt es sich um einen Brief an die Leipziger Volkszeitung, in dem eine Liste mit Verbraucherpreisen kurz kommentiert ist. Text 2 ist ein Brief der Hauptredaktion der Leipziger Volkszeitung an das Ministerium für Staatssicherheit. Der Verfasser des Leserbriefs bleibt anonym. Der Brief an das Ministerium für Staatssicherheit wurde von einem Redaktionsmitarbeiter geschrieben, der für Leserbriefe zuständig ist.

2 In Text 1 kritisiert ein DDR-Bürger/eine DDR-Bürgerin, dass in der eingeschickten Liste westdeutsche und ostdeutsche Preise von bestimmten Konsumgütern verglichen werden, die man zum Teil in der DDR gar nicht bekommen konnte. In Text 2 unterrichtet die Leipziger Volkszeitung die Stasi von diesem Leserbrief und beschreibt ihn als provokatorische Stellungnahme.

3 Die Redaktion der Leipziger Volkszeitung dachte, dass sich die Stasi für diesen Leserbrief interessieren würde. Man könnte daraus schließen, dass die Stasi sich auch für sehr alltägliche kritische Äußerungen der Menschen in der DDR interessierte.

1 (h), **2** (f), **3** (g), **4** (b), **5** (d), **6** (c), **7** (e), **8** (a)

Übung 8

The order of events is:

(a), (d), (e), (b), (c), (f), (j), (h), (i), (g)

Lerneinheit 14

Übung 1

1   Die CDU hat 58,1% der Stimmen bekommen.

2   Biedenkopf wurde am 28. Januar 1930 in Ludwigshafen geboren, er ist katholisch, verheiratet und hat vier Kinder.

3   Er ist Rechtsanwalt und Juraprofessor. Er hat in den USA, Frankfurt/Main und München studiert und an verschiedenen Universitäten gelehrt. Von 1971 bis 1973 hat er für den Henkel-Konzern gearbeitet. Seit Ende der sechziger Jahre ist er politisch aktiv.

4   Er war seit Januar 1990 Gastprofessor an der Leipziger Universität.

5   Er kennt sich gut in der sächsischen Geschichte aus und weiß auch, wie August der Starke gelebt hat.

6   Er hat fast eine Zweidrittel-Mehrheit in Sachsen.

Übung 2

1   Wir werden dafür sorgen, dass es jetzt hier losgehen kann.

2   Die große Chance dieses Aufbaus liegt darin, dass wir Fehler vermeiden können, die wir in der Bundesrepublik gemacht haben.

3   Ich bin überzeugt, mit dem Wissen und Können der Union […] können wir dieses Ziel erreichen. (Please note: Biedenkopf uses *Union* in his speech as a short form for the CDU, the *Christlich-Demokratische Union.*)

4   Nach 1990 wollten die Sachsen einen Ministerpräsidenten, von dem sie überzeugt waren.

5   Er ist sicherlich jemand, der […] den Nerv der Leute getroffen hat.

6   Ich denke, Kurt Biedenkopf ist es tatsächlich sehr gut gelungen, sich […] als Sachwalter ostdeutscher Interessen darzustellen.

Übung 3

1   Biedenkopf ist seit 1966 **Mitglied der CDU**.

2   Er hatte im Westen nicht den Erfolg, **den er sich wünschte**.

3   Biedenkopf hat durch seine Wirtschaftspolitik **große Betriebe nach Sachsen geholt**.

4   Um den ortsansässigen Mittelstand hat er **sich weniger gekümmert**.

5   Er ist in vieler Hinsicht eher ein Bundes- als ein Landespolitiker. Das sieht man daran, dass er **Interesse an Großprojekten zeigt**.

6   Es wird gesagt, dass Biedenkopfs Verhältnis zu Kohl **nicht besonders gut sei**.

Übung 4

Model answers to this activity are given on the CD and in the transcript.

Übung 5

Here are sentences for each verb. Yours may differ slightly.

1   Kurt Biedenkopf setzt sich für die Belange der Sachsen ein.

2   Er stellt sich als Sachwalter ostdeutscher Interessen dar.

3   Biedenkopf bekennt sich zum Leben in Ostdeutschland.

4   Er bezeichnet sich als Sachse.

5   Der Ministerpräsident gibt sich als monarchischer Herrscher Sachsens.

6   Er kennt sich mit der sächsischen Geschichte aus.

7   Kurt Biedenkopf findet sich in der historischen Figur August des Starken wieder.

8   Er ordnet sich den Wünschen der Menschen in Sachsen unter.

9   Er kümmert sich um die Anliegen der sächsischen Bürger und Bürgerinnen.

Übung 6

Für Biedenkopfs Entscheidung	Gegen Biedenkopfs Entscheidung
20 000 Arbeitsplätze gesichert	Geld kommt nicht aus Sachsen
ohne Arbeitsplätze bei VW in Westsachsen – tiefe (wirtschaftliche) Depression	mit fremdem Geld Arbeitsplätze in Sachsen gekauft, die anderswo fehlen
	so kann man auf Dauer keine Arbeitsplätze sichern
	schlecht für Beziehung zur europäischen Vereinigung
	war nur für die Öffentlichkeit inszeniert (PR-Gag)

Übung 7

I In the set dictionary you can find the proverb under the entry for *Hemd*. It reads: "Charity begins at home."

2 (a) „Der Spatz in der Hand ist besser als die Taube auf dem Dach."
(The proverb can be found under 'bird'.)

(b) „Alles auf eine Karte setzen." (Here you will find the German meaning under 'egg'.)

(c) „Gleich und gleich gesellt sich gern." (This proverb cannot be found under 'bird'; instead you have to look up 'feather'.)

(d) „Probieren geht über Studieren." (Under 'proof'.)

(e) „(Na, ja,) in der Not frisst der Teufel Fliegen." (Under 'beggar'.) There is no need, as suggested in the dictionary, to include *na ja* as an integral part of this proverb.)

(f) „Aus einer Mücke einen Elefanten machen." (Under 'mountain'.)

(g) „Morgenstund' hat Gold im Mund." (Under 'early'.)

As you can see from the entries, in most cases you can find a proverb by looking up the first noun.

Übung 8

Your answer may differ from that below, but make sure that you have included the main points.

Ingrid Biedenkopf, die Frau des sächsischen Ministerpräsidenten, spielt eine wichtige Rolle in Sachsen. Kurt Biedenkopf spricht mit ihr viele Dinge ab.

Frau Biedenkopf verkörpert den mütterlichen Typ einer Frau. Ihr fehlt die Weltgewandtheit. Sie sieht sich als Landesmutter und engagiert sich für soziale und medizinische Dinge. Sie hat viel mit Bürgereingaben zu tun und hat ein eigenes Büro, das aus öffentlichen Geldern finanziert wird. Manche Kritiker finden das problematisch, weil sie – im Gegensatz zu ihrem Mann – nicht vom Volk gewählt worden ist. Das erinnert einige Leute an die DDR-Zeiten.

Übung 9

I Kurt Biedenkopf ist **Ende** 60.

2 Er kann sich **vorstellen** noch eine weitere Amtsperiode zu regieren.

3 Es gibt momentan **keinen möglichen** Nachfolger für ihn.

4 Einige Oppositionspolitiker glauben, dass er **sicherlich nicht** abgewählt werden wird.

5 Biedenkopf hat **keine Chance mehr** auf eine Rückkehr in die Bundespolitik.

Übung 10

- Herkunft, Alter, persönlicher Hintergrund
  - in Ludwigshafen geboren, katholisch, verheiratet, vier Kinder

- berufliche Karriere
  - Rechtsanwalt und Juraprofessor

- politische Karriere im Westen
  - seit 1966 Mitglied der CDU
  - seit Ende der sechziger Jahre im Westen politisch aktiv
  - er hatte nicht den Erfolg, den er sich wünschte

- politische Karriere im Osten
  - Beginn: Anfang 1990 Gastprofessor in Sachsen; bekannte sich klar zu einem Leben im Osten; seit 1990 sächsischer Ministerpräsident; stellt sich als Sachwalter ostdeutscher Interessen dar

- – Erfolge: populärster Politiker Sachsens,
  Wiederwahl 1994 (58,1%)

- Rolle seiner Ehefrau

  - – wichtige Rolle, Landesmutter, eigenes Büro

- Nachteile seiner großen Mehrheit im Landtag

  - – sehr wenige spannende politische
    Diskussionen

  - – Schwäche der Opposition

  - – regiert gern im Alleingang, zum Beispiel
    Subventionierung des sächsischen VW-Werks
    gegen den Willen der Kommission der
    Europäischen Union.

- Ihre persönliche Meinung zu Kurt Biedenkopf als
  Politiker und als Mensch

  - – verstößt gegen demokratische Grundprinzipien

  - – wirkt einem vereinten Europa entgegen.

(You may well have other opinions about Professor
Biedenkopf.)

Übung 11

Model answers to this activity are given on the CD and
in the transcript. Did you manage to express an
opinion on Kurt Biedenkopf?

Sprechübungen Thema 1

Hörabschnitt 1

Sie sprechen jetzt mit Ihrem Freund Bernd über die fünf Fotos. Bernd stellt Ihnen Fragen, die Sie beantworten. Sprechen Sie bitte in den Pausen.

Bernd   Ist das die Nordsee auf dem Foto?

➡

Sie   **Nein, das ist Usedom, eine Insel in der Ostsee.**

Bernd   Und wo liegt Usedom? Im Nordwesten der Bundesrepublik?

➡

Sie   **Nein, Usedom liegt im Nordosten.**

Bernd   Ah ja, von Usedom habe ich schon gehört. Das ist doch die größte Insel Deutschlands, oder?

➡

Sie   **Nein, es ist die zweitgrößte Insel.**

Bernd   Und auf dem anderen Foto – ist das nicht die Eifel? Wo liegt die?

➡

Sie   **Ja, das ist die Eifel. Sie liegt im Westen Deutschlands.**

Bernd   Und die Landschaft dort, wie ist die entstanden?

➡

Sie   **Sie ist vor etwa zehntausend Jahren durch Vulkanausbrüche entstanden.**

Bernd   Und was ist das für ein Felsmassiv auf diesem Bild?

➡

Sie   **Das ist die Bastei.**

Bernd   Und wo ist die Bastei?

➡

Sie   **In der Sächsischen Schweiz.**

Bernd   Und auf diesem Foto, diese Stadt zwischen den Tälern – wo ist denn das?

➡

Sie   **Das ist Wildemann im Oberharz.**

Bernd   Aha … Und der Harz, ist das nicht ein Hochgebirge?

➡

Sie   **Nein, der Harz ist ein Mittelgebirge.**

Bernd   Und wie hoch sind die Berge dort?

➡

Sie   **Der höchste Berg ist der Brocken, er ist 1 142 m hoch.**

Bernd   Und auf diesem Bild, das ist doch bestimmt in Bayern, oder?

➡

Sie   **Richtig, das ist das Leitzachtal in Oberbayern.**

Hörabschnitt 2

Sie hören zuerst, wie das Foto von Oberstdorf beschrieben wird. Dann beschreiben Sie das Foto von Lindau. Benutzen Sie Ihre Pausetaste. Sie hören dann unsere Version.

Oberstdorf liegt in den Allgäuer Alpen am südlichen Rand Deutschlands. Die Alpen sind ein Hochgebirge, das 1 200 km lang ist. Die Stadt liegt im Tal auf einer Wiese. Im Hintergrund sieht man hohe Berge, auf denen Schnee liegt. Davor sind kleinere Berge, die bewaldet sind. Im Vordergrund stehen Scheunen aus Holz. In der Mitte der Stadt befindet sich eine Kirche. Der weiße Kirchturm überragt die anderen Gebäude der Stadt.

➡

Auf dem Foto sieht man Lindau. Die Stadt liegt am Bodensee im Süden Deutschlands. Der Bodensee ist der zweitgrößte* See in Deutschland. Im Hintergrund sieht man eine hügelige Landschaft mit viel Wald. Im Vordergrund ist der Bodensee. Auf der rechten Seite steht ein Turm. Auf der linken Seite sieht man mehrere Häuser und auch Schiffe. Gegenüber dem Turm ist eine Statue mit einem Löwen zu sehen.

Hörabschnitt 3

Erzählen Sie nun Ihrem Freund Helge diese Legenden. Beantworten Sie seine Fragen. Sprechen Sie in den Pausen.

---

* Bitte beachten Sie, dass diese Information falsch ist. Der Bodensee ist der größte See Deutschlands.

Helge   Worum geht es in der Legende von Torum?

➡

Sie   Das war ein kleiner Ort an der Nordsee. Die Torumer waren wohlhabend, stolz und hochmütig.

Helge   Und das ist die Legende?

➡

Sie   Nein, eines Tages gab es einen heftigen Sturm, das Meer fraß sich durch den Deich und die Flut brach über Torum herein.

Helge   Und die Menschen? Was passierte mit denen?

➡

Sie   Die Menschen hatten Angst und liefen in die Kirche, aber sie konnten nicht mehr beten. Das hatten sie vergessen.

Helge   Und dann? Das klingt ja sehr dramatisch.

➡

Sie   Torum wurde mit allem vom Meer verschluckt.

Helge   Und in der anderen Geschichte, aus dem Erzgebirge?

➡

Sie   In der anderen Geschichte geht es um einen armen Mann, der im Erzgebirge wohnte.

Helge   Wie hieß denn der Mann? Erzähl mal!

➡

Sie   Er hieß Daniel Knappe, hatte eine Frau und sieben Kinder.

Helge   Und dann? Was passierte dann?

➡

Sie   Eines Nachts hatte er einen Traum. Ein Engel sagte ihm, dass er in einem Baum ein Nest mit goldenen Eiern finden würde.

Helge   Hat er die dann auch gefunden?

➡

Sie   Na ja, am nächsten Tag fand er den Baum, aber er konnte kein Nest mit goldenen Eiern finden.

Helge   Oh, da war er bestimmt enttäuscht, oder?

➡

Sie   Ja, aber dann dachte er ein bisschen nach und grub unter dem Baum, und da fand er Silber.

Helge   Und was hat das mit Annaberg zu tun?

➡

Sie   Später wurde dort die Stadt Annaberg gegründet.

Helge   Aha, das scheinen ja sehr unterschiedliche Legenden zu sein. Inwiefern unterscheiden sie sich denn?

➡

Sie   In Torum geht es um den Untergang der Stadt und in Annaberg um die Gründung einer Stadt.

Helge   Ist das alles?

➡

Sie   Während in Torum Gott die Stadt bestraft, erscheint in der Legende über Annaberg ein Engel um dem armen Daniel Knappe zu helfen.

Hörabschnitt 4

Sie hören jetzt drei Ausschnitte mit verschiedenen Dialekten.

Ausschnitt 1

> Z'Friburg in der Stadt,
> sufer isch's und glatt,
> richi Here, Geld und Guet,
> Jumpfere wie Milch und Bluet,
> z'Friburg in der Stadt.
>
> Woni gang und stand,
> wärs e lustig Land.
> Aber zeig mer, was de witt,
> numer näumis findi nit
> in dem schöne Land.

Ausschnitt 2

Erster Mann   Dat is een Fleeg. Fleegen fleegt.

Zweiter Mann   Un dat is een Koh. Köh geevt Melk.

Erster Mann   Mien Koh gifft keene Melk. De steiht dröög.

Zweiter Mann   Mien Köh staht nich dröög.

Erster Mann   Un disse Fleeg flüggt nich. Se sitt fast, an'n Fleegenstraps.

Zweiter Mann   Veele Fleegen sitt hier fast. De Fleegen plaagt mien Köh. Un de staht nich dröög, heff ick all seggt.

Erster Mann   Hest du.

Ausschnitt 3

Erster Zitator Bäda?

Zweiter Zitator Ja?

Erster Zitator Hast marng net Zeid?

Zweiter Zitator Ja, freili hawi Zeid, zo wos dänn?

Erster Zitator Do gemma-r-a weng as Hoiz hintere!

Zweiter Zitator Jo,wos is dänn do hintn lous?

Erster Zitator Aa, Hoiz hot's ma so vü obroacha.

Hörabschnitt 5

Sie sprechen jetzt mit einer Bekannten über die Rolle der Trachten. Sie hören auf Englisch, was Sie sagen sollen, und sprechen dann in den Pausen.

Bekannte Also, Trachten, das ist doch alles Quatsch heutzutage. Die sind doch überhaupt nicht mehr zeitgemäß.

(Well, that might be true, but these costumes have a long tradition.)

➡

Sie Na ja, das kann schon sein, aber diese Trachten haben eine lange Tradition.

Bekannte Also, so alt ist diese Tradition ja nun auch wieder nicht. Erst seit etwa 1800 gibt es Trachten.

(That's true, it was only after the French Revolution that national costumes came into their own.)

➡

Sie Das stimmt, erst nach der Französischen Revolution sind die Nationaltrachten entstanden.

Bekannte Ja, aber das war doch schon 50 Jahre später alles vorbei. Schon ab 1850 verschwanden an vielen Orten die Trachten.

(Well, I wouldn't say that. That depended very much on the regions where these costumes were being worn.)

➡

Sie Na ja, das würde ich nicht sagen. Das hing sehr stark von den Gebieten ab, in denen diese Trachten getragen wurden.

Bekannte Okay, aber wer trägt das denn heute noch und vor allem wozu?

(In quite a few areas there are still groups who wear these costumes for special occasions.)

➡

Sie In ziemlich vielen Gegenden gibt es noch Gruppen, die die Trachten zu bestimmten Gelegenheiten tragen.

Bekannte Wird damit nicht was am Leben erhalten, das völlig überholt ist?

(No, not really. It's part of the tradition and these costumes still have a function.)

➡

Sie Nein, nicht wirklich. Es ist Teil der Tradition und diese Trachten haben noch immer eine Funktion.

Hörabschnitt 6

Sie unterhalten sich jetzt mit Ihrem Freund Markus über einige Sitten und Bräuche. Sie hören auf Englisch, was Sie sagen sollen. Sprechen Sie dann in den Pausen.

Markus Welche Sitten und Bräuche kanntest du denn schon?

(Well, I knew about Advent, Christmas and the carnival in Köln.)

➡

Sie Also, ich kannte schon Advent, Weihnachten und den Kölner Karneval.

Markus Na ja, die kennt ja wohl fast jeder.

(Yes, but I learned about some funny northern German customs. There's something called a Kohlfahrt.)

➡

Sie Ja, aber ich habe etwas über einige komische norddeutsche Sitten und Bräuche gelernt. Da gibt es etwas, das man „Kohlfahrt" nennt.

Markus Was ist das?

(In autumn, friends or colleagues meet and go for a walk, drinking schnapps on the way. And they end up in a restaurant, where they eat curly kale, smoked sausage and smoked pork loin.)

➡

Sie Im Herbst treffen sich Freunde oder Kollegen und wandern, dabei trinken sie Schnaps. Und schließlich gehen sie in ein Gasthaus, in dem sie Grünkohl, Pinkel und Kassler essen.

Markus Was ist denn Pinkel?

(Pinkel *is a very fatty smoked sausage made of bacon, groats and herbs.*)

➡

Sie Pinkel ist eine sehr fette geräucherte Wurst, die aus Speck, Grütze und Gewürzen besteht.

Markus Igitt! Das klingt ja furchtbar!

(And the person who has eaten the most cabbage is elected Cabbage King or Queen.)

➡

Sie Und wer am meisten Kohl gegessen hat, wird zum Kohlkönig oder zur Kohlkönigin gewählt.

Markus Ist das eine alte Sitte?

(Yes, I think it is. Curly kale is a very traditional dish in this region.)

➡

Sie Ja, ich glaube schon. Grünkohl ist ein sehr traditionelles Essen in dieser Gegend.

Markus Was für eine merkwürdige Sitte.

(And I read something else which I didn't know before. Some of these customs are not even that old. They were invented for a particular reason.)

➡

Sie Und ich habe noch etwas gelesen, was ich vorher nicht wusste. Einige dieser Bräuche sind gar nicht so alt. Sie sind aus bestimmten Gründen erfunden worden.

Markus Zum Beispiel?

(In Friedrichshafen the Seehasenfest *was introduced in 1948. This festival is supposed to attract tourists and entertain the locals.*)

➡

Sie In Friedrichshafen wurde 1948 das Seehasenfest eingeführt. Das Festival soll Touristen anziehen und die Einheimischen unterhalten.

Markus Das finde ich aber merkwürdig, einfach so etwas zu erfinden.

Hörabschnitt 7

Sie sprechen jetzt mit einer Bekannten über die Landschaft und die Regionen in Deutschland. Sie hören auf Englisch, was Sie sagen sollen. Sprechen Sie dann in den Pausen.

Bekannte Was ist dir besonders aufgefallen?

(I was surprised to see how varied the landscapes are in Germany.)

➡

Sie Ich war überrascht zu sehen, wie unterschiedlich die Landschaften in Deutschland sind.

Bekannte Aha. Was für verschiedene Landschaften gibt es denn in Deutschland?

(It ranges from the flat landscape in the North, through the low mountain range, to the Alps in the South.)

➡

Sie Das reicht vom flachen Land im Norden über die Mittelgebirge bis zu den Alpen im Süden.

Bekannte Und welche Landschaft hat dir am besten gefallen?

(For me the landscape in the Sächsische Schweiz was the most impressive.)

➡

Sie Am beeindruckendsten fand ich die Landschaft in der Sächsischen Schweiz.

Bekannte Hast du noch was Interessantes gelernt?

(I was also very interested to see that Germany isn't centralized.)

➡

Sie Ich fand es auch interessant zu sehen, dass Deutschland nicht zentralistisch ist.

Bekannte Und was heißt das?

(There are many different local centres, administrative as well as economic and cultural.)

➡

Sie Es gibt viele verschiedene Zentren, sowohl verwaltungsmäßig als auch wirtschaftlich und kulturell.

Bekannte   Und welche Auswirkungen hat das auf die Deutschen?

(The Germans are politically quite locally oriented.)

➡

Sie   Die Deutschen leben ziemlich stark in einer lokalen politischen Kultur.

Bekannte   Aha. Wie zeigt sich das?

(It means, for example, that they regard themselves first as a person from Wilhelmshaven, then as a Frisian and perhaps as a person from Lower Saxony, and only as a German as a last resort.)

➡

Sie   Das heißt, sie sehen sich zunächst zum Beispiel als Wilhelmshavener, dann als Friese und vielleicht als Niedersachse, und erst zum Schluss als Deutscher.

Bekannte   Interessant. Kannst du in einem Satz zusammenfassen, was du bisher gelernt hast?

(Well, Germany is in some ways more regional and diverse than I thought.)

➡

Sie   Ja, Deutschland ist in verschiedenen Bereichen viel regionaler und vielfältiger, als ich gedacht habe.

Hörabschnitt 8

Sie sprechen jetzt über die Arbeitslosenquoten in Deutschland. Anschließend hören Sie unsere Version. Benutzen Sie bitte Ihre Pausetaste. Sprechen Sie jetzt.

➡

In dieser Karte geht es um die Arbeitslosenzahlen in Deutschland.

Die höchsten Arbeitslosenzahlen findet man in den Bundesländern im Osten Deutschlands. Im Durchschnitt sind im Westen 10,6% der Menschen ohne Arbeit, während im Osten durchschnittlich 18,9% der Männer und Frauen arbeitslos sind. Der Arbeitsamtsbezirk Sangerhausen in Sachsen-Anhalt hat mit 23,5% die höchste Arbeitslosenquote in ganz Deutschland. Die geringste Arbeitslosigkeit gibt es im Süden, in Baden-Württemberg und um München.

Es gibt ein Nord-Süd-Gefälle und ein Ost-West-Gefälle, das heißt, es gibt mehr Arbeitslose im Norden als im Süden und mehr im Osten als im Westen.

Hörabschnitt 9

Sie sprechen mit einem Bekannten aus Niedersachsen über das Verwaltungssystem in Deutschland. Sprechen Sie in den Pausen, nachdem Sie die jeweilige Zahl gehört haben.

Bekannter   Na, da bin ich ja froh, dass mir endlich mal jemand erklären kann, wie das genau funktioniert mit dem Verwaltungskram bei uns.

1

➡

Sie   Das System ist wirklich nicht so kompliziert, wie es aussieht.

Bekannter   Bist du sicher? Also, wenn die hier von Gemeinde sprechen, denke ich immer an Kirche und nicht an Politik.

2

➡

Sie   Politisch gesehen sind Dorf, Stadt und Großstadt alles dasselbe, alles wird als Gemeinde bezeichnet.

Bekannter   Okay, und warum gibt es dann nicht nur Gemeindedirektoren, sondern auch einen Stadtdirektor wie in Jever oder einen Oberstadtdirektor wie in Wilhelmshaven?

3

➡

Sie   Wenn die Gemeinde eine Stadt ist, dann heißt der Gemeindedirektor eben Stadtdirektor.

Bekannter   Und einen Oberstadtdirektor, wo gibt's den?

4

➡

Sie   Bei größeren, kreisfreien Städten in Niedersachsen werden diese Personen als Oberstadtdirektor bezeichnet.

Bekannter   Und wofür sind diese Leute eigentlich genau zuständig? Ich hab' nämlich für meinen Kurs an der Volkshochschule dieses Jahr fast ein Drittel mehr bezahlt als letztes Jahr und die haben mir gesagt, ich solle mich doch bei der Oberstadtdirektorin beschweren.

5

➡

Sie   Ja, die Gemeinden können eigene Steuern erheben und auch die Kursgebühren für die Volkshochschule festlegen.

Bekannter Hm, und damit können die Gemeinden ihre Aufgaben finanzieren?

6

➡

Sie Nein, diese Einnahmen reichen nie aus. Die Gemeinden brauchen außerdem immer finanzielle Unterstützung vom Bund und dem Land.

Bekannter Ich sehe schon, du hast in dem Open-University-Kurs wirklich etwas gelernt.

Hörabschnitt 10

Sie sprechen nun mit Frau Ellert aus Niedershausen über die Wahl von Jörg Sauer zum Bürgermeister sowie über die Vor- und Nachteile der Direktwahl im Allgemeinen. Sie hören auf Englisch, was Sie sagen sollen. Sprechen Sie bitte in den Pausen.

Frau Ellert Tja, diese Wahl war ja eine echte Sensation. Es wurde aber auch Zeit, dass mal ein frischer Wind weht. Ich glaube, die SPD war sich ihrer Sache einfach zu sicher.

(Well, when mayors are directly elected, parties don't actually play much of a role any more, do they?)

➡

Sie Na, bei einer Direktwahl des Bürgermeisters spielt die Partei doch eigentlich keine große Rolle mehr, oder?

Frau Ellert In diesem Fall wohl doch, denn Frank Schmidt war der einzige Kandidat, der einer Partei angehörte, nämlich der SPD.

(I'm sure that a candidate's personality and his relationship with the press play a much more important role.)

➡

Sie Ich bin sicher, dass die Persönlichkeit eines Kandidaten und seine Beziehungen zur Presse eine viel wichtigere Rolle spielen.

Frau Ellert Das würde ja bedeuten, dass das letzten Endes alles nur so eine Art Persönlichkeitskult ist. Nein, das sicher nicht. Und die Presse spielt hier auf dem Lande wirklich keine große Rolle bei solchen Wahlen.

(Don't you think that the financial situation and the professions of the candidates influenced the decision?)

➡

Sie Glauben Sie nicht, dass die finanzielle Situation und die Berufe der Kandidaten die Entscheidung beeinflusst haben?

Frau Ellert Nein, auf keinen Fall. Wichtig war, der SPD einen Denkzettel zu verpassen und dass wir jetzt selbst bestimmen, wer Bürgermeister wird und wer nicht.

(And why didn't the SPD candidate make it this time, in your opinion?)

➡

Sie Und warum hat es der SPD-Kandidat Ihrer Meinung nach dieses Mal nicht geschafft?

Frau Ellert Ich glaube, die Leute hier haben die Bedeutung des zweiten Wahlgangs unterschätzt.

Hörabschnitt 11

Sie hören Sätze und anschließend weitere Satzelemente. Sprechen Sie dann, wie im Beispiel, Ihre Sätze in den Pausen.

> **Beispiel**
> Ich besuche Ostfriesland. (wollen – im nächsten Jahr)
>
> **Sie** Ich will im nächsten Jahr Ostfriesland besuchen.

Jetzt sind Sie dran.

1 Die Stadt zieht vor allem Tagesausflügler an. (wollen – von der nahe gelegenen Nordseeküste)

➡

Sie Die Stadt will vor allem Tagesausflügler von der nahe gelegenen Nordseeküste anziehen.

2 Die Stadt bietet interessante Tagesprogramme an. (müssen – den Gästen)

➡

Sie Die Stadt muss den Gästen interessante Tagesprogramme anbieten.

3 Das neue Einkaufszentrum am Bahnhof erhöht die Attraktivität der Stadt. (sollen – für die Besucher und die Einheimischen)

➡

Sie Das neue Einkaufszentrum am Bahnhof soll die Attraktivität der Stadt für die Besucher und die Einheimischen erhöhen.

4 Die Menschen ziehen nicht gern aus Wilhelmshaven weg. (wollen – trotz der hohen Arbeitslosigkeit)

➡

Sie Die Menschen wollen trotz der hohen Arbeitslosigkeit nicht gern aus Wilhelmshaven wegziehen.

5 Aber viele junge Leute finden nach ihrer Ausbildung keine Stelle. (können – in der Stadt)

➡

Sie Aber viele junge Leute können nach ihrer Ausbildung in der Stadt keine Stelle finden.

6 Sie bleiben in Wilhelmshaven. (möchten – weil sie an der Stadt hängen)

➡

Sie Sie möchten in Wilhelmshaven bleiben, weil sie an der Stadt hängen.

Hörabschnitt 12

Sie sprechen mit einem Kollegen über Ihre mögliche Versetzung nach Wilhelmshaven. Sie hören auf Englisch, was Sie sagen sollen. Sprechen Sie bitte in den Pausen.

Kollege Erzähl mal, was wollte denn der Chef von dir?

(He offered me a job in Wilhelmshaven.)

➡

Sie Er hat mir eine Stelle in Wilhelmshaven angeboten.

Kollege Wilhelmshaven, das ist doch super! Ich kenne die Gegend da.

(Wilhelmshaven? You can't be serious! That's the back of beyond!)

➡

Sie Wilhelmshaven? Das meinst du doch nicht ernst! Das ist ja am Ende der Welt!

Kollege Na, es ist schon weiter im Norden, aber dafür hast du die Nordsee direkt vor der Tür. Und die Stadt hat ein gutes und anspruchsvolles Kulturangebot.

(A good range of cultural offerings, are you joking? A friend of mine lives there and he says it's a total dump!)

➡

Sie Gutes Kulturangebot? Du machst wohl Witze. Ein Freund von mir wohnt da und er sagt, dass es ein richtiges Kaff ist!

Kollege Na ja, vielleicht nicht so gut wie Stuttgart. Die Lebensqualität soll aber gut sein. Die Stadt tut ihr Bestes.

(But without much success as far I know. And they have very high unemployment there.)

➡

Sie Aber wohl nicht mit viel Erfolg, so weit ich weiß. Die haben doch eine sehr hohe Arbeitslosigkeit da.

Kollege Die Arbeitslosigkeit liegt bei fast 20%, das ist richtig. Aber das ist nun mal eine strukturschwache Region. Es gibt dort nicht genügend mittelständische Betriebe wie in Baden-Württemberg.

(That doesn't exactly sound attractive.)

➡

Sie Das klingt aber nicht gerade anziehend.

Kollege Soweit ich weiß, macht die Stadt einiges mit ihren begrenzten finanziellen Mitteln. Und die Wilhelmshavener mögen ihre Stadt, sie ziehen nur sehr ungern weg.

(But it really is the back of beyond.)

➡

Sie Aber das liegt doch wirklich am Ende der Welt.

Kollege Ich finde, du übertreibst ein bisschen. Es gibt einen direkten Autobahnanschluss, so dass man ohne Probleme in den Süden kommen kann.

(But I don't know if I'd like to live there.)

➡

Sie Aber ich weiß nicht, ob ich dort leben möchte.

Kollege Ich würde mir das an deiner Stelle gut überlegen. Ich habe gehört, dass sich Frau Schnabel auch für die Stelle interessiert.

Hörabschnitt 13

Sie unterhalten sich jetzt mit Dr. Frischler, einem Experten zum Thema Heimat. Sie hören auf Englisch, was Sie sagen sollen. Sprechen Sie in den Pausen.

(Hello, Dr Frischler. I've been told that you're an expert on the theme of Heimat.*)*

➡

Sie **Guten Tag, Herr Dr. Frischler. Man hat mir gesagt, dass Sie ein Experte zum Thema Heimat sind.**

Dr. Frischler Guten Tag. Ja, ich habe mich schon seit langem mit diesem Thema befasst und einige Gedanken dazu aufs Papier gebracht.

(Tell me please, how would you define this term?)

➡

Sie **Sagen Sie mir bitte, wie würden Sie den Begriff definieren?**

Dr. Frischler Oh, das ist natürlich nicht so einfach. Wo soll man da anfangen?

(Shall I try? Heimat *is the place where your home is.)*

➡

Sie **Soll ich es einmal versuchen? Heimat ist der Ort, wo man sein Haus hat.**

Dr. Frischler Ja, das ist ganz sicher eine Beschreibung. Aber es gibt natürlich noch viel mehr. Gerade im Deutschen beinhaltet das Wort oft ein Gefühl, ein Sich-daheim-geborgen-Fühlen.

(But is it possible to produce a simple definition of Heimat?*)*

➡

Sie **Aber ist es denn möglich, überhaupt eine einfache Definition von „Heimat" zu finden?**

Dr. Frischler Das ist sehr schwierig. In einem Kommentar zum Grundgesetz heißt es, dass mit „Heimat" die rein örtliche Herkunft eines Menschen gemeint ist.

(So, Heimat *is the place where you were born?)*

➡

Sie **Also, Heimat ist der Ort, wo man geboren ist?**

Dr. Frischler Nein, nicht unbedingt. Es kann genauso ein Ort sein, in den man später in seinem Leben gezogen ist und wo man sich wohl fühlt.

(Why is Heimat *such a difficult concept for many Germans?)*

➡

Sie **Warum ist Heimat für viele Deutsche so ein schwieriger Begriff?**

Dr. Frischler Das ist ganz klar und hat mit der Tradition des Begriffs zu tun. Vor allem im Dritten Reich ist das Wort von den Nazis sehr missbraucht worden. Das bekam einen ideologischen Stempel und wurde zu einer Weltanschauung hochstilisiert. Das ist eben ein Begriff, den man sehr leicht politisch manipulieren kann.

(And why is it so easy to manipulate this concept?)

➡

Sie **Und warum ist es so einfach, dieses Konzept zu manipulieren?**

Dr. Frischler Heimat als Gefühlswert, als etwas Innerliches und Emotionales ist ein völlig apolitisches Konzept. Da kann man jede politische Propaganda hineingießen. Und außerdem ist es kein klar definiertes Konzept: Es hat emotionale und inhaltliche Komponenten.

(Thank you very much for talking to me.)

➡

Sie **Vielen Dank für dieses Gespräch.**

Hörabschnitt 14

Sie sprechen jetzt mit einer Landesbeamtin, Frau Dr. Konrads, über die Aufgabe der Bundesländer. Sie hören auf Englisch, was Sie sagen sollen. Sprechen Sie dann in den Pausen.

(What is the role of the Länder *in Germany?)*

➡

Sie **Welche Rolle spielen die Länder in Deutschland?**

Dr. Konrads Sie sind die zweite politische Ebene und spielen eine wichtige Rolle in der Bundesrepublik Deutschland, weil so die Macht zwischen Bund und Ländern verteilt ist. Man könnte sagen, dass sie wesentlich zur Stabilisierung der Demokratie beitragen.

(Do all Länder *have the same constitution?)*

➡

Sie **Haben alle Länder die gleiche Verfassung?**

Dr. Konrads Nein, die Landesverfassungen unterscheiden sich schon in einigen Punkten, aber alle müssen den Grundsätzen des republikanischen, demokratischen Rechtsstaats im Sinne des Grundgesetzes entsprechen.

(Can the Länder pass their own laws?)

➡

Sie Können die Länder eigene Gesetze verabschieden?

Dr. Konrads Ja, natürlich. Es gibt natürlich Bereiche, in denen nur der Bund Gesetze erlassen kann, wie zum Beispiel Außenpolitik und Verteidigung. Dann gibt es die so genannte konkurrierende Gesetzgebung, das heißt, die Länder dürfen eigene Gesetze erlassen, wenn es kein entsprechendes Bundesgesetz gibt. Strafrecht, Arbeitsrecht, Verkehr sind nur einige Beispiele hierfür. Und dann gibt es Bereiche, wo der Bund nur Rahmenvorschriften machen kann, wie zum Beispiel das Hochschulwesen. Und es gibt auch noch so genannte Gemeinschaftsaufgaben. Hier arbeiten Bund und Länder Hand in Hand.

(That sounds very complicated. How much power do the Länder really have?)

➡

Sie Das klingt sehr kompliziert. Wie viel Macht haben die Länder denn wirklich?

Dr. Konrads Als Landesbeamtin sehe ich, dass der Bund seine Macht immer mehr ausweitet. Die Länder haben in den letzten Jahren an Macht verloren und sie haben immer weniger Spielraum für eine eigene Politik.

(Where do the Länder get their financial resources from?)

➡

Sie Woher bekommen die Länder ihre finanziellen Mittel?

Dr. Konrads Tja, das ist nicht so einfach. Viele Steuern werden zwischen dem Bund, den Ländern und den Gemeinden aufgeteilt. Zum Beispiel erhalten der Bund und die Länder einen jeweils gleich großen Anteil der Lohn- und Einkommenssteuer. Aber sie bekommen auch Mittel vom Bund, aus dem so genannten Finanzausgleich. Und dann gibt es auch noch Landessteuern.

(Who decides how much the Länder receive in taxes?)

➡

Sie Wer entscheidet, wie viel Steuern die Länder erhalten?

Dr. Konrads Da gibt es zum Teil feste Quoten, wie bei der Einkommenssteuer. Teilweise wird die Verteilung auch immer wieder neu zwischen Bund und Ländern festgelegt.

(What do the citizens think of this system?)

➡

Sie Was halten die Bürger und Bürgerinnen von diesem System?

Dr. Konrads Ich glaube, dass viele Bürger für diese Verteilung der Kompetenzen sind. Ein Beispiel hierfür war die Debatte, als Brandenburg und Berlin miteinander fusionieren sollten. Die Wähler und Wählerinnen haben sich mehrheitlich gegen diese Fusion ausgesprochen.

(Frau Konrads, thank you very much for this interview.)

➡

Sie Frau Konrads, vielen Dank für dieses Gespräch.

Hörabschnitt 15

Sie sprechen jetzt mit einem Bekannten über die politische Funktion der Bundesländer. Sie hören in Stichwörtern, was Sie sagen sollen. Sprechen Sie dann in den Pausen.

Bekannter Welche Rolle spielen denn eigentlich die Länder in Deutschland?

(zweite politische Ebene – zur Stabilisierung der Demokratie in Deutschland beitragen)

➡

Sie Sie sind die zweite politische Ebene und sie tragen zur Stabilisierung der Demokratie in Deutschland bei.

Bekannter Und wie machen sie das?

(durch Bundesrat an Gesetzgebung und Verwaltung des Bundes mitwirken)

➡

Sie Durch den Bundesrat wirken sie an der Gesetzgebung und der Verwaltung des Bundes mit.

Bekannter Der Bundesrat? Wird der auch von allen Bürgern und Bürgerinnen gewählt, wie der Bundestag?

(nein – aus Mitgliedern der Länderregierungen bestehen – von jeweiligen Regierungen ernannt werden)

➡

Sie Nein. Der Bundesrat besteht aus Mitgliedern der Länderregierungen, die von ihren jeweiligen Regierungen ernannt werden.

Bekannter Und was macht den Bundesrat so wichtig?

(wichtiges Element der Machtverteilung in Deutschland)

➡

Sie Er ist ein wichtiges Element der Machtverteilung in Deutschland.

Bekannter Was meinst du denn damit?

(die Bundesregierung und ihre Gesetzgebung kontrollieren können)

➡

Sie Er kann die Bundesregierung und ihre Gesetzgebung kontrollieren.

Bekannter Gibt es denn gar keine Kritik an diesem System?

(viele Kritiker sagen – Bund mehr und mehr Einfluss auf Länder ausüben – Länder immer weniger Spielraum in ihren Entscheidungen haben)

➡

Sie Viele Kritiker sagen, dass der Bund mehr und mehr Einfluss auf die Länder ausübt, so dass die Länder immer weniger Spielraum in ihren Entscheidungen haben.

Hörabschnitt 16

Sie hören jetzt einige Haupt- und Nebensätze. Sprechen Sie in den Pausen und beginnen Sie jeweils mit dem Nebensatz. Wenn Sie mehr Zeit brauchen, drücken Sie bitte Ihre Pausetaste.

Die Länder dürfen eigene Gesetze erlassen, wenn es kein entsprechendes Bundesgesetz gibt.

➡

Sie Wenn es kein entsprechendes Bundesgesetz gibt, dürfen die Länder eigene Gesetze erlassen.

Der Begriff „Heimat" ist für viele Deutsche problematisch, weil er im Dritten Reich von den Nationalsozialisten missbraucht wurde.

➡

Sie Weil er im Dritten Reich von den Nationalsozialisten missbraucht wurde, ist der Begriff „Heimat" für viele Deutsche problematisch.

Die Lebenshorizonte der Deutschen waren bis zur industriellen Revolution sehr begrenzt, obwohl es Phasen massiver Aus- und Einwanderung gab.

➡

Sie Obwohl es Phasen massiver Aus- und Einwanderung gab, waren die Lebenshorizonte der Deutschen bis zur industriellen Revolution sehr begrenzt.

Es blieb die Norm, dass Deutsche nur höchst ungern ihre Heimat verließen.

➡

Sie Dass Deutsche nur höchst ungern ihre Heimat verließen, blieb die Norm.

Hörabschnitt 17

Ihr Freund findet das bestehende föderative System nicht gut. Sie diskutieren mit ihm. Sie hören auf Englisch, was Sie sagen sollen. Sprechen Sie in den Pausen.

Freund Ein zentralistisches System wäre für Deutschland viel besser.

(That really is nonsense. Federalism has a long tradition in Germany.)

➡

Sie Das ist doch Unsinn. In Deutschland hat der Föderalismus eine lange Tradition.

Freund Na und? Der Föderalismus ist einfach nicht mehr modern, sondern der Schnee von gestern.

(That's absolute rubbish. There are lots of advantages in federalism, like the division of power between Bund and Länder, for instance.)

➡

Sie Das ist doch Quatsch. Der Föderalismus bietet viele Vorteile, wie zum Beispiel die Verteilung der Macht zwischen Bund und Ländern.

Freund Aber das ist es doch gerade, das funktioniert doch sowieso nicht.

(You really haven't got a clue. Of course the system works!)

➡

Sie Du hast ja keine Ahnung. Natürlich funktioniert das System!

Freund Erklär mir doch mal, warum einige Länder wie Bayern und Baden-Württemberg sich dagegen wehren, für die anderen Länder zu bezahlen. Das ist doch Blödsinn. Ich würde meinen Nachbarn doch auch nichts geben, wenn die kein Geld haben und einen Haufen Schulden.

(Now you're just contradicting yourself. Do you want a federal or a centralist system?)

➡

Sie Jetzt widersprichst du dir aber. Willst du ein föderatives oder ein zentralistisches System?

Freund Also, wenn schon Föderalismus, dann aber auch richtig. Es ist überhaupt nicht einzusehen, warum Bayern an andere Länder Geld zahlen sollte!

(Now you really are talking rubbish! Why is it that they have so many debts? Because they are at a disadvantage and can't attract more industry.)

➡

Sie Jetzt redest du aber Blödsinn! Warum haben die denn so viele Schulden? Weil sie benachteiligt sind und weniger Industrie anziehen können.

Freund Na und? Dann sollen die doch mehr Industrie ansiedeln, das ist doch wirklich deren Problem, nicht das der reicheren Bundesländer.

(I haven't heard such nonsense for a long time. After all there is the principle of solidarity. There should be comparable living conditions in all the federal states.)

➡

Sie So einen Unsinn habe ich schon lange nicht mehr gehört. Da gibt es schließlich das Prinzip der Solidarität. In den Bundesländern sollen annähernd gleiche Lebensbedingungen bestehen.

Freund Solidarität? Das ist doch auch so ein veraltetes Konzept.

(I give up. It's impossible to discuss anything with you!)

➡

Sie Ach, ich geb's auf. Mit dir kann man einfach nicht diskutieren!

Hörabschnitt 18

Sie sprechen jetzt über die Rolle und die Macht des Bundeskanzlers in Deutschland. Sie hören auf Englisch, was Sie sagen sollen. Sprechen Sie in den Pausen.

Bekannte Wie viel Macht hat der deutsche Bundeskanzler denn wirklich?

(That depends on several factors: his personality, his government and the power of the parliamentary parties.)

➡

Sie Das hängt von verschiedenen Faktoren ab: seiner Persönlichkeit, seiner Regierung und der Stärke der parlamentarischen Parteien.

Bekannte Das verstehe ich nicht. Wie kann denn seine Macht von seiner Persönlichkeit abhängen?

(Well, the Constitution can accommodate a strong chancellor but not all German chancellors were as powerful as Adenauer.)

➡

Sie Nun, die Verfassung erlaubt einen starken Bundeskanzler, aber nicht alle deutschen Kanzler waren so mächtig wie Adenauer.

Bekannte Wer war denn nicht so stark?

(Most of his successors weren't as tough. For instance, Erhard was considered to be a weak leader.)

➡

Sie Die meisten seiner Nachfolger waren nicht so stark. Erhard, zum Beispiel, wurde als führungsschwach betrachtet.

Bekannte Dann stimmt die Bezeichnung „Kanzlerdemokratie" also gar nicht?

(What does that mean?)

➡

Sie Was heißt das denn?

Bekannte Na ja, es wird häufig gesagt, dass die deutsche Demokratie sehr von dem jeweiligen Kanzler dominiert und geprägt wird.

(Well, I'm not so sure about that.)

➡

Sie Na, da bin ich mir aber nicht so sicher.

Bekannte Aber Tatsache ist doch, dass der Bundeskanzler sehr wichtig ist bei der Durchsetzung von Gesetzen und so weiter.

(Well, he is quite important, but the Bundesrat *has a say over a lot of laws. And if they reject one, then a special committee has to negotiate over it.)*

➡

Sie Na ja, er ist ziemlich wichtig, aber der Bundesrat bestimmt bei vielen Gesetzen mit. Und wenn er ein Gesetz ablehnt, dann verhandelt ein spezieller Ausschuss darüber.

Bekannte Was für ein Ausschuss?

(It's called the 'mediation committee' and its members have to find a compromise so that both sides agree to the law.)

➡

Sie Er heißt „Vermittlungsausschuss" und seine Mitglieder müssen einen Kompromiss finden, so dass beide Seiten dem Gesetz zustimmen.

Hörabschnitt 19

Stellen Sie sich vor, Sie sind ein Experte zum Thema Bundestagswahlrecht. Bei einer Fragestunde mit jungen Leuten, die zum ersten Mal wählen, beantworten Sie deren Fragen. Sprechen Sie in den Pausen nach den Stichwörtern.

Junger Mann Also, wie funktioniert das denn nun mit dem Wählen? Ich bin mir noch immer nicht ganz sicher, ob ich das richtig verstanden habe. Ich habe also zwei Stimmen, oder? Aber wofür sind die denn nun genau?

(Erststimme – Kandidaten – Wahlkreis; Zweitstimme – Landesliste)

➡

Sie Mit der Erststimme wählen Sie einen Kandidaten aus Ihrem Wahlkreis und mit der Zweitstimme eine Landesliste der Parteien.

Junge Frau Und die Erststimme ist die wichtigste?

(Zweitstimme)

➡

Sie Nein, die Zweitstimme ist die wichtigste.

Junge Frau Warum denn das?

(Sitze – Bundestag – Anteil der Zweitstimmen)

➡

Sie Weil die Sitze im Bundestag nach dem Anteil der Zweitstimmen verteilt werden.

Junger Mann Aber warum wähle ich dann überhaupt einen Kandidaten oder eine Kandidatin in meinem Wahlkreis, wenn das gar nicht wichtig ist?

(Direktmandate – Wahlkreise verrechnen)

➡

Sie Das ist schon wichtig, weil die Direktmandate aus den Wahlkreisen auf diesen Teil verrechnet werden.

Junge Frau Also, wenn in meinem Wahlkreis die Kandidatin der CDU gewinnt, wird das mitgezählt bei den Stimmen für die Listen, oder?

Junger Mann Ja, das stimmt. Aber was passiert, wenn eine Partei in gar keinem Wahlkreis gewinnt?

(Mandat – Anteil – Zweitstimmen)

➡

Sie Dann werden ihre Mandate aus ihrem Anteil an den Zweitstimmen errechnet.

Junge Frau Und umgekehrt? Wenn es mehr gewonnene Direktmandate gibt als der Partei eigentlich zusteht?

(Überhangmandate)

➡

Sie Dann gibt es die so genannten Überhangmandate, die die Parteien zusätzlich bekommen.

Junge Frau Aha. Und dann war da noch die Fünfprozentklausel. Also, eine Partei muss mindestens 5% der Erststimmen erhalten um in den Bundestag zu kommen – is' doch richtig, oder?

(Partei – mindestens 5% – gültige Zweitstimmen)

➡

Sie Nein, das ist nicht richtig. Eine Partei muss mindestens 5% der gültigen Zweitstimmen erhalten um in den Bundestag zu kommen.

Junger Mann Da gab es aber doch noch eine andere Regelung dazu, gleich fällt's mir wieder ein.

(Partei – drei Wahlkreise – direkt gewinnen)

➡

Sie Wenn eine Partei mindestens drei Wahlkreise direkt gewonnen hat, dann kommt sie auch in den Bundestag.

Junger Mann Echt kompliziert, dieses Wahlsystem. Warum wählt man nicht einfach nur einen Kandidaten für den Wahlkreis und das war's?

(Stimmen – unterlegene Kandidaten)

➡

Sie   Dann würden aber alle Stimmen für die unterlegenen Kandidaten verloren gehen.

Junge Frau   Nee, das fänd' ich nicht gut. Das würde ja bedeuten, dass die kleineren Parteien gar keine Chance hätten. Hat dieses Wahlsystem eigentlich auch einen Namen?

(„personalisiertes Verhältniswahlrecht")

➡

Sie   Ja, es nennt sich „personalisiertes Verhältniswahlrecht".

Junger Mann   Und was soll das heißen?

(Elemente – Mehrheitswahlrecht – Verhältniswahlrecht)

➡

Sie   Es verbindet Elemente des Mehrheitswahlrechts und des Verhältniswahlrechts.

Junger Mann   Und finden Sie das gut?

➡

Sie

ENDE DER CD

Sprechübungen Thema 2

Hörabschnitt 1

Sie unterhalten sich mit einer Bekannten, die gerade in Dresden war und sich für sächsische Geschichte interessiert. Sie hören auf Englisch, was Sie sagen sollen. Sprechen Sie dann in den Pausen.

Bekannte   Ich war gerade das erste Mal in Dresden.

(Well, tell me how you liked it in Dresden.)

➡

Sie   **Also, erzähl mal, wie es dir in Dresden gefallen hat.**

Bekannte   Ganz prima. Und ich habe auch einen Ausflug nach Meißen gemacht.

(Really? So you must have seen the museum on the Burgberg, then?)

➡

Sie   **Wirklich? Da hast du sicher das Museum auf dem Burgberg gesehen, oder?**

Bekannte   Ja, ich habe mir da die Ausstellung angesehen.

(Did you see the painting which showed Konrad der Große moving into the castle in Meißen?)

➡

Sie   **Hast du das Bild gesehen, auf dem Konrad der Große auf den Meißner Burgberg einzog?**

Bekannte   Ja, sicher, aber ich habe schon wieder vergessen, wer Konrad war.

(He was the first Wettiner. And the Wettiner were part of Saxony's history until 1918.)

➡

Sie   **Er war der erste Wettiner. Und die Wettiner waren bis 1918 Teil der sächsischen Geschichte.**

Bekannte   Ach so. Also, der andere Fürst, wie heißt er denn noch gleich? August. Der war auch ein Wettiner?

(Of course. Did you see his statue? August der Starke made Dresden famous as a Baroque town.)

➡

Sie   **Natürlich. Hast du sein Standbild gesehen? August der Starke hat Dresden als Barockstadt berühmt gemacht.**

Bekannte   Ja, das kann man selbst heute noch sehen. Der Zwinger und die vielen anderen Bauten sind schon sehr beeindruckend. Er sieht auf dem Standbild richtig majestätisch aus.

(Oh yes, he was a man who sought political power.)

➡

Sie   **Oh ja, er war ein Mensch, der politische Macht suchte.**

Bekannte   Wie denn das?

(He involved Saxony in many wars and lost quite a few.)

➡

Sie   **Er hat Sachsen in viele Kriege verwickelt und ziemlich viele davon verloren.**

Bekannte   Aha.

(And he even became a Catholic in order to become King of Poland.)

➡

Sie   **Und er trat sogar zum katholischen Glauben über um König von Polen zu werden.**

Bekannte   Ach. Aber wirklich beeindruckend fand ich doch die Barockarchitektur, die zu seiner Zeit entstanden ist.

(Yes. The ostentatious display of splendour was an important aspect for August and the other absolutist monarchs.)

➡

Sie   **Ja. Die Prunkentfaltung war ein wichtiger Aspekt für August und die anderen absolutistischen Herrscher.**

Bekannte   Aber woher bekam August denn das Geld für diese Projekte?

(Well, you can just imagine. Naturally, taxes were increased. That's no different from the present day.)

➡

Sie   **Na, das kannst du dir doch wohl denken. Da wurden natürlich die Steuern erhöht. Das ist auch nicht anders als heutzutage.**

Bekannte   War das denn ausreichend?

(No, but August had other sources of income as well.)

➡

Sie   Nein, aber August hatte auch noch andere Einnahmequellen.

Bekannte   Welche denn?

(For one thing he got money from the silver mines in the Erzgebirge, and for another he founded the porcelain factory in Meißen.)

➡

Sie   Zum einen bekam er Geld aus dem Silberbergbau im Erzgebirge und zum anderen hat er auch die Meißener Porzellanmanufaktur gegründet.

Bekannte   Ja, da war ich auch und habe mir die Porzellanausstellung angesehen. Die hat mir sehr gut gefallen.

Hörabschnitt 2

Sie berichten einem Freund, Christian, von Ihrem Besuch in einem Silberbergwerk in Annaberg. Sprechen Sie bitte in den Pausen.

Christian   Schön, dass ich dich hier treffe. Was für ein glücklicher Zufall, dass ich gerade hier in der Gegend zu tun habe. Aber was machst du überhaupt hier?

➡

Sie   Ich mache zur Zeit eine Studienreise durch Sachsen.

Christian   Und was hast du heute gesehen?

➡

Sie   Heute war ich in Annaberg-Buchholz.

Christian   Annaberg? Hmm, das kenne ich gar nicht. Was gibt es denn da zu sehen?

➡

Sie   Annaberg ist berühmt für seine Silberbergwerke. Ich habe heute eines dieser alten Bergwerke besichtigt.

Christian   Ich wusste gar nicht, dass es hier Silber gab. Wann wurde denn dort Silber entdeckt?

➡

Sie   In Annaberg fand man 1492 zum ersten Mal Silber.

Christian   Das ist ja interessant. Ich kann mir vorstellen, dass die Arbeit damals sehr anstrengend war.

➡

Sie   Ja, die Schächte waren sehr eng und sehr steil, außerdem war der Arsengehalt in den Gruben sehr hoch.

Christian   Das klingt ja nicht gerade gesund. Wie hat sich das denn auf die Bergleute ausgewirkt?

➡

Sie   Sie wurden meistens nur 30 Jahre alt, maximal 40 Jahre.

Christian   Und warst du auch in einem der Schächte?

➡

Sie   Ja, es war so eng, dass man gar nicht stehen konnte.

Christian   Na, das war bestimmt kein Spaß für die Bergleute.

➡

Sie   Nein, bestimmt nicht. Sie mussten halb kniend und halb liegend arbeiten.

Christian   Hmm, wenn ich das nächste Mal in der Gegend bin, muss ich mir mal so ein Bergwerk ansehen.

Hörabschnitt 3

Sie sprechen jetzt mit einer Freundin über Bismarck und seine Rolle im Deutschen Reich nach 1871. Sprechen Sie bitte in den Pausen.

Freundin   Wie wichtig war denn Bismarck eigentlich für das Deutsche Reich?

➡

Sie   Sehr wichtig. Im Grunde regierte er allein das Land.

Freundin   Wieso denn das? Ich denke, es gab einen Kaiser als Staatsoberhaupt.

➡

Sie   Ja, aber Wilhelm I. ordnete sich Bismarck meistens unter.

Freundin   Was war Bismarck denn eigentlich? Ministerpräsident von Deutschland?

➡

Sie   Nein, er war Ministerpräsident von Preußen, Reichskanzler und Außenminister.

Freundin Da hatte er aber wirklich viele Ämter. Und innenpolitisch? War es da einfach für Bismarck? Ich meine, gab es da keine Konflikte?

➡

Sie Oh ja, es gab viele Konflikte, zum Beispiel mit der katholischen Kirche.

Freundin Mit der katholischen Kirche? Was war denn da los?

➡

Sie Bismarck wandte sich gegen den Katholizismus. Er schloss zum Beispiel die Klöster und viele Bischöfe wurden ausgewiesen oder verhaftet.

Freundin Na, das klingt ja ganz schön hart. Hat er auch auf andere Probleme so heftig reagiert?

➡

Sie Ja, auch die Arbeiter sah er als seine Gegner. Er verfolgte sie mit Gesetzen, weil er die Arbeiterbewegung zerschlagen wollte.

Freundin Das klingt ja ziemlich autoritär.

Hörabschnitt 4

In einer Radiosendung „Fragen zur Geschichte" befragen Sie einen Experten zur Geschichte der Weimarer Republik. Sprechen Sie in den Pausen. Stellen Sie jetzt die erste Frage.

➡

Sie Wie begann die Weimarer Republik?

Experte Die erste Phase der Weimarer Republik begann mit dem Ende der Monarchie und der Ausrufung der Republik im November 1918.

➡

Sie Wie lange dauerte die erste Phase?

Experte Die erste Phase dauerte von November 1918 bis Ende 1923.

➡

Sie Mit was für Problemen hatte die Republik in dieser Zeit zu kämpfen?

Experte In dieser Zeit war die Republik nicht sehr stabil und es bestand wiederholt die Gefahr, dass die linken und rechten Gegner der Demokratie es schaffen würden, die Republik zum Auseinanderbrechen zu bringen.

➡

Sie Und was passierte nach 1923?

Experte Von Ende 1923 bis Ende 1929 folgte die zweite Phase der Weimarer Republik, die eine Zeit der wirtschaftlichen Erholung und relativen politischen Konsolidierung war. Das war die Zeit, die man häufig als die goldenen Zwanziger Jahre bezeichnet.

➡

Sie Was verursachte denn das Ende dieser Phase?

Experte Diese Phase endete mit der Weltwirtschaftskrise und ihren Auswirkungen auf Deutschland.

➡

Sie Und die Zeit nach 1929? Welche Ereignisse kennzeichnen diese Zeit?

Experte Die Zeit nach 1929, also die dritte Phase der Weimarer Republik, ist gekennzeichnet durch die zunehmende Verschlechterung der wirtschaftlichen Situation, eine sprunghaft ansteigende Arbeitslosenzahl und das erneute Erstarken der links- und rechtsradikalen Gegner der Republik.

➡

Sie Welche Rolle spielte dabei der Reichstag?

Experte Ab 1930 war der Reichstag unfähig eine regierungsfähige Mehrheit zu finden. Die verschiedenen Minderheitskabinette waren von der Macht des Reichspräsidenten abhängig, der sämtliche Beschlüsse der Regierung unterstützen musste. Damit war das demokratisch-parlamentarische System der Weimarer Republik schon lange vor dem 30. Januar 1933 beendet.

Hörabschnitt 5

Sie reden jetzt über die Bedrohung der Juden in Dresden und Victor Klemperers Situation. Sprechen Sie in den Pausen.

Was passierte mit den Juden und wie reagierten die Betroffenen?

➡

Sie Sie waren verzweifelt. Man ließ die Eheleute zusammen, aber trennte Kinder und Eltern.

Was hatte das für Folgen für Klemperer?

Sie Er wusste nicht, wie lange er noch in Dresden bleiben würde. Und er wusste auch nicht, was man mit den Dresdner Juden machen würde.

Was war am 19. September 1941 passiert?

➡

Sie Seit dem 19. September 1941 musste Klemperer den Judenstern tragen.

Was dachte er im September 1942 über die Nazi-Regierung?

➡

Sie Er dachte, sie würde sich über den Winter halten und Zeit haben alle Juden zu vernichten.

Und wie fühlte er sich?

➡

Sie Er war sehr deprimiert.

Hörabschnitt 6

Sie dolmetschen jetzt ein Gespräch zwischen einem britischen Journalisten und einer deutschen Historikerin, Dr. Susanne Barkhop, in dem es um die Frage geht, ob Deutschland in seiner historischen Entwicklung einen „Sonderweg" gegangen ist. Sprechen Sie in den Pausen jeweils auf Deutsch oder Englisch.

Journalist What is the basis for the debate about the *Sonderweg* of Germany?

➡

Sie Was ist die Grundlage für die Debatte über den Sonderweg Deutschlands?

Dr. Barkhop Diese These wurde vor allem von dem deutschen Historiker Wehler entwickelt.

➡

Sie This theory was developed primarily by the German historian Wehler.

Journalist And what is his argument?

➡

Sie Und wie lautet seine Argumentation?

Dr. Barkhop Sehr verkürzt gesagt, erklärt er mithilfe der Sonderweg-Theorie den National-sozialismus.

➡

Sie Very briefly stated, he explains National Socialism with the help of the *Sonderweg* theory.

Journalist Can you tell me more about this?

➡

Sie Können Sie mir mehr darüber erzählen?

Dr. Barkhop Seiner Meinung nach zeigt die Revolution von 1848, dass der Versuch des deutschen Bürgertums fehl schlug, den Aristokraten die Macht zu entreißen.

➡

Sie According to him, the 1848 Revolution shows that the German bourgeoisie failed in its attempt to wrest power from the aristocracy.

Journalist And is this so unique?

➡

Sie Und ist das so einzigartig?

Dr. Barkhop Wehler argumentiert, dass dies in Ländern wie England 1640 oder Frankreich 1789 mit Erfolg geschehen war.

➡

Sie Wehler argues that this happened successfully in countries like England in 1640 or France in 1789.

Journalist But how does this explain the rise of fascism?

➡

Sie Aber wie erklärt das den Aufstieg des Faschismus?

Dr. Barkhop Das Ergebnis war, dass die preußische Aristokratie ihren großen Einfluss behielt. Dazu trug auch die so genannte „Revolution von oben" unter Bismarck bei.

➡

Sie The outcome was that the Prussian aristocracy retained their dominance. The so-called 'revolution from above' under Bismarck added to this.

Journalist I still can't quite follow this.

➡

Sie Das verstehe ich immer noch nicht so ganz.

Dr. Barkhop Wehler sagt, dass die aristokratische Elite ihre Schlüsselpositionen im Reich behielt. Seiner Meinung nach blieben die sozialen Hierarchien und die Werte unverändert.

➡

Sie Wehler says that the aristocratic elite kept their key position in the Reich. According to him, the social hierarchies and values remained unchanged.

Journalist But what has the Weimar Republic got to do with this argument?

➡

Sie Aber wie passt die Weimarer Republik in diese Argumentation?

Dr. Barkhop Ganz einfach, nach dem Ende der Monarchie 1918 wurden die alten Eliten immer verzweifelter und unterstützten die rechtsgerichteten Kräfte.

➡

Sie Quite simple, when the monarchy came to an end in 1918 the old elites grew more and more desperate and supported the right-wing forces.

Journalist And that led to Hitler being appointed Chancellor?

➡

Sie Und das führte dazu, dass Hitler zum Kanzler ernannt wurde?

Dr. Barkhop Richtig, das war das Ergebnis. Also im Grunde stellt Wehler eine Verbindung her zwischen der Revolution von 1848 und dem Ende des Dritten Reichs im Jahre 1945 um den Nationalsozialismus zu erklären.

➡

Sie That's correct, that was the result. Basically, Wehler makes a connection between the 1848 Revolution and the end of the Third Reich in 1945 to explain National Socialism.

Journalist And what is your personal opinion?

➡

Sie Und wie lautet Ihre persönliche Meinung dazu?

Dr. Barkhop Ich bin der Meinung, dass Wehlers Theorie sehr interessant und provokativ war.

Hörabschnitt 7

Hören Sie jetzt eine Modellantwort für Ihren Vortrag über den deutschen Sonderweg.

Die These vom deutschen Sonderweg wurde von dem deutschen Historiker Wehler entwickelt. Damit wollte er erklären, warum Deutschland als einziges Land in Westeuropa 1933 sein demokratisches System aufgab und eine Diktatur wurde. Er sagte, dass das Bürgertum in der Revolution von 1848 der Aristokratie nicht die Macht entreißen konnte. Das war in England 1640 und in Frankreich 1789 anders gewesen. Deshalb behielt die preußische aristokratische Elite ihre Schlüsselpositionen im Deutschen Reich. 1918 verschwand schließlich die Monarchie und die Weimarer Republik wurde gegründet. Die alte Elite unterstützte die rechtsgerichteten Kräfte, die gegen die Republik kämpften. Das führte am Ende dazu, dass Hitler zum Reichskanzler ernannt wurde.

In der neueren historischen Diskussion entsteht ein komplexeres Bild. Neben den autoritären Traditionen gab es auch schon früh eine Demokratisierung von Teilbereichen der deutschen Gesellschaft. Zum Beispiel führte Bismarck das allgemeine gleiche Wahlrecht für Männer ein. Hitler konnte einerseits an die verbreiteten Ressentiments der Deutschen gegen das parlamentarische System appellieren, und andererseits auch an den Anspruch des Volkes auf politische Mitbestimmung.

Hörabschnitt 8

Sie dolmetschen jetzt das Gespräch zwischen einer britischen Journalistin und einem Deutschen, der die Nachkriegszeit erlebt hat. Sprechen Sie jeweils auf Deutsch oder Englisch in den Pausen.

Journalistin Where did you live at the end of the war?

➡

Sie Wo lebten Sie bei Kriegsende?

Deutscher Ich lebte damals mit meiner Mutter in Köln.

➡

Sie I was living with my mother in Cologne at that time.

Journalistin Had Cologne been badly damaged in the war?

Sie   War Köln im Krieg stark zerstört worden?

Deutscher   Oh ja. Köln war ein einziger Trümmerhaufen. Es gab fast keine unzerstörten Wohnungen mehr.

➡

Sie   Oh yes. Cologne was nothing but a heap of rubble. There were hardly any dwellings left undamaged.

Journalistin   And what about food supplies? Did you get enough to eat?

➡

Sie   Und wie war die Lebensmittelversorgung? Hatten Sie genug zu essen?

Deutscher   Wir hatten sehr wenig zu essen. Wir bekamen Lebensmittelkarten, aber man konnte oft nichts dafür kaufen.

➡

Sie   We had very little to eat. We got ration cards, but often you couldn't buy anything with them.

Journalistin   Did you buy things on the black market?

➡

Sie   Haben Sie Sachen auf dem Schwarzmarkt gekauft?

Deutscher   Nein, dort waren die Preise zu hoch. Wir haben Hamsterfahrten aufs Land gemacht und haben Wertgegenstände und Zigaretten gegen Kartoffeln getauscht.

➡

Sie   No, prices were too high. We went on foraging trips to the countryside and bartered valuables and cigarettes for potatoes.

Journalistin   The Deutschmark was introduced in June 1948. What was the situation immediately afterwards?

➡

Sie   Im Juni 1948 wurde die D-Mark eingeführt. Wie war die Situation direkt danach?

Deutscher   Plötzlich erschienen viele Waren wieder in den Geschäften und man konnte für sein Kopfgeld zumindest wieder etwas kaufen.

Sie   Suddenly lots of goods reappeared in the shops and you could at least buy something for your 'per capita' money.

Journalistin   So, you welcomed the currency reform?

➡

Sie   Sie haben die Währungsreform also begrüßt?

Deutscher   Na ja, einerseits schon, weil man endlich wieder etwas für sein Geld kaufen konnte. Andererseits habe ich natürlich zum zweiten Mal alle meine Ersparnisse verloren.

➡

Sie   Well, on the one hand yes, because at last you could buy something for your money again. On the other hand, of course I lost all my savings for the second time.

Hörabschnitt 9

Sie hören jetzt eine Rundfunkansprache Adenauers, die er aus Anlass der Pariser Verträge im Jahre 1955 hielt.

Heute, fast zehn Jahre nach dem militärischen und politischen Zusammenbruch des Nationalsozialismus, endet für die Bundesrepublik Deutschland die Besatzungszeit. Mit tiefer Genugtuung kann die Bundesregierung feststellen: Wir sind ein freier und unabhängiger Staat. Was sich auf der Grundlage wachsenden Vertrauens seit langem vorbereitete, ist nunmehr zur rechtsgültigen Tatsache geworden: Wir stehen als Freie unter Freien, den bisherigen Besatzungsmächten in echter Partnerschaft verbunden.

Mit der Bundesregierung gedenken in dieser Stunde 50 Millionen freier Bürger der Bundesrepublik Deutschland in brüderlicher Verbundenheit der Millionen Deutschen, die gezwungen sind, getrennt von uns in Unfreiheit und Rechtlosigkeit zu leben. Wir rufen ihnen zu: Ihr gehört zu uns, wir gehören zu euch! Die Freude über unsere wiedergewonnene Freiheit ist so lange getrübt, als diese Freiheit euch versagt bleibt. Ihr könnt euch immer auf uns verlassen, denn gemeinsam mit der freien Welt werden wir nicht rasten und ruhen, bis auch ihr die Menschenrechte wiedererlangt habt und mit uns friedlich vereint in einem Staate lebt.

In dieser Stunde gedenken wir auch der vielen Deutschen, die immer noch das harte Los der Kriegsgefangenschaft tragen müssen. Wir werden alles daransetzen, dass auch ihnen bald die Stunde der Befreiung schlägt.

Freiheit verpflichtet. Es gibt für uns im Inneren nur einen Weg: den Weg des Rechtsstaates, der Demokratie und der sozialen Gerechtigkeit. Es gibt für uns in der Welt nur einen Platz: an der Seite der freien Völker.

Unser Ziel ist in einem freien und geeinten Europa ein freies und geeintes Deutschland.

Hörabschnitt 10

Sie sprechen jetzt mit einem Freund über den offenen Brief, den Grass an Kiesinger geschrieben hat. Sie hören in Stichwörtern, was Sie sagen sollen. Sprechen Sie in den Pausen.

Freund   Hältst du den Brief von Grass für gerechtfertigt?

(gerechtfertigt sein)

➡

Sie   Ja, ich bin der Meinung, dass der Brief von Günter Grass gerechtfertigt war.

Freund   Warum?

(Kiesinger – junger Mann – Befürworter – Nazi-Regime)

➡

Sie   Kiesinger war als junger Mann ein Befürworter des Nazi-Regimes.

Freund   Aber das Ende der Nazizeit lag 1966 doch schon mehr als zwei Jahrzehnte zurück.

(Erinnerungen – Verbrechen der Nazizeit – in Deutschland und anderen Ländern – lebendig)

➡

Sie   Richtig, aber die Erinnerungen an die Verbrechen der Nazizeit waren sowohl in Deutschland als auch in anderen Ländern noch lebendig.

Freund   Aber die Bundesrepublik hatte inzwischen doch schon viel getan um gute Beziehungen zu den Nachbarländern wiederherzustellen.

(versuchen – Unrecht der Kriegsjahre – wieder gutmachen)

➡

Sie   Das stimmt, Deutschland hatte versucht das Unrecht der Kriegsjahre wieder gutzumachen.

Freund   Also, warum hätte Kiesinger dann nicht Bundeskanzler werden sollen?

(außenpolitisch – negative Folgen – haben können)

➡

Sie   Das hätte außenpolitisch negative Folgen haben können.

Freund   Wie meinst du das?

(Gedenken – Widerstandskämpfer – Tote der Konzentrationslager – schwieriger werden)

➡

Sie   Das Gedenken an die Widerstandskämpfer und die Toten der Konzentrationslager wäre schwieriger geworden.

Freund   Aber hatte denn deiner Meinung nach ein Schriftsteller wie Grass damals das Recht, sich öffentlich zu solch einem politischen Thema zu äußern?

(Schriftsteller – politisch engagiert – Meinung öffentlich äußern – gleiche Rechte – andere Bürger)

➡

Sie   Ich finde, Schriftsteller sollten politisch engagiert sein und ihre Meinung öffentlich äußern können. Sie haben die gleichen Rechte wie jeder andere Bürger.

Hörabschnitt 11

Hören Sie die Sätze und formulieren Sie sie dann wie im Beispiel um.

> **Beispiel**
>
> Ich finde es schade, dass sie immer nur von der Arbeit spricht.
>
> Was ich schade finde, ist, dass sie immer nur von der Arbeit spricht.

Jetzt sind Sie dran.

1   Mich wundert, dass du so ruhig bleibst.

➡

Sie Was mich wundert, ist, dass du so ruhig bleibst.

2 Ich finde es toll, dass sie jetzt einen Freund hat.

➡

Sie Was ich toll finde, ist, dass sie jetzt einen Freund hat.

3 Ich verstehe nicht, warum du nicht Französisch lernst.

➡

Sie Was ich nicht verstehe, ist, warum du nicht Französisch lernst.

4 Ich finde es schade, dass du nicht noch bleiben kannst.

➡

Sie Was ich schade finde, ist, dass du nicht noch bleiben kannst.

5 Ich kann nicht begreifen, dass du nicht zur Polizei gehst.

➡

Sie Was ich nicht begreifen kann, ist, dass du nicht zur Polizei gehst.

6 Mich würde interessieren, warum du Deutsch studierst.

➡

Sie Was mich interessieren würde, ist, warum du Deutsch studierst.

Hörabschnitt 12

Sie diskutieren jetzt mit einer Freundin über Günter Grass' offenen Brief und argumentieren gegen Grass' Einstellung. Sie hören auf Englisch, was Sie sagen sollen. Sprechen Sie bitte in den Pausen.

(I think that Grass's letter was not justified.)

➡

Sie Ich bin der Meinung, dass der Brief von Grass nicht gerechtfertigt war.

Freundin Warum nicht?

(Kiesinger joined the NSDAP as a young man. In 1966, that was more than 30 years ago.)

➡

Sie Kiesinger trat der NSDAP als junger Mann bei. 1966 lag das mehr als 30 Jahre zurück.

Freundin Ja und? Wieso ist das denn relevant?

(Well, he made a mistake then and I think everybody is entitled to make a mistake.)

➡

Sie Nun, er hat damals einen Fehler gemacht und ich denke, jeder hat das Recht Fehler zu machen.

Freundin Aber das ist doch gar nicht der Punkt. Wie konnte ein Ex-Nazi Bundeskanzler werden, das ist doch hier die Frage.

(He had regretted his mistake and had shown that he was a democratic politician.)

➡

Sie Er hatte seinen Fehler bedauert und gezeigt, dass er ein demokratischer Politiker war.

Freundin Aber trotzdem hatte Grass Recht, so jemand wie Kiesinger sollte nicht gewählt werden.

(But both his own party – the CDU – and the Social Democrats were prepared to accept Kiesinger as Chancellor.)

➡

Sie Aber sowohl seine eigene Partei – die CDU – wie auch die Sozialdemokraten waren bereit, Kiesinger als Kanzler zu akzeptieren.

Freundin Das finde ich schlimm genug.

(I don't think that writers like Grass had the right to influence the public in this way.)

➡

Sie Ich finde nicht, dass Schriftsteller wie Grass das Recht hatten, die Öffentlichkeit auf diese Art zu beeinflussen.

Freundin Wieso denn das?

(If both parties in the Bundestag agreed on a candidate, then why did Grass feel he had the right to question this decision?)

➡

Sie Wenn beide Parteien im Bundestag sich auf einen Kandidaten geeinigt hatten, warum dachte Grass, dass er das Recht hatte, diese Entscheidung in Frage zu stellen?

Hörabschnitt 13

Sie unterhalten sich jetzt mit einem Bekannten über die Zustände in der DDR nach dem Mauerbau. Sie hören auf Englisch, was Sie sagen sollen. Sprechen Sie in den Pausen.

Bekannter   Würden Sie sagen, dass das DDR-Regime seit dem Mauerbau toleranter geworden ist?

(Yes, you could say that the government has become more tolerant towards the people, but not towards party dissidents.)

➡

Sie   Ja, man könnte sagen, dass die Regierung toleranter gegenüber der Bevölkerung geworden ist, aber nicht gegenüber Dissidenten in der Partei.

Bekannter   Wie erklären Sie sich, dass es mit der DDR wirtschaftlich aufwärts ging?

(The building of the Wall meant that the regime could rely on a stable workforce because the people couldn't get out of the GDR any more.)

➡

Sie   Der Bau der Mauer bedeutete, dass das Regime mit einem stabilen Arbeitskräfte-potential rechnen konnte, weil die Menschen die DDR nicht mehr verlassen konnten.

Bekannter   Gab es Anzeichen dafür, dass so etwas wie ein DDR-Staatsbewusstsein im Entstehen war?

(Yes, it was remarkable how many GDR citizens talked about 'our republic'.)

➡

Sie   Ja, es war bemerkenswert, wie viele DDR-Bürger von „unserer Republik" sprachen.

Bekannter   Können Sie sich diese Entwicklung erklären?

(I think there's a psychological explanation for it. The people in the GDR wanted to be proud of their achievements.)

➡

Sie   Ich denke, dass es dafür eine psycholo-gische Erklärung gibt. Die Menschen in der DDR wollten stolz auf ihre Leistungen sein.

Bekannter   Gab es Dinge, die DDR-Bürger an der Bundesrepublik kritisierten?

(Yes, for instance they criticized the fact that in the West, Nazi generals still held high office.)

➡

Sie   Ja, sie kritisierten zum Beispiel, dass im Westen noch immer Nazi-Generale in hohen Stellungen waren.

Hörabschnitt 14

Sie arbeiten jetzt als Dolmetscher oder Dolmetscherin für eine Reporterin, die einen Augenzeugen der Ereignisse am Abend des 2. Juni befragt. Der Augenzeuge spricht nur Englisch, die Reporterin nur Deutsch, Sprechen Sie jeweils auf Deutsch oder Englisch in den Pausen.

Reporterin   Sie waren also am Abend vor dem Opernhaus?

➡

Sie   So you were in front of the opera house in the evening?

Augenzeuge   Yes, I got there at about 7 o'clock.

➡

Sie   Ja, ich war gegen 7 Uhr dort.

Reporterin   Und zu dieser Zeit waren dort schon Demonstranten versammelt?

➡

Sie   And demonstrators were already gathering there then?

Augenzeuge   Yes, there were hundreds of demonstrators.

➡

Sie   Ja, da waren Hunderte von Demonstranten.

Reporterin   Und wo genau waren die Demonstranten?

➡

Sie   And where exactly were the demonstrators standing?

Augenzeuge   They were behind the barriers.

➡

Sie   Sie waren hinter den Absperrgittern.

Reporterin   Und was geschah dann als nächstes?

➡

Sie And what happened next?

Augenzeuge The police charged forwards, beating up the demonstrators.

➡

Sie Die Polizei stürmte los und prügelte auf die Demonstranten ein.

Reporterin Und wie reagierten die Demonstranten?

➡

Sie And how did the demonstrators react?

Augenzeuge They ran away in a panic but the police tried to stop them getting away.

➡

Sie Sie rannten in panischer Angst davon, aber die Polizei hinderte sie daran wegzukommen.

Reporterin Wie haben Sie davon gehört, dass jemand getötet worden war?

➡

Sie How did you hear that someone had been killed?

Augenzeuge I heard it from another student who ran up to me and shouted: The police have killed one of us.

➡

Sie Ich habe das von einem anderen Studenten gehört, der auf mich zulief und rief: Die Polizei hat einen von uns umgebracht.

Reporterin Sie waren also nicht direkt dabei, als Benno Ohnesorg erschossen wurde?

➡

Sie So you weren't on the spot when Benno Ohnesorg was shot?

Augenzeuge No, I was about 500 metres away.

➡

Sie Nein, ich war ungefähr 500 Meter davon entfernt.

Hörabschnitt 15

Hören Sie jetzt einige Sätze mit dem Modalpartikel „ja". Sprechen Sie sie dann nach. Benutzen Sie Ihre Pausetaste.

1 August war ja bekannt, berühmt, berüchtigt für seine äußerste Prunkentfaltung am Hof.

2 Sie wissen ja, dass es seit 1710 die Porzellanmanufaktur gab …

3 Man musste ja zum Förderschacht das ganze Erz bringen, dass man es rausbringen konnte.

4 Ja, das ist ja der sächsische Silberbergbau gewesen, der oberste Bergherr war also auch jeweils der Landesfürst, zum Beispiel August der Starke.

5 Ja, zu DDR-Zeiten waren ja sehr viele Frauen hier in der Region im Textilbereich beschäftigt.

Hörabschnitt 16

Beantworten Sie die Fragen wie in den folgenden Beispielen.

> Warum hast du mir denn nicht Bescheid gesagt?
> Ich hab' ja versucht dir Bescheid zu sagen.
>
> Warum habt ihr denn nicht eingegriffen?
> Wir haben ja versucht einzugreifen.

Jetzt sind Sie dran.

1 Warum hast du sie denn nicht angerufen?

➡

Sie Ich hab' ja versucht sie anzurufen.

2 Warum habt ihr ihn denn nicht gewarnt?

➡

Sie Wir haben ja versucht ihn zu warnen.

3 Warum hast du denn nicht mit ihm gesprochen?

➡

Sie Ich hab' ja versucht mit ihm zu sprechen.

4 Warum bist du denn nicht gekommen?

➡

Sie Ich hab' ja versucht zu kommen.

5 Warum habt ihr uns denn nicht informiert?

➡

Sie Wir haben ja versucht euch zu informieren.

6 Warum hast du ihr denn nicht geschrieben?

➡

Sie   Ich hab' ja versucht ihr zu schreiben.

7   Warum seid ihr denn nicht gegangen?

➜

Sie   Wir haben ja versucht zu gehen.

8   Warum habt ihr sie denn nicht gefragt?

➜

Sie   Wir haben ja versucht sie zu fragen.

Hörabschnitt 17

Sie hören jetzt eine Modellantwort für Ihren Vortrag über die Ereignisse am 16. und 17. Juni 1953.

Der Ausgangsort für den Aufstand war eine Baubaracke in der Stalinallee in Ostberlin. Am 16. Juni morgens zog eine Gruppe von 40 Bauarbeitern los um gegen die Erhöhungen der Normen zu demonstrieren.

Die Demonstration wurde schnell größer. Zum Schluss waren mindestens 10 000 Menschen versammelt. Als die Regierung sagte, dass sie die Normenerhöhungen zurücknehmen würde, forderten die Arbeiter auch freie Wahlen und sie riefen zum Generalstreik am 17. Juni auf.

Die Regierung reagierte mit Gewalt und verhängte den Ausnahmezustand. Die sowjetische Besatzungsmacht griff ein und russische Panzer rollten durch Berlin. Der Aufstand wurde niedergeschlagen.

Für die DDR-Regierung war der Aufstand ein konterrevolutionärer Putschversuch, der von westlichen Agenten und Geheimdiensten gesteuert wurde. Honecker behauptet, dass sich die Arbeiter schnell von den Demonstrationen distanzierten und auch in den Betrieben gegen die so genannten Provokateure vorgingen.

Hörabschnitt 18

Jetzt sprechen Sie mit einer Bekannten über das Leben in der DDR in den achtziger Jahren. Sprechen Sie in den Pausen.

Bekannte   Auf mich hat das damals alles sehr grau und eintönig gewirkt – das Land und auch die Menschen. Ging es dir nicht auch so?

➜

Sie   Nein, in den achtziger Jahren wirkte das Land bunter und die Menschen in der DDR waren fröhlicher geworden.

Bekannte   Ach ja? Ich hatte den Eindruck, dass in den sechziger Jahren die Leute ganz trübselig und zaghaft waren.

➜

Sie   Das stimmte in den achtziger Jahren nicht mehr. Die Leute wirkten selbstsicherer, gelassener und nicht mehr so trübselig und aggressiv im Gespräch.

Bekannte   Tatsächlich? Und die plumpe Agitation. Als ich 1967 in der DDR war, fand ich das wirklich nervtötend: überall diese Plakate und Propaganda. War das in den Achtzigern immer noch so?

➜

Sie   Das ist alles viel weniger geworden. Und die Bürger in der DDR ließen die Propaganda ganz unbeeindruckt an sich abrieseln.

Bekannte   Und die Jugend? Die war 1967 noch sehr angepasst und man sah viele blaue Hemden der FDJ, der Jugendorganisation der SED. Ist dir der Unterschied zwischen West und Ost auch in diesem Bereich so stark aufgefallen?

➜

Sie   Nein, in den achtziger Jahren konnte man die Jugend in der DDR nicht mehr von der Jugend im Westen unterscheiden.

Bekannte   Ich hatte doch sehr den Eindruck, dass der Staat in den sechziger Jahren alles sehr genau kontrollierte, auch die Menschen. Hat sich das auch geändert?

➜

Sie   Ja, das ist auch anders geworden. Die Menschen in der DDR genossen ihre kleinen Freiheiten. Man hat die DDR als eine „Nischengesellschaft" bezeichnet.

Bekannte   „Nischengesellschaft?" Was soll das denn heißen?

➜

Sie   Das heißt, dass die Leute sich in ihre Privatsphäre zurückgezogen haben und politisch nicht sehr aktiv waren.

Bekannte   Ja, aber wie reagierte denn die DDR-Regierung darauf?

➜

Sie   Die Partei und die anderen Organisationen ermöglichten den Menschen das Nischendasein.

Bekannte   Nee, wirklich? Und wie sah das konkret aus?

➡

Sie   Es gab überall Kreise, Klubs und Vereinigungen und es wurde viel Sport getrieben.

Bekannte   Das klingt ja sehr positiv. Gibt es sonst noch Beispiele dafür, dass sich die Lebensumstände der DDR-Bürger verbessert haben?

➡

Sie   Ja, in der Honecker-Zeit wurden die materiellen Bedürfnisse der Menschen besser befriedigt, sie hatten weniger Angst und es gab auch neue Freiräume für die Kunst.

Bekannte   Hmm, das finde ich ja sehr interessant zu hören, wie stark sich die DDR innerhalb von zwei Jahrzehnten verändert hat.

Hörabschnitt 19

Sie reden jetzt mit einem Freund über Kurt Biedenkopf. Beantworten Sie seine Fragen in den Pausen.

Freund   Wann wurde Biedenkopf zum Ministerpräsidenten von Sachsen gewählt?

➡

Sie   Er wurde zweimal nacheinander zum Ministerpräsidenten von Sachsen gewählt, 1990 und 1994.

Freund   Und woher kommt er denn eigentlich?

➡

Sie   Er kommt aus dem Westen.

Freund   Und war er dort erfolgreich?

➡

Sie   Nein, in Bonn stand er immer im Schatten von Helmut Kohl und in Nordrhein-Westfalen blieb er immer in der Opposition.

Freund   Und seit wann ist er in Sachsen?

➡

Sie   Seit Januar 1990. Damals kam er als Gastprofessor nach Leipzig.

Freund   Hatte er denn gar keine Probleme als westdeutscher Politiker im Osten?

➡

Sie   Nein, es hat keine Rolle gespielt, dass er aus dem Westen kam.

Freund   Wie haben die Sachsen Kurt Biedenkopf aufgenommen?

➡

Sie   Die Sachsen haben ihm vertraut. Sie wollten einen Ministerpräsidenten, von dem sie überzeugt waren.

Freund   Und wie stark ist seine Regierung? Stimmt es, dass er eine große Mehrheit hat?

➡

Sie   Ja, er hat fast eine Zweidrittel-Mehrheit in Sachsen.

Freund   Das hat doch sicherlich auch Nachteile, oder?

➡

Sie   Ja, echte Diskussionen bleiben dabei natürlich auf der Strecke.

Freund   Das kann ich mir gut vorstellen, wenn eine Partei so dominant ist …

Hörabschnitt 20

Sie hören jetzt eine Modellantwort für Ihren Vortrag über Kurt Biedenkopf.

Liebe Zuhörer und Zuhörerinnen, heute Abend möchte ich einen kurzen Vortrag über den deutschen Politiker Kurt Biedenkopf halten. Biedenkopf wurde am 28. Januar 1930 in Ludwigshafen geboren. Er ist katholisch, verheiratet und hat vier Kinder.

Herr Biedenkopf ist Rechtsanwalt und Juraprofessor. Er studierte in den USA, in Frankfurt am Main und München und hat anschließend an verschiedenen Universitäten gearbeitet. Von 1971 bis 1973 war er für den Henkel-Konzern tätig.

1966 wurde Biedenkopf Mitglied der CDU. Seit Ende der sechziger Jahre war er im Westen politisch aktiv. Er hatte jedoch nicht den Erfolg, den er sich wünschte.

Doch das änderte sich, als er nach der Wende nach Sachsen ging. Biedenkopf wurde bereits im Januar 1990 Gastprofessor an der Leipziger Universität.

1990 gewann er dann mit absoluter Mehrheit die Landtagswahlen und wurde Ministerpräsident von

Sachsen. Er stellte sich als Sachwalter ostdeutscher Interessen dar. Dadurch gewann er das Vertrauen der Sachsen und wurde sehr populär. Seine Wiederwahl im Jahre 1994 mit 58,1% der Stimmen bestätigte das.

Auch seine Frau, Ingrid Biedenkopf, spielt in Sachsen eine wichtige Rolle. Sie setzt sich für soziale Dinge ein und beschäftigt sich mit Bürgereingaben. Da sie nicht gewählt wurde, ist ihre Rolle jedoch umstritten.

Umstritten ist auch die Tatsache, dass Kurt Biedenkopf Subventionen an das sächsische Volkswagenwerk gezahlt hat, obwohl die Kommission der Europäischen Union dagegen war. Das ist ein Beispiel für seine Art Entscheidungen zu treffen.

Kurt Biedenkopf hat in Sachsen viel politische Macht. Das hat jedoch den Nachteil, dass die Opposition schwach ist und es nur sehr wenige spannende Diskussionen gibt.

Meiner Meinung nach verstößt Biedenkopfs Politik gegen demokratische Grundprinzipien. Er wirkt einem vereinten Europa entgegen. Er sollte nicht wieder als Ministerpräsident kandidieren, weil er zu viel im Alleingang entscheidet.

ENDE DER CD

Acknowledgements

Grateful acknowledgement is made to the following sources for permission to reproduce material in this book:

Thema I

Text

Pages 12–13: Siebenhaar, H.-P. (1991) *Bodensee*, Michael Müller Verlag; pages 16–17: Wehling, H.-G. (1981) 'Regionen' in Greiffenhagen, M. *et al* (eds) *Handwörterbuch zur politischen Kultur der Bundesrepublik Deutschland*, Westdeutscher Verlag GmbH; page 22: Höfer, J. (1995) *Bairisch gredt*, Point Bücher, D-83075, Kutterling; pages 22, 198 (*Ausschnitt 2*): *Dat ist een Fleeg* dialogue courtesy of Radio Bremen; pages 23–4: Kragler, O. (1993) *Trachten in Deutschland*, © 1993 BMS Platt GmbH, München/Inter Nationes; page 25: 'Eine Kohlfahrt – ein seltsames Ritual', *Nordwest-Zeitung*, 11 October 1997; page 34: extract from Homepage for Wilhelmshaven on the internet, Internet Kooperation Wilhelmshaven der Internet-Provider der Region; page 40: 'Jörg Sauer zum neuen Bürgermeister gewählt', *Weilburger Tageblatt*, 24 March 1997; page 47: 'Die Rolle mittelständischer Betriebe', *Régions d'Europe/ Regions of Europe*, 1990 (updated 1998), Index-Werke Hahn und Tessky; pages 47–8, 54, 55, 68, 70, 74, 162–3: Sontheimer, K. and Bleek, W. (1997, 9th edn) *Grundzüge des politischen Systems der Bundesrepublik Deutschland*, © Piper Verlag GmbH, München 1997 (völlig überarbeitete Neuausgabe); page 61: 'Weniger Geld, dafür mehr Freiheit', Klaus-Peter Schmid and Gunter Hofmann interview with Kurt Biedenkopf, *Die Zeit*, 15 January 1998.

Illustrations

Page 5: Freizeit in Wilhelmshaven GmbH; pages 7 (top left), 10, 17 (top right centre), 49: SKN; pages 7 (centre), 9: Werner Otto Reisefotografie; page 7 (top right): Gemeinde Simmerath; page 7 (bottom left): Herr Pettenkofer, Kurbetriebsgesellschaft 'Die Oberharzer' mbH, D-38707 Altenau; page 7 (bottom right), page 8 (top): Foto Schreyer-Löbl; page 10 (bottom): Stadtarchiv Aachen; page 11 (top): Dr Hans-Peter Siebenhaar; page 11 (right): DWT – Dittrich; page 14 (left): Féderation du tourisme de la province de Liège/Y. Gabriel; page 14 (right): courtesy of Hans Kolde; page 17 (top left): Emil Bauer/Bamberg Tourist Office; page 17 (top right & top right bottom): Werner Otto; page 17 (bottom centre): Foto Georg Eurich; page 22: from Renate Luscher's *Deutschland **nach** der Wende*, © 1994 Verlag für Deutsch, Ismaning; pages 23, 24 (left): Kragler, O. (1993) *Trachten in Deutschland*, © 1993 BMS Platt GmbH, München/Inter Nationes; page 25: © Andreas Burmann/Oldenburg; page 27: Stadtverw. Friedrichshafen; page 29: Otfried Meinert/Werder; page 35: Harenberg Kommunikation Verlags- und Medien GmbH & Co. KG, Dortmund 1997, Aktuell '98, p. 33; page 37: Inter Nationes/ Bonn; page 39: Gemeinde Löhnberg; page 50: © HB-Verlag, Hamburg; pages 54, 67, 70: Bundesbildstelle, Bonn; page 65 *Meyers Taschenlexikon in 12 Bänden*, Bibliographisches Institut and F. A. Brockhaus AG; page 69: Audi AG; page 72: Logo-CDU, Logo-CSU, Logo-SPD, Logo-FDP, Logo-Bündnis 90/Die Grünen, Logo-PDS, Logo-Die Republikaner.

Thema 2

Text

Pages 85–6: 'Der Revolutionskalender', *Der Spiegel*, **7**, 9 February 1998, p. 46; page 106: Grass, G. (1987) 'Offener Brief an Georg Kiesinger', *Werkausgabe in zehn Bänden*; Band 9, © Günter Grass; page 114: Heimrich, B. (1990) 'Anstelle der Gerüchte deftige Wirklichkeit', *Frankfurter Allgemeine Zeitung*, 9 July; page 119: Sandow, G. (1998) 'Wir wollen freie Menschen sein', *50 Jahre das Beste vom Stern*, No. 6, p. 3, Picture Press Bild- und Textagentur GmbH/Stern Syndication; page 125: Schönherr, K. (1968) 'Räumt auf mit Cohn-Bendit und den Benditen', *Bunte*, **41**, p. 11, Bunte Syndication/Bilder Dienst GmbH; pages 139–40: *Stasi Intern* (1991, 2nd edn), Forum Verlag Leipzig.

Illustrations

Page 77: Frank Spooner Pictures Ltd/L. Van der Stockt; pages 80, 133: Deutsches Historisches Museum; page 83: Weimar Archive; page 85: 'Der Revolutionskalender', *Der Spiegel*, **7**, 9 February 1998, p. 53; page 86 (top left): Archiv der Zeitschrift Leipziger Illustrierte Deutscher Bundestag; page 86 (bottom left): AKG London; pages 86 (right), 87, 90 (top left), 91 (bottom right), 101: Bildarchiv Preußischer Kulturbesitz; pages 90 (top right), 91 (top and bottom left): Weimar Archive; page 90 (bottom left): Landesbildstelle Berlin; page 90 (bottom right): Archiv Gerstenberg; page 102: AKG London; pages 120 (top), 126: Getty Images; page 120 (bottom): Popperfoto; pages 124, 141, 142: Keystone Pressedienst GmbH; page 144: Bundesbildstelle, Bonn; page 145: *Der Spiegel*, **32**, 5 August 1996.

Every effort has been made to trace all copyright owners, but if any has been inadvertently overlooked, the publishers will be pleased to make the necessary arrangements at the first opportunity.

This is one of nine books (four course books, four *Materialienbücher* and *Kontexte*) that make up the Open University course L313 *Variationen: German language and society*. Each topic is accompanied by audio-visual materials.

Variationen I

Thema 1: Landschaftliche Vielfalt und politische Strukturen

Thema 2: Aspekte deutscher Geschichte

Variationen 2

Thema 3: Sprache im Kontext

Thema 4: Deutschland: Ein- und Auswanderungsland?

Variationen 3

Thema 5: Kunststätten

Thema 6: Einblicke in die Literaturszene

Variationen 4

Thema 7: Wissenschaft und Technik: gestern, heute und morgen

Thema 8: Perspektiven für Deutschland und Europa

Variationen: Kontexte